슬로하이츠의 신

スロウハイツの神様

2

츠지무라 미즈키 辻村深月

장편소설─이정민 옮김

슬로하이츠의 신

スロウハイツの神様

2

일러두기

1. 본문에 있는 모든 주석은 옮긴이의 주입니다.

2. 본문의 기호는 다음과 같이 사용했습니다.

『』 TV 뉴스에서 보도되는 내용, 문자 메시지, 쪽지와 메모, 책 단행본과 잡지 연재물, 《》 애니메이션, 영화, 주간지, 〈〉 게임 이름

차례

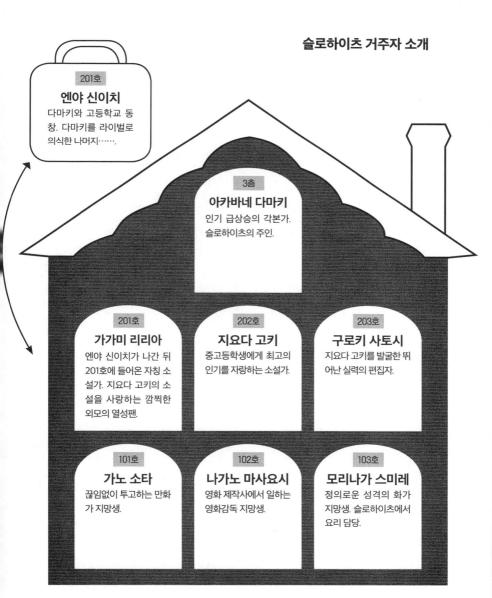

슬로하이츠 거주자 소개

201호
엔야 신이치
다마키와 고등학교 동
창. 다마키를 라이벌로
의식한 나머지…….

3층
아카바네 다마키
인기 급상승의 각본가.
슬로하이츠의 주인.

201호
가가미 리리아
엔야 신이치가 나간 뒤
201호에 들어온 자칭 소
설가. 지요다 고키의 소
설을 사랑하는 깜찍한
외모의 열성팬.

202호
지요다 고키
중고등학생에게 최고의
인기를 자랑하는 소설가.

203호
구로키 사토시
지요다 고키를 발굴한 뛰
어난 실력의 편집자.

101호
가노 소타
끊임없이 투고하는 만화
가 지망생.

102호
나가노 마사요시
영화 제작사에서 일하는
영화감독 지망생.

103호
모리나가 스미레
정의로운 성격의 화가
지망생. 슬로하이츠에서
요리 담당.

제7장

모리나가 스미레는
사랑을 한다

(1)

"왜 화내지 않는 거야?"

누군가의 말소리에 눈이 떠졌다. 순간 아직 꿈의 세계인가 싶었지만 목과 어깨에 뻐근한 통증이 느껴져 꿈속이 아님을 알 수 있었다. 눈을 뜨자 커튼 너머로 가을의 엷은 햇살이 방에 들이치는 것이 보였다.

얼마 전부터 전시회에 출품할 그림을 그리느라 여념이 없는 스미레는 어제도 밤늦게까지 작업을 했다. 한낮인데도 방 조명이 켜져 있다. 깜빡 잠이 들었나 보다.

느릿느릿 일어나 벽시계를 올려다봤다. 오후 1시. 오늘은 아르바이트를 쉬는 날이니 지금부터 밤까지 그림을 그릴 수 있다.

방 밖의 말소리가 이어졌다. 다마키의 목소리다.

"기가 막혀서 정말. 오히려 엎혀 가기로 하다니 제정신이야? 자존심도 없어? 나 화났다고."

"자네가 왜 화를 내지? 무슨 자격으로?"

그녀의 말을 받아치는 목소리는 구로키의 것이었다.

그것을 듣고 조금 의외라는 생각이 들었다. 분명히 다마키가 가노나 마사요시에게 설교라도 하는 줄 알았기 때문이다. 가노나 마사요시였다면 저 말소리는 싸움이랄 것도 없이 그냥 일상 대화 같은 것이니 납득이 간다. 그러나 구로키는 다르다. 왠지 마음에 걸렸다.

스미레는 슬며시 방문을 열고 밖으로 나갔다. 세수를 하고 물을 마시고 싶었다.

"자격? 고 짱의 팬으로서 당연하잖아."

다마키가 이를 갈며 속상해했다.

"나도 말리고 싶지만 그럴 수가 없네. 우리와 거래하는 편집 프로덕션이라 위에서도 사소한 일은 눈감아 주라는 지시야."

"고도 지카라의 책이 팔리면 자연히 지요다 고키가 주목을 받으니까. 맞지? 벌써 몇 번째인지 모를 붐을 또 타는 거지. 굴욕적인 방법이긴 해도 오히려 그걸 허락하면 구로키 씨와 고 짱은 도량이 넓고 관대하다는 좋은 평가까지 얻으니 말이야."

다다다 쏘아붙이는 다마키의 말에 구로키가 입을 다물었다는 것을 알 수 있었다. 잠시 후 구로키가 유난히 맑은 목소리로 말했다.

"잘 알고 있군. 그걸로 충분하지 않나? 무슨 문제가 있지?"

"팬으로서의 감정."

다마키가 곧바로 대답했다.

"머리로는 이해하겠는데 불안하다고. 요즘 중학생들은 10년 전 그 사건조차 몰라. 적시타를 날리고 있는 건 고도 지카라잖아. 원형인 지요다 고키의 소설은 다들 읽지 않게 된다고. 그래도 괜찮겠어?"

"절대 그렇게 내버려두지 않아. 그 점은 믿어도 돼."

"그래도——."

다마키가 계속 따지려던 그때. 거실에 스미레가 왔다는 것을 알아차리고 그녀는 숨을 삼켰다. 그러고는 말했다.

"스—, 좋은 아침. 아, 벌써 낮이네. 어제도 밤늦게까지 작업했나 보구나?"

"응, 도무지 끝날 것 같지가 않네."

어쩌면 스미레가 외출한 것으로 알았을지도 모른다. 다마키의 시선을 좇아 구로키도 스미레의 존재를 알아차렸다. "아아" 하고 고개를 작게 끄덕이더니 마시던 컵을 들고 자리에서 일어났다. 괜찮은 걸까. 스미레는 왠지 자신이 대화를 중단시킨 것 같아 민망했다.

"다음 달 개인전은 규모가 얼마나 되는 곳에서 열지?"

구로키가 부자연스러운 타이밍에 화제를 억지로 바꾸었다. 그와 대화하다 보면 가끔 이럴 때가 있다. '자네 때문에 분위기가 어색해졌으니 어쩔 수 없지 않겠어?'라고 말하는 듯하다. 따라서 스미레도 장단에 맞춰 대답했다.

"오모테산도의 잡거빌딩에서 해요. 별로 크진 않지만요."

"오호, 빌딩 이름은?"

"미와빌딩 3층이에요. 2층에는 사우스라는 카페가 있고요."

"모르겠군. 미안하네. 그런데 나도 가도 될까? 고키와 스케줄을 맞춰서 찾아가도록 하지."

"고, 고맙습니다."

하지만 그것은 개인전이 아닌, 넷이서 합동 출자한 그룹전이다. 스미레는 괜히 주눅이 들었다.

──돈 되는 일과 자기 실적이 되는 일이라면 뭐든지 하는 사람이야, 저 사람은.

다마키가 농담 반 진담 반처럼 하는 말을 들은 적이 있다.

그녀는 구로키에게 《블랑》의 소설 연재를 제안받았다고 한다. "소년지치고는 이례적이긴 해도 각본을 그대로 싣는 것도 좋겠군. 미디어믹스 제안이 썩어나들도록 오겠어" 하고 재미있어하며.

그는 민감한 안테나 같은 감각을 지녔다. 그리고 분야가 다르긴 해도 그의 센서는 스미레를 포착하지 않는다. 그것이 무슨 의미인지 스미레는 나름 잘 받아들이고 있다고 생각했다.

구로키는 겉치레 인사로 "그럼 또" 하고 밝게 웃고는 거실에서 나갔다. 그가 이 집에서 겉치레적인 관계를 넘어 가깝게 대하는 사람은 고키와 다마키뿐일 것이다. 그 밖에 다른 사람들에게는 각자 자신의 상품가치를 높이기를 기다리고 있다. 상품가치가 높아지면 그때부터 태도를 바꿀 것이다.

그가 사라진 현관을 바라보며 다마키가 한숨을 쉬었다.

"들었어?"

"조금."

"가짜 지요다 고키 일로 좀 따지느라고."

별일 아니긴 한데, 하고 가볍게 말했다.

"실은 고도 지카라를 만나야겠으니 자리 만들라고 전부터 협상해 왔어."

"뭐어? 그건——."

놀랐다. 이어서 쏩쓸히 웃고 말았다.

"뭐랄까, 다마키답네."

"그런가?"

다마키가 과장되게 불쾌한 표정을 지어 보였다.

"당사자인 고 짱과 구로키 씨가 가만히 있잖아. 속상하지 않아? 우리 집 데즈카 오사무에게 무슨 짓이냐고 따져도 모자를 판에."

"구로키 씨는 뭐래?"

"간섭할 수가 없대. '내가 나서서 우리 작가의 가짜를 소개해 달라고 하면 빈정대는 것 같지 않나?'라고 말하더라."

다마키가 구로키를 흉내 내느라 무게를 잡고 말했다.

"'빈정대는 거라서 좋은 건데. 그걸 권력이라고 하지 않나?'
하고 받아쳤더니 어이없다는 듯 웃고는 그걸로 끝. 다만 고도
지카라는 그야말로 은둔형 외톨이 작가래. 내가 만나도 욕심 날
만한 좋은 남자가 아니라고 하더라."

"어머머. 그런 게 아닌데."

"내 말이. 날 속물로 보는 거야, 뭐야 정말. 한 가지 재주만
뛰어난 글러 먹은 인간이라니, 멋있지 않아? 나 은둔형 외톨이
작가 좋아해. 상대가 날 싫어할 뿐."

그것도 그런 게 아닐 텐데.

스미레는 다마키를 보고 "그래서?" 하고 재촉했다.

"실제로 만나면 어쩔 작정이었는데?"

뺨을 휘갈긴다거나 어딘가에 제보한다거나 하는 과격한 대답
이 돌아올 줄 알고 물었건만, 의외로 다마키는 "딱히 아무것도"
하고 대답했다.

"어찌 됐건 얼굴 좀 보고 싶어. 무슨 낯짝으로 그런 뻔뻔스러
운 짓을 하는지 확인하기만 하면 돼. 그놈이 지금 그리 행복하
지 않다는 걸 직접 확인하고 싶은 거지."

"취미가 좀 고약한 거 아냐?"

엉겁결에 말하자, 그녀는 "그런가?" 하고 고개를 이리저리 흔
들었다.

"교활한 짓을 해서 얻은 행복은 오래 가면 안 돼. 난 인정 못
해."

16

다마키가 유독 또렷한 목소리로 단언했다. 그러고는 표정을 살짝 누그러뜨린다.

"그리고 당사자가 화내지 않을 때 일개 팬이 할 수 있는 일은 그 정도뿐이야. 마음 같아서는 그만두게 하고 싶은데. 아, 요즘에는 경향이 바뀌었어."

"경향?"

"별일 아니긴 한데, 아무튼 시끄럽게 해서 미안해."

다마키가 일어섰다. 더 이상 이 이야기를 이어 나갈 생각이 없는 듯하다.

"그럼 방해해서 미안."

"아니야, 자고 있었는걸. 정말 괜찮아."

"그룹전 안내문 나오면 줘. 무조건 보러 갈 테니."

그 순간이었다.

일어서는 다마키의 뒷모습을 보고 별안간 안타까운 감정이 스미레의 어깨를 감쌌다. 어색함을 닮은 부자연스러운 불편함.

그것을 얼버무리기 위해 스미레는 괜히 실없는 소리를 했다.

"저기, 오늘 집에 있을 거야? 저녁에 맛있는 거 해 먹을까? 나도 집에 있을 거거든."

"괜찮아. 아마 오늘은 누구랑 같이 밥 먹을 타이밍을 맞추기가 어려울 거야. 막판이라 몰아쳐서 작업해야 하거든. 미안해."

"다마키."

불러 놓고 나서 아차 싶었다. 자신은 무슨 말을 하려는 걸까.

"응?"

돌아보지 않은 채 그녀가 가볍게 대답했다. 말할지 말지 망설였다. 그러나 방금 그녀가 한 말을 떠올리면 마음이 꺾였다. 마감을 앞두고 집중해야 하는 것이다.

마감 전에 할 이야기가 아니라고 생각했다. 게다가 자신은 아마 망설이고 있는 것 같다. 오늘 말하지 않아도 되는 이유, 갖다 붙일 수 있는 뭔가를 찾고 있는 것이다.

"왜 그래, 스—?"

자신을 부르는 소리에 퍼뜩 고개를 들었다. 어느새 다마키가 이쪽을 향하고 있었다. 황급히 목소리를 꾸며 내어 깊이 생각하기도 전에 말부터 내뱉었다.

"하이지마 씨 잘 지내? 잘되어 가고 있는 거야?"

"아, 뭐, 남들만큼은."

심드렁하게 무심히 대답하는 것은 그녀 나름대로 쑥스러움을 감추려는 것이다.

"그러고 보니 이따 우리 집에 오기로 했어. 나는 일 때문에 방에서 못 나오지만, 가노 만나러 온대."

"가노를?"

"응. 하이지마의 자전거가 고급인 데다 꽤 멋있어서 다음 만화 주인공의 자전거로 하려나 봐. 사진 좀 찍어다 주면 안 되겠냐고 하던데, 그럴 바에야 직접 보는 게 낫잖아."

"——왠지 대단하네."

"뭐가?"

별것 아니라는 듯 말하지만, 스미레가 봤을 때는 몹시 놀라웠다.

"아니, 다마키의 남자친구가 여기 오는 것 자체도 흔치 않은데, 우리한테 소개까지 해 주겠다는 거잖아. 한 번도 이런 적 없었잖아."

"하긴, 그러네. 내가 없는 자리에서도 안심하고 친구와 둘이서만 놔둘 수 있다니, 편하고 좋다."

"좋은 사람이구나."

"응."

순순히 인정하는 다마키를 보고 스미레는 또다시 놀랐다. 이번에도 영락없이 부정적인 말이 돌아올 줄 알았다.

"내가 좋대. 고맙지, 뭐."

다마키가 점점 어른이 되는 것 같았다. 그것을 다소 서운하게 생각하는 자신이 이상한 걸까.

엔야가 떠나고 리리아가 나타난 뒤 다마키는 하이지마와 교제하기 시작했다. 모두 서서히 그러나 확실히 변해 간다. 그것이 좋고 나쁘고를 떠나서.

(2)

"정말 여기서 괜찮겠어요?"

"여기가 좋아요. 얼마 전에 이 가로등 아래서 자전거를 보고 감격했거든요."

감동을 더 정확히 전하려면 어떻게 해야 할까. 이 나이가 되면 만화처럼 두 팔 벌려 환영하거나 점프하는 것은 명백히 과한 리액션이다.

그런 생각을 하고 있는데, 하이지마가 "그렇구나" 하고 선선히 말했다. 현관 앞의 툭 튀어나온 돌에 앉아 그가 가노에게 자전거를 빌려줬다.

"여기 있어도 될까요?"

"그럼요. 바쁘실 텐데 저 때문에 괜히 죄송합니다."

하이지마는 스물여덟 살이다. 가노보다 한 살 많은데도 처음 만났을 때처럼 깍듯이 예의를 차리려 한다. 그 모습을 보고 가노는 묘하게 납득이 되었다. 이성친구의 애인과는 이런 거리감이 느껴지는구나 하고.

"대학교 때 잡지에서 이 모델을 본 적이 있어요. 파란색과 검은색 조합은 비앙키치고는 드문 색상이라 아직까지 인상에 남아 있었거든요."

"비앙키의 도시형 모델 중 앞바퀴에 서스펜션(노면 충격을 흡수해 주는 장치)이 달린 타입은 이것뿐이더군요. 깜짝 놀랄 만큼 비싼 물건도 아니고 찾으면 아직 있을 겁니다."

잘난 척하지도 않고 몹시 부드러운 말투로 하이지마가 가르쳐 주었다.

가을벌레가 우는 밤, 낡은 가로등 근처에 작은 나방이 붙어 있는 것이 보인다. 크림색 빛에 감싸인 자전거에서 그림자가 길게 뻗어 났다. 돌 위에 앉아 그림자 옆 땅바닥에 다리를 쭉 뻗고 있는 하이지마는 즐거워 보였다.

핸들에서 프레임, 안장, 뒷바퀴. 자전거 라인을 정신없이 스케치하는 동안 하이지마는 책을 읽거나 이따금 고개를 들어 '슬로하이츠' 건물을 쳐다봤다. 이윽고 자전거 그림을 세 장 완성할 즈음에 가노가 말을 건넸다.

"심심하지 않으세요?"

"아뇨, 재미있습니다. 이렇게 느긋하게 책을 읽는 건 일부러 시간을 내야 가능하니까요."

"다마키하고는 일로 알게 되셨어요?"

"아뇨."

하이지마가 읽던 책을 덮고 대답했다. 느닷없이 화제를 바꾸었는데도 그는 자연스럽게 응해 주었다.

"실은 그녀의 직업도 몰랐고, 더 정확히 말하면 미안하게도 아카바네 다마키라는 각본가가 있는지도 몰랐습니다. 책은 그럭저럭 읽지만 영화나 드라마는 거의 안 보거든요."

"다마키는 인기 각본가예요. 우리 집의 이인자랍니다."

"그런 것 같더군요. 듣고 놀랐습니다."

하이지마가 웃는다.

"다마키하고는 이케부쿠로의 오락실에서 우연히 알게 되었습니다."

"오락실이라면 게임하는 그 오락실 말이에요?"

"네, 맞습니다."

하이지마가 "이거, 말해도 되려나" 하면서 가르쳐 주었다. 가노는 고개를 갸웃거렸다.

"다마키는 늘 바쁘니까 일 외에는 사람을 알게 될 여유가 없을 줄 알았어요. 그런데 오락실이라니."

"이케부쿠로 역 동쪽 출구에서 조금 떨어진 곳인데, 혹시 영어 회화 학원 건물 아십니까? 그 맞은편에 있어요. 사람이 별로 오지 않아 은밀한 은신처로 이용합니다. 회사 퇴근길에 있거든요."

"아, 그 근처."

TV 광고에 종종 나오는 대형 영어 회화 학원의 간판이 달린 그 거리의 풍경. 가노도 자전거로 그 근처를 자주 지나다닌다.

──다마키도 요즘 요란스럽게 놀더라.

언젠가 마사요시가 했던 말이 가슴을 스쳤다.

──매일 집에 늦게 들어오는 것도 분명히 일 때문은 아닐 거야. 어디 가는지는 몰라도, 외롭기도 하고 마음을 달랠 길이 없는 거겠지──.

그런 식으로 노는 장소가 오락실이었다니 뜻밖이다. 그런데 초등학생도 아니고 웬 오락실인가 싶지만, 그 와중에 하이지마를 발견했다면 꽤 바람직하지 않은가. 그를 보고 있으면 안심이

22

된다.

"제가 〈레이디 매디〉 격투 게임에 푹 빠졌거든요. 미안하게도 원작 소설과 만화는 읽은 적이 없어요. 어느 날 술자리를 마치고 집에 가는 길에 친구의 권유로 가볍게 한 판 했는데 그 후 습관이 되었지 뭡니까."

"아아, 그 게임 잘 만들었더라고요."

푹 빠지고도 남죠, 하고 고개를 크게 끄덕이며 가노가 말했다. "그러고 보니, 원작자가 여기 2층에 살아요" 하고 덧붙이자, 하이지마가 웃으며 "그런 것 같더군요. 다마키한테 들었습니다" 하고 대답했다.

"친구는 질려서 손을 뗐는데도 저는 푹 빠져서 오락실을 뻔질나게 드나들었더니 제법 높은 레벨까지 도달하게 되더군요. 대전 난입, 즉 이미 일대일 전투 중인데 제삼자가 끼어들어도 지지 않게 되었고, 이 근처에는 이제 적수가 없는 줄 알았습니다. 그런데."

하이지마가 고개를 들었다.

"어느 날 저처럼 〈레이디 매디〉를 하고 있는 다마키를 만난 겁니다. 혼자서 한참 동안 동전을 연속 투입하더군요. 웬일로 여자 혼자 왔나 싶어 흥미가 생겨 대전 난입을 했지요."

"다마키한테 싸움을 걸다니 무모하시네요."

가노는 웃음을 짓고 장난스럽게 말했다.

"저희 친구 한 명은 그 무모함 때문에 여기서 살지 못하게 되었거든요."

"다마키한테 들었습니다."

엔야에 관해 언급하는 관계와 분위기가 이미 형성된 것이다. 남의 일인데도 왠지 안심이 되고 기분이 좋았다.

"다마키는 중량계 캐릭터인 브루노를, 저는 정통파라 주인공 매디를 사용했지요."

"브루노를요? 안 어울리네요."

"동감입니다."

하이지마도 수긍했다. 브루노는 도끼를 무기로 하는 중년의 거한이다. 모니카나 스텔라 같은 다마키가 좋아할 만한 경쾌한 여성 캐릭터가 얼마든지 있는 가운데 굳이 브루노를 택하다니. 고개를 갸웃거리고 있자 하이지마가 계속했다.

"여자 혼자서, 게다가 중량계 캐릭터라는 미스매칭이 재미있어 보이더군요. 그때의 대전 결과는 제 승리였습니다. 다마키가 워낙 강해서 하마터면 질 뻔했지만요. 아, 굉장한데, 이 근처에도 이렇게 강한 사람이 아직 남아 있었다니, 하고 약간 감동했어요. 그리고 뭐랄까, 다마키는 옷차림도 언뜻 봐서는 게임과 동떨어진 것처럼 보이잖습니까."

"잘 알죠."

다마키의 이야기를 하는 순간 그가 수다스러워지는 것이 기뻤다.

"이전 화면으로 돌아가서 컴퓨터를 상대로 다시 게임을 시작

24

하려 하는데, 이번에는 '계속' 버튼이 뜨더군요. 엉거주춤 일어나 맞은편 게임기를 봤더니 아까 그 여자인 겁니다. 재도전을 신청한 거죠. 그래서 응했습니다."

"이번에도 캐릭터는 브루노였어요?"

"아뇨. 이번에는 저와 똑같은 매디였는데, 제가 사용한 매디는 그녀의 손에 순식간에 죽었습니다."

서로 거리감이 있는 곳에서 친구 한 명을 기점으로 이야기를 넓히는 것은 즐겁다. 하이지마가 자전거 너머로 멀리 바라보듯 시선을 위로 올리고 말했다.

"정말 순식간이었지요. 오래 사용했지만 매디가 이런 움직임도 가능했나? 하고 생각할 만큼 제 품에 부드럽게 들어와서 눈 깜짝할 새에 두들겨 패는 바람에 손 한 번 쓰지 못했습니다."

"아마 모든 캐릭터를 완벽하게 사용할 수 있도록 한창 연습하는 중이었을 거예요."

"웬만큼 손에 익지 않고서는 매디를 그런 식으로 움직일 수는 없겠지요. 완벽했습니다."

눈에 훤하다. 다마키는 못 말릴 정도로 지는 것을 싫어한다. 하이지마가 잔잔하게 웃으며 고개를 끄덕였다.

"아까는 심심풀이로 브루노를 사용했지만 내가 마음만 먹으면 이 정도로 세다, 이제 알겠어? 하는 느낌이었는데, 놀라서 말도 안 나오더군요. 게임 오버 화면이 나와 허둥지둥 일어섰더니 그녀는 새침한 얼굴로 앉은 채 제 쪽을 안 보는 척을 하고 있었습니다. 의연하게 화면을 보고 게임을 계속하는 거 아니겠습니까. 한 방 먹었지요. 멋지다는 생각이 들더군요."

"그다음에는 어떻게 하셨어요?"

"그때는 그걸로 끝이었습니다. 말을 걸기도 망설여졌거든요. 그런데 그 후에도 계속 신경이 쓰여서 매일같이 그곳에 드나들었습니다. 이제 못 만나나 싶다가 일주일 후 오락실 앞에 있는 그녀를 보고 작정하고 말을 걸었지요. 그러고는 다음에 또 만나고 싶다고 설득하느라 아주 진땀을 뺐습니다."

자전거를 비추는 가로등 그림자 속에 날벌레가 날아다닌다. 날벌레 그림자가 비앙키 몸체의 독수리 마크와 겹쳤다가 이내 벗어났다. 그저 세련된 디자인과 뛰어난 기능성을 제외하더라도 이 자전거에는 호감이 간다. 본인 몸에 맞춰 조절하고 더러워진 곳을 닦았는데도 완전히 제거되지 않은 얼룩. 그 얼룩이 주인과의 역사로 새겨져 있다. 프레임이며 타이어에 그동안 애용해 왔다는 증거가 배어 있다.

"다마키는 좋은 녀석이에요."

무심결에 말이 술술 나왔다.

"우리 집주인과 사이좋게 지내 주세요."

"저야말로 다마키를 잘 부탁드립니다."

하이지마는 웃으면 눈이 가늘어진다. 그것이 어쩐지 매우 좋았다.

26

(3)

집에서 그룹전 전시회장까지 짐을 옮기는 작업을 마사요시가 도와줬다. 이번에는 큼직한 작품이 많아서 그가 회사에서 라이트밴을 빌려 왔다.

오모테산도에 대여한 행사 공간에서는 이미 스미레 이외의 세 명이 작업을 하고 있었다. 파티션으로 구분한 오른쪽 앞 공간이 스미레의 공간이다. 짐을 옮기던 마사요시가 자신의 친구들과 인사하는 소리가 들려온다.

그러고 보니 다마키가 하이지마에 대해 이렇게 말했다. 자신이 없는 자리에서도 안심하고 친구와 둘이서만 놔둘 수 있는 남자친구.

작업이 어느 정도 일단락되어 마사요시에게 식사하러 가자고 했다. 전시회장 건물에서 조금 걸어간 곳에 이탈리안 음식점이 있어 들어갔다. 답례도 할 겸 점심은 스미레가 샀다. 음식점에서 나오자 근처 건물 2층에 서점이 보였다.

"마사 군, 책방에 들러도 될까?"

"되지. 뭐 보려고?"

"다마키한테 들었는데——."

고도 지카라의 이름을 대자 마사요시도 알고 있었는지 대놓고 불쾌한 표정을 지었다.

"요즘 '지요다 고키를 따라잡았다'고 하는, 그 작가지? 그것

때문에 더 까불거리고 있던데."

"그래?"

거기까지는 몰랐다. 그러나 곧바로 떠올린다. 다마키는 구로 키와 입씨름하며 화를 내고 있었다. 그리고 이렇게 말했다.

——요즘에는 경향이 바뀌었어.

"흉내 내는 가짜가 어떻게 진짜를 '따라잡은' 게 돼?"

"스—, 요즘 《블랑》 읽어?"

"일단은. 가노의 방과 마사 군의 방에도 있고, 고 쨩의 소설 정도는 매주 재미있게 읽고 있어."

이야기하면서 서점에 들어가 소년만화지 코너를 찾았다. 오늘은 화요일이니 《블랑》이 발행되는 날이다.

스미레와 마사요시는 그 코너 앞에서 놀라움에 숨을 삼켰다. 《블랑》 표지에 붉고 큼직하게 쓰여 있었기 때문이다.

'긴급 철저 검증, 지요다 고키와 고도 지카라'.

"이거."

두 사람은 차분히 눈빛을 교환한 뒤 한 권씩 손에 들었다. 그 특집 기사는 권두 컬러 페이지부터 시작해 수십 페이지에 걸쳐 실려 있었다.

"얼마 전부터 고도 지카라가 《플랫》에 연재하는 『헬로 레이첼』이 고 쨩의 『레이디 매디』와 완전히 똑같이 전개된다는 이야기가 돌았어."

잡지 속 활자를 눈으로 좇으면서 마사요시가 스미레에게 가르쳐 주었다.

"지금까지는 기존의 지요다 브랜드를 미끼처럼 베껴 쓰는 식이었는데, 지금은 현재 연재 중인 소설과 아주 비슷해졌어. 그 탓에 '고도가 지요다를 따라잡았다'라는 이야기가 나도는 거야."

"비슷하다니 어떻게 비슷한데?"

시야 한쪽에 들어온 문구에 불길한 예감이 들었다.

'고도 : 천리안? 예지능력? 아뇨, 기묘한 우연의 일치에 놀란 쪽은 오히려 접니다.'

"『레이첼』이 『매디』보다 더 앞서 연재되고 있다며 난리가 났어. 모티브와 캐릭터 설정도 똑같고. 물론 가짜는 가짜일 뿐이라 아무리 중요한 구성이나 지점, 테마를 따라 했어도 고 짱의 소설이 더 좋은 건 틀림없는데, 전개 타이밍은 고도가 고 짱보다 몇 주나 빨라. 고도가 먼저 쓴 것을 나중에 고 짱이 그대로 모방하는 식이 되고 말았어."

"어떻게 그런 일이 일어나?"

일전에 다마키에게 들었을 때보다 상황이 훨씬 더 나쁘다. 마사요시는 진저리를 치며 《블랑》의 특집 페이지를 팔랑팔랑 건너뛰고 스미레에게 물었다.

"볼래? 아마 이번 주도 마찬가지일걸. 『매디』의 모니카, 알지?"

"응. 내가 좋아하는 캐릭터야."

"이번 주에 죽을걸. 매디를 보호하다 쓰러지거든."

마사요시가 분명히 단언했다. 조금 전 읽은 '천리안, 예지능력'이라는 글자가 머리를 스치며 불길한 예감이 들었다. 마사요시가 가르쳐 주었다.

"고도 지카라의 소설에도 로리 캐릭터를 좋아하는 독자를 노린 귀여운 여동생 캐릭터가 있거든. 어디 보자, 이쪽 이름이 루리카였던가."

『레이디 매디』의 모니카는 아홉 살의 천재 소녀다. 활쏘기의 달인으로, 주인공 매디를 '언니'라고 부르며 잘 따랐고 두 사람은 친자매처럼 사이가 좋았다.

"『레이첼』의 루리카가 지난주에 죽었거든. 고 짱의 『매디』보다 일주일 빨리 주인공을 보호했어."

마사요시가 《블랑》을 넘기다 고키의 『레이디 매디』를 펼쳤다. 그가 시선을 재빨리 움직이는 것을 보고 스미레도 얼른 그 페이지를 봤다.

평소 같았으면 꼼꼼히 즐기면서 읽어 나갔을 터인데 대충 훑어보려니 거부감이 느껴졌다. 그러나 펼친 페이지에서 '그것이 모니카의 최후였다'라는 문장을 발견하고 입이 딱 벌어졌다. 마사요시가 "역시" 하고 중얼거린다.

"가노가 웃어넘길 수 없는 상황이 되어 간다고 하길래 나도 지지난 주부터 《플랫》을 제대로 읽기 시작했어. 놀라서 말도 안 나오더라. 너무 심해."

"명백한 표절이야."

스미레는 자신의 목소리가 건조하다는 것을 알 수 있었다. 도대체 이게 어떻게 된 일일까.

"가짜니까 표절이나 하지."

마사요시는 씁쓸히 웃고는 이내 무표정으로 돌아와 고개를 절레절레 흔들었다.

"지금은 고 쨩의 인지도가 압도적으로 높아서 문제없겠지만, 《플랫》의 『레이첼』을 따라가면 『매디』의 다음 전개를 알 수 있다. 지요다 고키가 정말 고도 지카라의 스토리 전개를 따라 하는지 어떤지 검증하자. 일부 독자 사이에서 그런 식의 읽기가 유행하고 있나 봐. 이러면 누가 누구를 표절했는지 알 수 없는데."

"당연히 고도 지카라가 표절한 거지. 다들 어쩜 그런 말을 할 수가 있지?"

"새로운 다툼을 발견하면 일단 구경하러 가고 싶은 게 사람 마음이잖아."

마사요시는 화난 듯이 무정한 표정으로 계속했다.

"솔직히 고 쨩의 가짜가 있다는 말을 들었을 때는 악의 없이 그랬을 수도 있다고 생각했어. 흉내 내는 사람이 생긴다는 건 유명인의 척도 같은 거니까. 지요다 브랜드를 좋아한 나머지 영향을 받은 거라면 어느 정도는 어쩔 수 없지 않나."

"응. 그런데——."

왠지 기분이 나쁘다. 스미레는 고개를 내저었다.

"고도 씨는 명백히 달라. 이건 좋지 않아. 그런데 어떻게? 고 짱의 『매디』의 정보가 도대체 어디서 새는 걸까?"

"그게 수수께끼란 말이야."

"한 집에 살아도 우리는 《블랑》이 발행되기 전까지는 내용을 알 수가 없잖아. 나는 지금 약간 배신감이 들어. 고 짱이 모니카 짱을 죽이는 내용을 오래전에 써 놨으면서 아무렇지도 않게 우리랑 같이 밥을 먹었다는 거잖아."

"아, 그 발상은 흥미로운데? 현대판 도키와 장 감성치고는 나쁘지 않아."

마사요시가 웃고는 다시 어두운 표정을 지었다.

"고 짱한테 우리 말고도 친구가 있는지 의문이고."

"그럼 구로키 씨?"

그것은 상상도 하기 싫은 가능성이었다.

얼마 전 말다툼을 하던 다마키와 구로키. 그가 어떤 목적을 가지고 사전에 고도 지카라 측과 결탁했을 가능성. 구설수에 오름으로써 주목을 받아 몇 번째인지 모를 지요다 고키의 붐을 다시 일으키는 것.

마사요시는 잠깐 생각하는 척을 하더니 "말도 안 돼" 하고 단호히 고개를 저었다.

"구로키 씨도 지금은 스토리 전개에 개입하지 않는다고 하던데. 고 짱은 플롯 노트가 있을 정도로 완전한 개인주의래. 그걸 축으로 상의하려 해도 최근에는 구로키 씨가 집에 아예 안 들어오잖아. 따라서 구로키 씨가 정보를 받는 시점은 원고가 완성된 후야. 그 전에는 줄거리가 고 쨩의 머릿속에만 있는 거지."

"그렇구나."

구로키는 관계없는 듯하다는 말을 듣고 스미레는 조금 마음이 놓였다.

"그리고 전에 가노하고 이 이야기를 했을 때 혹시 모르니 구로키 씨한테서 정보가 샐 가능성을 생각해 봤어."

"그랬더니?"

"결론은 그 가능성이 전혀 없지는 않겠지만, 그 경우 고도 지카라가 엄청나게 빠른 속도로 집필해야 한다는 거야. 이미 완성된 원고를 추월하려면 그야말로 지요다 고키를 능가해야 해. 무섭도록 집필 속도가 빠른 지요다 고키보다 말이야. 상상이 잘 안 되지."

"그럼 고도 씨는 어떻게 하는 걸까?"

"스—는 고도의 이름 뒤에 꼬박꼬박 '씨'를 붙이는구나. 기특한데?"

마사요시가 까불면서 말했다. 그때 직장인인 듯한 남자가 손을 뻗어 마사요시와 스미레의 밑에서 《블랑》을 한 권 뽑아 갔다.

"단순한 우연, 기묘한 부합. 대부분의 독자가 그렇게 생각해. 지요다 고키의 팬이 비슷한 설정과 상황의 소설을 쓰면 생각하는 게 거기서 거기일 테니 비슷하게 전개된다는 의견이 대부분이야."

"그걸 알면서 이러쿵저러쿵 말들이 많은 거야?"

"그래."

마사요시가 긍정했다.

"일부 팬 사이에서는 단순한 우연으로 넘어가기에는 아까우니까 있는 말 없는 말 해 가면서 축제처럼 웃고 떠드는 분위기가 퍼지고 있어. 그 사건이 일어났을 때와 똑같아. 무책임하게도 다들 이말 저말 보태고 싶어 해."

"그럼 그리 심각하게 여기는 건 아니구나?"

"아니."

안도하는 스미레와 달리 마사요시의 표정은 여전히 어두웠다. 그가 《블랑》을 들어 올렸다. 표지에 쓰인 문구가 보인다. '긴급 철저 검증'.

"진짜 잔인해."

"……얼마 전에 집에서 구로키 씨랑 다마키가 싸우는 거 봤어."

"싸웠다고?"

"응, 싸웠다고 하면 좀 어감이 셀지 몰라도, 말다툼을 하고 있었어."

스미레는 간략히 설명하면서 깨달았다. 다마키는 이렇게 말했다.

──오히려 엎혀 가기로 하다니 제정신이야? 자존심도 없어?

이야기를 다 들은 마사요시는 납득한 표정을 지었다.

"다마키가 화내는 것도 당연하지."

마사요시의 시선 끝을 더듬어 스미레도 이내 마찬가지로 고개를 끄덕였다.

서점 매대에는 《블랑》 바로 옆에 《플랫》이 놓여 있었다. 똑같은 글씨체를 사용한 타이틀 로고. 《플랫》의 홍보 문구가 눈에 들어온다.

'시대의 흐름을 따라잡아라, 앞질러라.'

그 '앞질러라'라는 글자에 견딜 수 없는 위화감을 느꼈다.

"구로키 씨는 고도 지카라에게 얹혀 갈 작정이구나."

다마키가 사용했던 단어를 마사요시가 고스란히 입에 담았다.

"《플랫》을 끌어들여 고도와 지요다를 세트 판매할 작정이야. 《블랑》 본지에 굳이 고도를 불러오다니 믿기지가 않네. 가짜를 호의적으로 받아들이려는 거야."

"그건…… 왠지."

가슴속이 소란스러워졌다. 가짜를 역이용해 오리지널의 일부로 삼아 버리는 강인함. 기억의 어딘가를 따끔하게 찔리는 기분이 들었다.

"뭐랄까, 새롭다 못해 생소해."

그것은 10년 전 사건을 광고 대신 이용한 그 수법과 비슷하다.

"그러게, 너무 새롭지."

마사요시가 안타깝기 짝이 없다는 듯 말했다.

"구로키 씨가 좋아하는 키워드도 그거잖아. 새로운 것. 아무도 한 적이 없는 프로모션을 하는 것."

"고 짱은 알고 있을까? 항상 쓰는 데만 열심이고 자신이 쓴 소설도 잘 안 읽으려고 하잖아. 요즘에는 《블랑》도 제대로 안 읽을지도 몰라. 앞질러 표절당하는 이 상황을 모르는 거 아닐까?"

"아무리 그래도 그럴 리는──."

가볍게 미소를 지으려던 마사요시가 이내 무표정으로 돌아갔다.

"──없다고만 볼 수는 없으려나. 알았다 해도 고 짱 성격에 그냥 가만히 있는 걸지도 모르겠지만. 우리도 화가 나는데, 하물며 다마키는 워낙 성격이 세서 가만히 있지 않은 거고."

"응."

다마키는 고도 지카라의 얼굴을 보고 싶다고 말했다. 놈이 불행하다는 것을 확인하고 싶다, 가짜로 얻은 행복은 오래 가면 안 된다고 했다.

"구로키 씨 성격이면 고도 지카라를 어느 정도 이용한 다음에 버릴 것이 분명한데. ──끝까지 고 짱을 지켜 주겠지?"

"하지만 구로키 씨도 사람이니까 계산대로 되지 않을 때가 있지 않을까?"

불안한 마음에 그렇게 말하자 마사요시가 웃음기 없이 시선을 떨구었다.

"그렇게 되면 구로키 씨는 어쩔 작정일까."

마사요시가 구로키에게 화가 나 있음을 그제야 알아차렸다.

"고도 지카라의 일이 일단락된다 해도, 앞으로도 고 짱의 주변에서 이런 일이 반복되는 거 나는 싫어. 작가가 아무리 흔들리지 않아도 창작과 관계없는 영역에서 기생충 같은 것에 좀먹히다니, 그러면 안 되잖아. 그게 규모가 커짐에 따라 생기는 어쩔 수 없는 유명세라면 그나마 괜찮아. 그런데——."

매대에 진열된 《블랑》을 향해 옆에서 손이 뻗어 왔다. 이번에는 여학생인 듯했다. 그녀를 아랑곳 않고 마사요시가 말했다.

"진지하게 임하는 작가의 작품을 이런 식으로 팔면 안 되잖아."

그 진지한 말투에 스미레는 입을 다물었다. 아무 말도 할 수가 없었다. 마사요시의 그 마음은 작가 지요다 고키의 팬으로서도, 한 집에 사는 친구로서의 마음도 아니다.

자기 자신의 신념으로서, 바꿔 말하면 사람으로서 그는 이런 수법을 결코 인정할 수 없는 것이다.

"재미있는 소설을 쓰면 건전하게 읽히고 팔렸으면 좋겠어. 자기 자신을 이렇게까지 엔터테인먼트에 바칠 필요가 있나?"

매주 구입하는 《블랑》이지만 마사요시는 손에 들고 있던

한 권을 제자리에 돌려놓았다.

서점을 나와 마사요시는 회사로, 스미레는 그룹전 준비를 하러 갔다. 그림을 옮겨 준 라이트밴에 그가 올라탔다. 스미레가 "고마워" 하고 말하자 그가 씁쓸히 웃었다.

"그래."

"마사 군은 어쩜 그렇게 어른스러울 수가 있어?"

"어른스럽지 않아. 실컷 저주하고 마지막에는 질질 짜기까지 했잖아. 그런 모습까지 보이다니 창피해서 죽을 것 같아."

그가 농담조로 말했다.

"이가라시 군한테 얼른 면허 따라고 해. 앞으로도 너는 이런 개인전을 할 기회가 많아질 테니."

이런 상황에서도 그는 싫은 내색 하나 없이 말했다. 단순한 조언을 하고 마사요시는 "그럼" 하고 라이트밴의 창문을 올렸다. 출발하기 직전 시선을 피한 그가 이내 무표정으로 돌아가는 것이 보였다.

방금 마사요시는 그룹전이 아니라 '개인전'이라고 말했다. 너는 이런 개인전을 할 기회가 많아질 테니, 하고 말해 줬다.

말을 곱씹자 발밑이 휘청거려 주저앉을 뻔했다. 무표정과 웃는 얼굴. 어른스러운 얼굴과 아이처럼 우는 소리. 성공 여부가 불확실한 예술계 커플. 감정을 그리지 못하는 영화감독과 영업을 못하는 일러스트레이터.

미안해.

누구에게랄 것도 없이 스미레는 중얼거렸다.

물속에 얼굴을 풍덩 집어넣은 것처럼 콧속이 아프다. 사람이란 문득 울고 싶어지면 이런 식으로 불쑥 물의 감각에 사로잡히는 걸까. 울려던 것도 아니고 그럴 자격도 없건만, 얼굴이 일그러져 숨이 잘 쉬어지지 않는다.

뒤돌아본다. 그러나 그곳에 마사요시의 흔적은 이제 무엇 하나 없었다.

(4)

그림 안내를 하던 중 다마키가 들어오는 것이 보였다.

밖에서 일하고 있을 때 불현듯 발견한 가족의 존재는 어째서 이토록 그리움으로 느껴지는 걸까. 스미레는 손님을 잠시 다른 사람에게 맡기고 입구로 돌아갔다. 다마키도 스미레를 알아봤다.

"어서 와. 금방 찾았어?"

"후미진 골목이라 잠깐 헤맸는데 다행히 금방 찾아냈지. 같이 온 아시자와 씨가 이 동네를 잘 알아서 큰 도움이 됐어."

아시자와 씨.

처음 듣는 이름에 고개를 들자 다마키 옆에 처음 보는 여성이 서 있었다. 눈이 마주친 순간 그녀가 "안녕하세요" 하고 인사를 건네 왔다.

콧날이 시원하게 뻗은, 자세가 바른 미인이었다. 다마키와 달리 화장이 옅고, 몸매가 부러질 듯 가녀린데도 중심이 꼿꼿하게 서 있어 보였다. 하나로 묶은 긴 머리, 햇볕에 보기 좋게 그을린 연갈색 피부, 근육이 탄탄히 잡힌 팔.

"처음 뵙겠습니다. 아시자와라고 해요. 아카바네 씨의 권유에 같이 와 봤어요."

"와 주셔서 고맙습니다."

스미레는 조금 의외라고 생각하면서 머리를 숙였다. 다마키는 당연히 가노나 하이지마와 함께 올 줄 알았다. 아니면 다른 이성친구를 데려오거나. 이렇게 말하면 실례일지 모르겠으나 다마키와 동성친구는 상상도 못한 조합이다.

"모리나가 씨의 그림은 어느 것이에요?"

아시자와가 전시회장 정면에 붙은 포스터를 가리켰다. 황급히 설명하려 하자 다마키가 먼저 대답했다.

"오른쪽 구석의 붉은 거. 저쪽에 원화도 있지?"

"아, 응."

"실제 크기는 아주 커. 높이도 1미터쯤 되지? 집 밖으로 실어 나를 때 봤는데 위압감이 상당하더라."

"그렇구나."

아시자와가 스미레의 그림에 시선을 고정하고 고개를 크게 끄덕였다. 소녀가 몸을 앞을 향한 채 뒤로 젖힌 구도. 흰 목과 머리카락, 어깨 할 것 없이 그녀의 온몸에서 불꽃처럼 고요한 일렁임이 피어오르는 그림이다.

"좋군요."

아시자와가 말했다. 필시 이런 전시회에 익숙해서 잘 알고 있으리라. 쓸데없이 칭찬하려 들지 않는, 과하지도 부족하지도 않은 목소리였다.

"푸른색을 기조로 한 그림도 있나요? 물감은 유채로만?"

"푸른색은 저쪽에 하나 있어요. 그런데 이번에는 흑백과 붉은색을 주로 그렸거든요. 죄송합니다. 그리고 몇 점 안 되긴 하지만 수채화도 있어요."

주눅 들지 않고 당당히 말하는 아시자와와 반대로 머뭇거리며 말하는 자신이 부끄러웠다. 다마키가 한 발 앞으로 나왔다.

"어느 쪽이 스―의 공간이야? 보러 갔다 와도 될까?"

"아, 저기 오른쪽이 내 공간인데, 관람 순서대로 봐야 흐름이 매끄러울 거야."

"알겠어. 아시자와 씨, 가자."

아시자와 씨, 아카바네 씨. 서로 예의를 차리는 호칭이지만 두 사람의 거리감은 영락없이 친구 사이의 그것이라고 생각했다. 집 밖에서의 다마키의 얼굴을 스미레는 거의 처음 보는 것 같았다.

다마키와 그녀가 자신의 그림 앞을 걷는 것을 스미레는 마른침을 삼키며 지켜봤다. 이런 것은 심장에 나쁘다. 두 사람의 걸음이 한 점의 그림 앞에 멈춘다. 아까 스미레가 설명한 푸른색을 기조로 한 그림이다. 어두운 바다에 떠오른 검은 꼬리의 인어.

괜히 긴장되어 허한 마음이 들었다. 주머니에서 휴대폰을 꺼내자 문자 메시지가 와 있었다. 거기에 답장을 하고, 시선을 올리지 않도록 조심하면서 그녀들에게 신경을 집중했다.

아시자와와 다마키는 그림을 바라보며 두세 마디 짤막한 대화를 나누는 듯했다. 그러고는 걸음을 옮긴다. 잠시 후 입구 접수처로 돌아왔다.

"인어, 좋더라. 빛 하나 없는 바다. 무섭고, 그리고 아름다웠어."

전시를 보고 있던 것은 15분 정도였다. 어쩌면 일을 하다 중간에 짬을 내서 들러 주었을지도 모른다고 뒤늦게 짐작했다.

"모리나가 씨는 아카바네 씨와 같은 집에 사신다면서요? 도키와 장 같은 곳이라고 하던데 이제 납득이 되었어요."

아시자와가 해맑은 말투로 말했다.

"부럽네요. 한때 동경했었거든요. 재능 있는 사람들이 한 지붕 아래서 서로를 자극하는 삶이라. 단 아카바네 씨 일행은 별로 가난하게 사는 것 같지 않지만."

"딱히 가난하지는 않아. 다들 제 몫을 톡톡히 해내고 있거든."

이 니트족들아, 하고 가노에게 고함치는 말투와는 사뭇 달랐다. 밖에서 자신들에 대한 이야기를 할 때는 이런 식인 걸까.

아시자와가 무심코 사용한 '재능'이라는 말에 정반대의 감정인 자긍심과 안타까움을 자극받아 어떤 표정을 지어야 좋을지 몰랐다.

"그리고 아시자와 씨라면 언제든 환영이야. 지금은 만실이지만 빈방이 생기면 이사 올래?"

"위치가 시나마치였나? 입지도 좋네. 끼워 주면 나야 좋지. 다음번에는 꼭."

다마키가 권유한다는 것은 아시자와도 뭔가 창작 활동을 하고 있다는 뜻이다.

"지요다 씨도 살고 있다고 하던데."

"아, 네."

스미레가 대답하자 다마키가 아시자와에게 물었다.

"아. 고 쨩을 알고 있었던가?"

"독자로서는 오래전부터. 특히 중학교 때 많이 읽었지. 어느새 빠져나왔지만."

그 시절을 그리워하듯 웃고 난 뒤 다마키와 스미레의 얼굴을 들여다본다.

"그 사람, 무섭도록 머리가 좋잖아요? 사람 얼굴과 이름을 절대 잊어버리지 않지. 2년 전이었나, 일 때문에 만나서 잠깐 이야기를 나눴거든. 그냥 시시한 이야기를 하고 헤어진 다음 한 번도 만난 적이 없는데."

아시자와가 부드럽게 웃었다.

"얼마 전에 영화 시사회에서 같이 어울리게 되었는데, 갑자기 인사하는 바람에 얼마나 놀랐던지. 까마득한 옛날 일인데 그 당시 대화 내용까지 다 기억하고는 '아시자와 씨, 그때 떠오르지 않았던 제가 좋아하는 이야기의 제목이 떠올랐어요' 하고 그 뒷이야기를 계속하는 거야. 감탄스럽더라. 과연 지요다 고키야."

"아마 아시자와 씨가 미인인 데다 자기 취향이라 그랬을 거야. 그 사람은 유독 그런 점은 누가 봐도 알 만큼 타산적이거든."

다마키 또한 미소를 지었다.

"그런데 좋아하는 이야기의 제목이라니, 그게 뭔데?"

"지요다 씨랑 내가 같은 만화를 좋아하거든. 그중에서도 가장 좋아하는 이야기, 애착이 있는 이야기는 몇 회인가 하는 이야기를 옛날에 했었어."

그녀가 장난스럽게 웃으며 대답했다.

"지요다 씨의 대답은 나도 납득이 갈 만한 거였어. 그 사람은 머리가 좋을 뿐 아니라 마음씨도 곱더라. 빈말이겠지만 내 작품이 좋다면서 언젠가 같이 일해 보자고 했어. 참 기뻤지."

전시회장을 뒤로 하려는 다마키를 스미레가 붙잡았다.

그룹전에 다마키가 왔을 때 이야기하기로 마음먹었다. 그 결심이 무너지면 또 미루게 된다. 혼자 오거나 가노 혹은 하이지마와 함께 올 줄 알았기에 예상한 조합은 아니었지만 지금밖에 없다고 생각했다.

"다마키."

이름을 부르자 두 사람이 뒤돌았다. 분위기를 파악했는지 아시자와가 물러났다. "아까 인어 그림, 한 번 더 보고 올게" 하면서.

남겨진 다마키가 의아해하며 스미레의 얼굴을 바라본다.

"왜 그래?"

입을 열면 목소리가 뒤집힐 것 같았다. 긴장해서 어깨에 힘이 잔뜩 들어간 것이 느껴졌다.

"마사 군이랑 헤어졌어."

다마키는 무표정인 채 눈만 휘둥그렇게 떴다.

사람은 심각한 이야기를 하려 들면 얼굴이 왜 이렇게 부자연스러워지는 걸까. 하나도 재미없건만 마치 미소를 지을 때처럼 입가가 벌어진다.

"언제?"

다마키를 둘러싼 공기의 빛깔이 달라졌다. 목소리를 낮추고 재빨리 묻는다.

"보름 전에."

"누가 먼저? 원인은?"

"나──."

전적으로 나쁜 것은 나다.

대답하려는 스미레에게 다마키가 고개를 내저었다.

"오늘 여기 몇 시까지라고 했지?"

"5시 30분에 정리해."

"알겠어. 그때 다시 여기로 올 테니까 같이 밥 먹으러 가자."

다마키의 말투에는 거절을 허락하지 않는 단호함이 느껴졌다. 그 말을 끝으로 냉큼 돌아서더니 아시자와를 불러 전시회장을 뒤로 했다.

멀어지는 그녀들을 바라보며 어깨에서 힘이 빠지는 것을 느꼈다. 다마키에게 말한 이상 이제 정말 돌이킬 수 없게 되었다고 생각했다.

그럼 돌이킬 수 있을 줄 알았어? 하고 생각하고 왠지 자신이 한심해졌다.

(5)

"스―가 문자 보냈더라. 이따 저녁에 만나기로 했다며?"

휴대폰 너머에서 들려오는 마사요시의 목소리는 여느 때와 다름없이 가벼웠다. 그러나 그 목소리에 패기나 활기가 느껴지지 않는 것은 다마키의 선입관에 의한 착각일까.

"네 이해심 깊은 성격 때문에 괜히 성질나는 내가 이상한가?"

"으음. 다마키, 너는 늘 화가 많아서 탈이야. 나야 뭐, 네 그런 점을 특히 좋아하지만."

가볍게 말하고 웃은 뒤 마사요시가 대뜸 진지하게 말했다.

"실은 나도 이따 갈까 했는데 회사에서 못 빠져나갈 것 같거든. 스— 잘 부탁해. 이야기 잘 들어 줘."

"일하기 싫다, 그림을 팔아야 하는데 죽을힘을 다해 영업에 뛰어들 자신이 없다, 그렇게 변명하는 스—를 마사요시가 단념했다는 이야기 아냐? 난 너희가 헤어질 줄은 정말 꿈에도 몰랐어."

알게 된 직후부터 이 두 사람은 줄곧 사귀는 사이였다. 그리하여 다마키의 안에서 그 관계성은 따로 떼어 놓을 수 없는 개성의 일부처럼 자리 잡았다. 본인들 또한 마찬가지이리라.

갑자기 전화를 걸어 왔나 싶었더니 헤어진 여자를 잘 부탁한다고 하다니. 그 목소리에 기만이나 위선이 조금이라도 엿보였다면 욕이라도 실컷 해 주었으련만. 그런 감정이 없기에 다마키는 지금 짜증이 난 것이다.

"……사실이었구나?"

"그래."

마사요시는 힘없이 말했다.

"미안해. 사실이야."

다마키는 전화를 끊고 눈앞의 건물을 올려다본다. 숨을 들이마시고 건물 계단을 올랐다.

"나한테 좋아하는 사람이 생긴 게 계기가 되었어."

적당히 들어간 아이리시 펍은 평일 저녁이라 그런지 한산했다. 기네스 맥주의 묵직한 풍미. 토마토소스와 치즈만 올라간

싸구려 피자와 식초에 절인 안초비.

잔소리 없이 묵묵히 이야기를 듣기로 결심했건만, 한 마디 말할 때마다 스미레가 고개를 푹 숙이는 바람에 하는 수 없이 물었다.

"상대는?"

진저리를 치는 것이 목소리에 배어나 기분이 우울해졌다. 그렇다고 굳이 감추려 노력하기도 귀찮았다.

"영화관에서 같이 아르바이트하는 남자야. 올봄에 전문학교를 졸업했어."

"나이는?"

"스무 살."

"어리네."

떫은 미소가 절로 나왔다. 스미레는 어딘지 불편해 보였다.

"여섯 살 연하야. 나한테 남자친구가 있는 걸 알면서도 얼마 전에 고백하더라. 그날 이후 계속 신경이 쓰였어."

"연인 사이의 문제는 결국 두 사람만 아는 거니까 굳이 잔소리하고 싶지는 않아. 그런데 그 사람이 마사요시를 제쳐 놓고 선택할 만큼 매력적이었어?"

이러면 유도신문이 따로 없지 않은가. 그렇게 생각하면서도 멈출 수가 없었다.

"친구라서가 아니라, 그렇게 좋은 남자는 흔치 않아. 미래는 어떻게 될지 모르지만, 마사요시는 생활력도 있고 남을 이해할 줄도 알아."

"나도 알아."

스미레가 쓸쓸히 웃는다.

"그런데 이가라시 군의 고백을 받고 마음이 이렇게 쉽게 흔들릴 줄은 몰랐어. 그 자체가 충격이었어. 나는──."

오늘의 스미레는 술을 마실 생각이 전혀 없는 듯하다. 눈앞에 놓인 우롱차 잔을 만지작거릴 뿐이다.

"나는 혼자서 헤쳐 나가고 싶어. 마사 군이 바른 사람인 건 맞지만 의존해도 될 정도는 아니라고 생각해. 같이 있으면 한없이 기대게 해 주지만 나는 가끔 그걸 견딜 수가 없었어. 아직 자기 일도 제대로 안 풀려서 여유가 없는 사람한테 기댈 수는 없어."

스미레가 고개를 들었다.

"이가라시 군은, 그러니까 계기인 거야. 고백을 받고 나서 깨달았어. 나 혼자서는 아무것도 못 하는구나, 늘 남한테 기대고 마사 군을 의지하고, 그것밖에 안 되는 사람이었구나, 하고. 이제는 나 혼자 제대로 해내고 싶어."

그 말을 듣고 다마키 역시 조용히 고개를 들었다. 스미레는 진지하게 앞을 응시하고 있었다. 도망치고 싶은 마음이 굴뚝같을 텐데도 다마키의 시선을 있는 힘껏 받아냈다.

놀랐다.

잘못 알고 있었음을 인정할 수밖에 없었다. 다마키는 그동안 스미레를 조금 얕잡아 봤다.

"제대로 못 해내는 스—를 마사요시가 밀어내는 줄 알았는데, 아니었구나."

그러자 스미레의 눈빛에서 긴장감이 풀렸다. 다마키의 목소리에 조금 전까지의 공격성이 없는 것을 알아차린 것이다.

"앞으로 그림을 그리며 살아가려고? 진지하게?"

"가능하면 그러고 싶어. 지금 이대로는 안 된다는 걸 알아."

그때 그녀에게서 희미한 진동이 전해졌다. 연락이 왔음을 알리는 휴대폰 진동. "미안" 하고 사과하고 스미레가 가방에서 휴대폰을 꺼냈다. 그러고는 문자에 답장을 하기 시작했다.

다마키는 김빠진 맥주를 홀짝이며 왜 그런 걸까, 하고 생각했다. 동성친구와 함께 있을 때면 자주 드는 이 느낌. 새로운 인간관계가 형성되자마자 알기 쉽게 찾아오는 변화, 연인에게 푹 빠져 갑자기 많은 것이 별것 아닌 것처럼 느껴지는 현상.

그렇지 않은 사랑의 형태는 얼마든지 있을 테고 무엇보다 마사요시와 스미레가 하는 사랑이 바로 그러했다. 하지만 연애에 빠지는 사람은 똑같더라도 상대에 따라 얼마든지 그 형태를 바꾼다.

스무 살. 남자친구가 있어도 상관없어요, 하고 열띤 목소리로 고백한 여섯 살 연하의 남자.

"집은 어떻게 할 거야?"

약간 서운해하면서 묻자 스미레가 휴대폰에서 퍼뜩 고개를 들었다. 망설이다 조그맣게 대답한다.

"나가서, 혼자 살 거야."

"그렇구나."

다마키는 붙잡을 생각이 없었다.

답장을 보내자마자 스미레의 휴대폰이 다시 테이블 위에서 진동한다. 이번에도 얼른 답장하는 그녀.

다마키도 그런 경험이 있다. 십 대부터 이십 대 초반 사이의 연애는 아마 이런 식일 것이다. 그런 연애를 졸업했을 터인 내 친구가 또다시 같은 것을 찾아 반복하려 한다. 알고 있지만 다마키는 아무런 충고도 할 수 없었다.

이것은 마사요시와 스미레의 문제이지 자신이 참견할 일은 아니다. 이 멤버로 옹기종기 모여 사는 것이 즐거웠다. 이 생활을 모두와 함께 이어 나가고 싶다. 그것은 자기 혼자만의 고집이다. 다마키는 그렇게 자신을 타이르고 눈을 내리뜬다.

슬로하이츠에 사는 사람들은 가족도 아무것도 아니다. 다마키에게는 아무런 권리도 없다.

(6)

스미레는 다마키에게 마사요시와 헤어진 것을 알리고 집을 떠나겠다고 했다.

스미레에게 그런 내용의 문자를 받은 이튿날, 가노도 그동안 붙들고 있던 일이 끝이 보이기 시작했다. 스미레의 그룹전은 내일까지다. 철수 작업을 돕기로 약속했으니 내일 자세한 이야기를 들으면 된다. 이사를 도와 달라고 하면 그 일정도 미리 알아 두고 싶었다.

가노는 크게 기지개를 켰다. 장시간 집필한 탓에 어깨가 많이 뭉쳐 있었다. 세수하러 세면실로 향하던 중 고키와 마주쳤다. 그는 완전히 밤형 인간은 아니지만 그때는 막 일어난 듯 보였다. 그는 쓰고 싶을 때 힘이 다할 때까지 쓰고, 자고 싶을 때는 실컷 잔다. 규칙적인 것과는 거리가 먼, 즉흥적인 생활을 하고 있다.

"고 짱, 좋은 아침."

인사하자 고키가 환한 얼굴로 고개를 끄덕였다. 뜻밖의 큰 반응에 놀라고 있자, 그가 "다행이다" 하고 말했다.

"요 며칠째 내가 일어나면 아무도 없을 때가 많았거든요. 가가미 씨가 방에 찾아오는 것 말고는 사람을 통 만나지 못했어요. 모르는 사이에 모두가 나만 남겨 놓고 없어지면 어떡하나 너무 무서웠습니다. 다행히 가노는 아직 집에 있었군요."

"고 짱의 피해망상은 여전하구나."

어디부터가 장난인지, 아니면 처음부터 끝까지 진지하게 말하는 것인지. 고키는 아직도 그 두 가지 가능성을 갖춘 알 수 없는 사람이다.

"오늘 가가미 씨는 집에 없어?"

"글쎄, 없는 것 같은데 잘 모르겠군요. 나도 매일 만나는 건 아니라서요."

리리아가 이사 온 첫날 다마키는 그녀를 성이 아닌 이름으로 부르자고 제안했다. 그러나 가장 가까운 사이인 고키가 성으로 부르는 까닭에 선뜻 이름으로 부르기가 어려웠다. 물론 마사요 시는 처음부터 이름으로 부르고 있어 그 뻔뻔함에는 손들었지만.

고키가 다른 사람과 만나지 못하는 이유 중 하나는 리리아가 그의 방을 찾아가는 횟수가 늘어난 탓도 있다. 모두 멀리서나마 신경을 쓰고 있다.

"그런데 스—의 전시회가 언제였죠? 구로키 씨가 먼저 가자고 했으면서 연락이 전혀 없어서 어떻게 해야 하나 고민하던 참입니다."

"벌써 시작했는데. 내일이 마지막 날이야."

"정말입니까?"

고키가 소리를 지르며 호들갑스럽게 몸을 뒤로 젖혔다. "사람, 참" 하고 혼잣말하며 낮게 신음했다.

"안 갈 거면 혼자 가겠다고 문자를 몇 통을 보냈건만."

"구로키 씨는 뭐랄까, 어른이니까."

가노도 한숨 섞인 쓴웃음을 지었다.

"어린아이와 한 약속에 대해 야박한 구석이 있어. 믿을 수가 없다고 해야 하나, 악의야 없겠지만 노골적으로 경시하는 면이 있지."

"너무하다니까요. 그 사람은 도대체 나와 스—를 뭐라고 생각하는 건지."

여기서 말하는 어린아이란 고키가 아닌 스미레를 가리킨다. 그녀에게는 아직 화가로서의 이름이 없다. 그래서 구로키가 그녀에게 별로 신경 쓰지 않는 것이다. 구로키는 보기에도 민망할 만큼 대놓고 타산적인 사람이다.

그런데 고키가 전부터 스미레에게 마음을 써 왔다니.

그의 그런 점이 구로키와는 정반대다. 어른이라는 생각에 예의를 차리고 거리를 두면 정말 아이가 아닌가 싶을 만큼 순수하고 따뜻한 마음을 보여 준다.

"그리고 구로키 씨는 지금 중국에 있지 않나? 담당 작가의 취재 때문에 2주쯤 출장 간다고 하던데."

"네에?"

고키가 놀라는 모습을 보고 가노는 자신이 실수했음을 깨달았다. 구로키는 고키에게는 아무것도 알리지 않은 모양이다.

"전혀 들은 바가 없군요. 가노는 어떻게 알고 있는 겁니까?"

"아니……. 얼핏 그런 소리를 했던 것 같은데 아닌가. 나도 다마키한테 들었던가? 다마키가 별말 없었어?"

식은땀이 나도록 변명하면서 퍼뜩 떠오르는 생각에 가노는 이렇게 말했다.

"오늘 스—한테 가 볼래? 내가 같이 가도 된다면."

그 순간 고키가 기뻐하며 고개를 번쩍 들었다. "정말 그래도 되겠어요?" 하고.

"응. 나도 오늘은 한가하거든. 밖에서 밥이라도 먹을까?"

생각해 보면 고키와 둘이서 외출하는 것은 처음인 것 같다.

오랜만에 외출한다는 고키는 꼬박 한 시간을 들여 몸단장을 했다. 두 사람은 실없는 잡담을 하면서 전시회장으로 향했다.

세이부 이케부쿠로 선 열차의 창밖으로 선로를 따라 빽빽이 들어선 집들의 지붕이 보인다. 이 부근의 집들이 늘어선 모습이 좋다고 하이지마가 말했던 것이 떠올랐다.

얼굴이 노출되는 것을 꺼리는 걸까. 밖으로 나올 때 고키는 모자를 눈썹까지 푹 눌러 쓰곤 한다. 오늘도 마찬가지였다.

"다마키는 요즘 차분하게 일에 전념하는 것 같더군요."

고키가 턱을 내밀듯이 얼굴을 기울여 가노를 쳐다본다. 그렇게 하지 않으면 모자에 가려 눈이 보이지 않는 것이다. 그럼 차라리 모자를 비스듬히 쓰면 좋을 텐데. 처음 만났을 때부터 오늘까지 그의 이런 비효율적인 면은 조금도 변함이 없다.

"영화 《프린세스 기미코》 개봉했던데. 솔직히 요즘 다마키가 작업한 게 너무 많아서 전부 챙겨 보기도 벅차더라. 그래서 아직 못 봤어."

"나는 봤어요. 다마키가 알려 주질 않아서 시사회 티켓을 직접 입수했지요."

"아, 그랬구나."

가노는 고키가 일부러 티켓을 구해서 보러 갔다는 것과, 다마키가 그에게 영화 개봉 소식을 알리지 않았다는 것에 이중으로 놀라면서 말했다.

언젠가 다마키가 "그 사람은 내 일에 관심 없어" 하고 말했다. 다마키가 그에게 자신의 일 이야기를 하지 않는 것은 그녀 나름의 자존심 때문이다. 하지만, 아, 그렇구나.

고 짱이 스스로 보러 가다니.

"권력이 최고더군요. 후원 출판사의 직원 앞에서 그 영화 보고 싶다고 들으라는 듯이 말했더니, 줬습니다."

"권력이라, 왠지 다마키가 생각나네."

가노는 웃고 나서 물었다.

"어땠어?"

"좋았습니다."

당사자를 제쳐 놓고 영화를 본 소감을 자세히 들으면 안 될 것 같아 더는 묻지 않았다.

"지금의 다마키는 실력에 한창 물이 올랐으니까. 아마 남자친구 덕분이기도 할 거야. 하이지마 씨는 좋은 사람이거든."

"그렇죠."

고키가 웃음기 없는 진지한 얼굴로 고개를 끄덕였다. 하이지마는 슬로하이츠에 여러 번 놀러 왔고 고키와도 인사를 나누었다.

"안심하고 다마키를 맡길 수 있겠군요."

고키가 말했다. 다마키에 비해 생활력은커녕 생활감도 없는 그가 말하기에는 전혀 어울리지 않는 말처럼 보였다. 이 사람은 자신들보다 나이가 훨씬 많은데도 불구하고 생각하는 것은 여전히 어린아이 같다. 하지만 어쩌면 고키는 자신이 가장 연장자라는 의식을 갖고 있을지도 모른다. 그렇게 생각하니 왠지 흐뭇했다.

"고 쨩은 말이야" 하고 허물없는 분위기 속에서 문득 물어보고 싶어졌다.

"여자친구 안 사귀어?"

말하면서 리리아의 얼굴이 머리를 스친다. 고키는 고개를 바르르 흔들며 "안 사귀는 게 아니라 못 사귀는 겁니다. 안타깝게도" 하고 언제나처럼 머리와 어깨를 툭 떨구었다. "가노, 놀리는 겁니까?" 하고 노려본다.

"가가미 씨는 어떨까 하고 마사요시랑 자주 이야기하거든. 그 애가 고 쨩을 좋아하는 건 딱 보면 알고, 날마다 고 쨩의 캐릭터를 코스프레하듯 차려입는 것도 갸륵하잖아."

"코스프레가 갸륵한 건가요?"

"좋아해 주길 바라면서 애쓰잖아. 고 쨩은 그런 거 싫어해?"

고키는 잠시 생각에 잠긴 듯 고개를 숙이더니 나직한 목소리로 대답했다.

"그러고 보니 옛날에——."

"응."

"코스프레한 채 길을 걷다 경찰에게 불심검문을 받은 적이 있습니다. 정말 창피하더군요."

고개를 들어 쓴쓸히 웃고는 덧붙였다.

"가가미 씨도 그 창피함을 견디는 걸까요?"

"으음, 그 애의 경우는 원래 취미이기도 하니 별로 창피해하지는 않을걸. 그런데 방금 한 이야기는 뭐야? 그런 상황에서 불심검문을 받다니 웬만해서는 그럴 리가 없는데. 웃겨 죽겠네."

고키가 화제를 교묘히 돌리려는 것이 느껴졌다. 적당히 웃으면서 방금 그 이야기는 그가 지어냈을 거라 추측했다. 고키는 무의식중에 머리 회전이 빠르다. 손쉽게 자신을 웃음거리로 만들곤 한다.

그래도 상관없다. 지요다 고키의 이야기 만들기에 어울리는 것도 나쁘지 않다.

"아니, 어쩌다 밖에서 코스프레를 한 거야? 친구들과 함께였어?"

"아뇨, 나 혼자였어요. 무섭게 생긴 경찰이 쫓아오길래 불안해서 하마터면 울 뻔했다니까요."

"혼자 코스프레를?"

웃음이 터져 나왔다. 도대체 무슨 상황이었던 걸까.

"켕기는 게 없으면 당당히 불심검문을 받으면 되는데 도망은 왜 가?"

"그렇긴 합니다만, 이미 제정신이 아닌 상태라 도망가기 바빴거든요. 달리다 들판에서 굴러 진흙투성이가 된 기억이 납니다."

벌써 2년이나 한 지붕 아래서 살아왔으며 그동안 많은 이야기를 나누었다고 생각했는데도 대화하면 할수록 수수께끼만 늘어 간다.

"가가미 씨는, 아니에요."

고키가 목소리 톤을 낮추고 말했다.

"가가미 씨는 예쁘잖아요. 분명히 그녀와 어울리는 훨씬 멋있는 남자를 좋아할 겁니다. 나한테는, 그런 게 아니에요."

"거짓말."

목소리에서 자기 비하가 느껴져 반론했다. 게다가 실은 그역시 그녀의 정체를 눈치챘을지도 모른다. 그러나 고키는 계속고개를 저었다.

"거짓말 아닙니다."

"그녀가 아무 말 안 해? 좋아한다거나 멋있다거나. 꼬신 적도없어?"

가노의 말에 고키가 민망한지 고개를 숙였다. 그 모습에서그런 적이 아예 없지는 않구나 하고 짐작이 갔다. 왜 이토록 중요한 지점에서 그는 자신감이 없는 걸까. 믿으려 하지도 않는걸까.

잠시 후 "아마" 하고 그가 입을 열었다.

"가가미 씨는 그런 게 아닐 겁니다. 그럴 리가 없어요."

"완강하네. 고 짱, 옛날에 누군가한테 호되게 배신당한 경험
이라도 있어?"

"아니에요. 아무 일도 없었습니다."

트라우마가 있다면 몽땅 털어놓아도 좋으련만. 그런 심정으
로 물어봤지만 고키는 맥 빠질 만큼 싱겁게 부인했다.

놀랍도록 담담하고 아무런 억양도 없는 자연스러운 목소리.

열차가 곧 환승역인 이케부쿠로에 도착한다. 창밖에 흘러가
는 풍경을 바라보며 고키가 계속했다.

"아무 일도 일어나지 않았어요. 내 주변 사람들은 하나같이
상냥했고 나한테 잘해 줬거든요. 다마키처럼 가정환경이 복잡하
지도 않거니와 따돌림 당하거나 배신당한 경험도 거의 없습니
다. 그렇다고 마사요시처럼 여자들과 잘 어울리거나 친구들에게
인기가 있었던 것도 아니에요. 그럭저럭 돈이 있고 그럭저럭 친
구가 있고, 책을 읽고 소설을 쓰기도 하고. 하지만 심각하게 곤
란했던 적도 사람과 언성을 높이며 싸운 적도 없습니다."

고키가 가노를 쳐다봤다. 모자에 가려 표정과 눈빛이 전혀
보이지 않지만 그가 진지한 눈빛을 하고 있음을 분위기로 알
수 있었다.

"내 인생에는 아무것도 없어요."

"그렇지 않아."

가노가 고개를 내저었다. 최대한 자신의 목소리가 그의 마음에 가닿기를 빌며 말했다.

"고 쨩한테는 소설이 있고, 그 소설에 영향을 받은 우리가 있잖아."

"인생에 아무런 일도 없는데 소설이 써지더군요. 경험이 없는데도 내 머리는 사람의 아픔과 마음의 움직임을 어림짐작으로 싹둑싹둑 오려서 이야기 속으로 집어넣어 처리합니다."

고키가 민망한 듯 씁쓸히 웃었다. 그러고는 천천히 되풀이했다.

"소설이 써져요. 이게, 내 콤플렉스일지도 모릅니다."

전시회장에 나타난 가노와 고키를 보고 접수처에 앉아 있던 스미레가 허둥지둥 일어났다.

"와 줬구나, 고마워."

"실은 더 빨리 오고 싶었는데 미안합니다. 착오가 생기는 바람에."

마사요시와 스미레가 헤어진 이야기를 고키는 아직 모를 터였다. 눈에 무거운 여운을 띤 스미레가 가노를 본다. 무슨 신호 같았다. 가노는 고개를 작게 끄덕인 뒤 자리를 비켰다.

시야 한구석에 스미레와 고키가 걷는 것이 보였다.

고키는 스미레의 그림을 신중하고 정성스럽게 감상했다. 두 사람의 표정에서 이야기의 내용은 대강 짐작이 갔다. 고개를 한껏 뒤로 젖히고 모자에서 눈을 살짝 내비치는 비효율적인 감상법으로 고키가 스미레의 그림을 살펴본다. 그가 "좋은데요" 하고 말하는 것이 가노에게도 들렸다.

스미레가 고개를 들어 당장이라도 울 듯한 목소리로 말했다.

"고 짱, 미안해."

무엇에 대한 사과인지는 몰랐다. 놀란 고키가 몸을 움츠리고는 엄청난 기세로 고개를 흔들었다. 그녀에게 뭐라고 대답했을까. 그 말은 가노의 귀에 들리지 않았다.

(7)

전시회장 근처에 있는, 오모테산도의 세련된 카페에 들어가 밥이라도 먹을까 했으나 결국 가노와 고키의 조합인 탓에 집 근처까지 돌아와야 했다.

마음 편히 있을 수 있는 장소가 극단적으로 정해져 있어 그 밖으로 나가기가 부담스럽다는 고키의 마음을 가노도 모르는 것은 아니다. 평소 단골인 찻집에서 가노는 샌드위치를, 고키는 나폴리탄(스파게티 면에 토마토소스와 양파 등 각종 재료를 넣어 만든 일본 음식)을 주문했다. 왠지 불길한 예감이 들었는데, 아니나 다를까 식사 중에 고키가 "아앗!" 하고 소리를 질렀다. 셔츠에 주황색 소스를 잔뜩 묻힌 그가 울먹이며 냅킨으로 문질러 닦는다.

"그런 건 톡톡 쳐서 떨어뜨려야 하는데."

가노는 냅킨에 물을 적셔 고키에게 건넸다.

키가 껑충한 그가 일일이 오버액션을 하며 야단법석을 떨 때마다 손님들의 시선이 일제히 이쪽으로 쏠렸다. 가노는 씁쓸히 웃으며 얼룩 지우는 것을 도왔다. 밥값 계산은 자꾸만 돈을 내려는 고키를 억지로 말리고 각자 부담했다. 사실 가노는 제법 돈이 많다.

집으로 가는 길 주택가 모퉁이에 널찍한 놀이터가 있다. 누가 말을 한 것도 아닌데 자연스럽게 들렀다 가는 분위기가 되어 두 사람은 나란히 그네에 앉았다.

그룹전에서 돌아오는 길에 고키와 가노는 내용 있는 이야기는 거의 하지 않았다.

"사실 여기에 혼자서 올 때가 많아요."

고키가 중대한 비밀을 밝히듯이 말했다. "저기" 하고 낡은 미끄럼틀을 가리킨다.

"저 미끄럼틀 귀퉁이를 보면 색이 다르잖아요. 내가 그런 겁니다."

"아, 피규어나 프라모델을 만든 거구나?"

놀이터에 서서 그가 컬러 스프레이를 뿌리는 모습을 상상한다. 미끄럼틀 한쪽에는 물이 튄 것처럼 파란색 도료가 덧칠되어 있다. 고키가 고개를 끄덕였다.

"니스 냄새가 지독해서 집에 냄새가 배면 다마키가 화낼 게 뻔하거든요."

"여기라면 RC카를 갖고 놀아도 좋을 것 같은데?"

"이번에 하면 되지요. 구입한 걸로 만족해서 아직 만들지 않은 프라모델과 갖고 놀지 않은 RC카가 내 방에 산더미처럼 쌓여 있어요."

"미끄럼틀 가까이서 하지 말고 모래밭 한가운데에서 하지 그랬어. 모래라면 섞여서 흔적이 없어지니까 저런 식으로 눈에 띄지 않을 텐데."

"으음. 내 안의 잠재의식이 무의식중에 시켰을지도 모르겠군요. 내가 여기 살고 있다고 알리고 싶었나 봅니다. 왠지 폭주족 같은데요."

내가 여기 살고 있다고.

그가 현재형으로 말하는 것이 오늘 같은 타이밍에는 뭔가 메꿔 주는 것처럼 들린다. 그는 정말 착한 사람이다.

"그러고 보니 가노는 없어요? 아까 나한테 물어본, 그런 거."

그는 딱히 가볍지도 새삼 무겁지도 않게 자연스러운 어조로 물었다.

가노가 "뭐가?" 하고 묻자 고키가 덧붙여 말했다.

"지금껏 가노가 먼저 애인이나 좋아하는 사람의 이야기를 한 적이 없잖아요. 내 생각에 가노는 인기가 많을 것 같거든요. 내 소설에 등장시켜서 캐릭터 설정을 한다면 무조건 처음부터 애인이 있는 사람으로 할 겁니다."

64

"글쎄. 나도 내가 잘생긴 편은 아니라는 것쯤은 알거든."

"하긴, 표준에 가까울지도 모르겠군요."

흠흠, 하고 고키가 턱을 끄덕끄덕했다.

"만나고 난 뒤 특징을 잡아 초상화를 그리라고 하면 잘 못 그릴 것 같습니다. 아가사 크리스티의 미스터리 중 결코 인상에 남지 않는 남자가 나오는 이야기가 있는데, 그 사람이 어쩌면 가노 같은 얼굴을 하고 있을지도 모르겠군요. 아, 그런데 그 사람은 외국인이네요."

어디까지가 진심인지 종잡을 수 없는 목소리로 말한 뒤 고키가 미소를 지었다.

"그게 좋은 겁니다. 굉장히 객관적으로 말하는 건데, 그렇기 때문에 한 가지 재주가 뛰어나면 세간에서는 엄청나게 멋있다고 평가할 겁니다. 평범하고 표준적인 얼굴은 좋은 거랍니다. 나머지는 부가가치로 승부하면 돼요."

"지금 노력 중이니까 조금만 기다려 줘."

가노도 기분이 좋아져서 웃음이 나왔다. 고키가 그네에서 발을 한 번 가볍게 굴렀다. 어엿한 어른, 게다가 마르긴 했어도 그처럼 키가 큰 사내가 발을 구르자 옆의 가노에게까지 진동이 전해졌다.

──그러고 보니 가노는 없어요?

방금 고키가 한 질문이 귓가에 되살아난다.

──아까 나한테 물어본, 그런 거.

오늘 열차 안에서 가노는 고키에게 묻고 말았다.

소설이 써지는 것, 아무것도 없는 것, 충돌한 적이 없는 것, 불행하지 않다는 것. 리리아의 이야기를 쿡쿡 쑤시다 끄집어낸 그의 마음.

'어두운 덤불을 쑤시다 뱀이 나온다'는 속담은 쓸데없는 짓을 해서 후회하는 뉘앙스로 사용되는 경우가 대부분이다. 그런데 그것이 나쁜 것일까. 뱀 정도도 나오지 않으면 아무것도 시작되지 않는다. 그리고 가노 안의 무성한 덤불을 쑤시면 분명 그곳에 호랑이가 살고 있을 것이다. 자각이 있었다.

"고 짱, 나 말이야."

생각보다 먼저 말이 튀어나왔다. 마사요시와 다마키에게도 말한 적이 없는데 신기하다. 어쩌면 고키의 매력 때문일지도 모른다.

"사실 나, 되게 지독한 짓도 할 수 있어."

고키는 가노를 쳐다본 채 어리둥절해했다. 가노는 미리 양해를 구했다.

"지금부터 변변찮은 이야기를 해도 될까? 밝히고 싶지 않은 것도 있어서 대충 얼버무릴지도 모르지만, 그런 건 고 짱의 상상력으로 메워 줄래? 대신 고 짱이 별 희한한 상상을 해도 달게 받을게."

"알겠습니다."

가노는 민망해서 괜히 웃고 있었지만 고키는 웃지 않았다. 고지식해 보일 만큼 진지하게 끄덕이는 그를 보고서야 비로소 자신이 하려는 것이 나름 중대한 일이라는 것을 깨달았다. 고개를 숙이고 가급적 억양 없는 목소리로 가노는 계속했다.

"고 쨩이 아까 한 말을 빌리자면 내 성장 과정은 어렸을 때는 너무 많은 일이 일어났지. 학대에 가까운 집단 괴롭힘을 당했거든."

차분히 털어놓을 자신이 있었건만, 말을 꺼낸 순간 말투가 흔들리는 것이 느껴졌다.

"계기는 별거 아니었는데 반에서 리더격인 남자애가 나를 싫어했고, 그 후로 반 애들이 가장 재미있어하는 놀이가 나를 괴롭히는 게 되었어. 저 녀석은 찌꺼기 같은 놈이니까 무슨 짓을 해도 된다는 식이었지. 뭐, 어느 학교에나 있는 흔해 빠진 일이잖아."

가노가 자신은 결코 다마키처럼 될 수 없음을 뼈저리게 자각한 것은 이 기억이 자신을 속박하기 때문이다. 다마키는 성흔을 지니고 있다. 떠올리기만 하면 언제든 피를 흘릴 수 있는 분노의 감정, 상대를 절대 용서하지 않겠다는 결의.

엔야는 그런 그녀를 보고 자신은 흉내 낼 수 없음을 깨달았다. 그에게는 분노의 기억이, 피를 흘리기 위한 상처 자국이 없기 때문이다. 그것만 있었다면 그는 그녀와 똑같은 방법을 모색

할 수 있었을지도 모른다.

하지만 가노는 다르다. 가노에게는 먼 옛날부터 이미 상처 자국이 있었다. 그러나 거기에서는 이제 피가 흐르지 않는다. 단연코 착한 놈인 척하려는 것은 아니다. 그러나 가노는 용서하고 말았다. 그들에게 더 이상 관심도 없고 분노로 이어지지도 않는다.

눈을 가늘게 뜨자 하늘이 일그러져 그날의 옥상이 떠올랐다.

"그나마 여자애들은 더러 내 편을 들어 줬어. 같이 하교하고 같이 놀면서——."

치한을 조심합시다. 남자는 다 위험합니다. 그런 경고문을 볼 때마다 위화감에 휩싸였던 사춘기 시절. 선생님. 세상에는 여자애가 가해자가 되는 경우도 있죠? 여자한테도 성욕은 있는 거죠?

——가노 군.

그로부터 10년이나 지났건만, 아직도 목소리와 말투를 기억한다는 사실에 기겁할 때가 있다. 평소에는 기억의 밑바닥에 잠겨 있다가 사소한 자극을 받으면 되살아난다. 잠들기 직전에 불쑥 떠올라 잠이 깨다니 인간의 머리는 참으로 잔혹한 구조를 하고 있다.

지켜 주고 보호해 주는 관계. 지금 생각하면 그런 관계는 처음부터 대등한 것과는 거리가 멀었다.

"어느 날 나를 감싸 준 여자애를 내가 사소한 일로 화나게 했어. 딱히 잘못한 것도 없는데 나를 미워하더라. 얼마 후 그 애가 날 옥상으로 불러냈지."

5교시 수업을 마친 뒤, 아직 대낮처럼 밝은 하늘은 맑고 드넓었다.

"옥상에는 그동안 나를 괴롭히던 남자애와 감싸 준 여자애가 다 모여 있었어. 그리고 말이지, 나는 그곳에서 두 시간 동안 겪은 일 탓에 사람이라는 것에 대해 뭔가를 포기했어. 그게 뭔지 잘 설명하기는 힘들지만."

막연하게 말할 수밖에 없어 미안했지만 달리 표현할 길이 없었다. 가노는 계속했다.

"모두가 옥상에서 내려갈 때 문을 닫은 마지막 사람이 바로 내가 화나게 한 그 여자애였어. 그 애가 나를 옥상에 남기고 다른 애한테 말하더라. '자물쇠, 채워 버려'라고."

"갇혔던 건가요?"

가노가 말없이 고개를 끄덕이자 고키가 얼굴을 찌푸렸다.

"지독하군요."

"심지어 그 길로 다들 각각 다른 곳으로 놀러 갔지 뭐야. 내 존재를 까맣게 잊은 거지."

쓴웃음이 절로 나왔다. 실제로 웃을 수밖에 없는 이야기다.

"그리고 이건 사실이니까, 위선이니 뭐니 그런 생각은 하지 않았으면 좋겠어."

고 짱이라면 괜찮다, 그렇게 확신하면서도 단단히 일러두고 나서 말했다.

"나는 그들은 원망하지 않아. 험한 꼴을 당했다 싶긴 해도 그날 내가 기억하는 건 완전히 다른 거거든. 그 몇 시간 동안 본 하늘이 아름다웠다는 거."

고키가 가노의 얼굴을 들여다본다. 그제야 가노는 고키의 얼굴을 똑바로 쳐다볼 수가 있었다.

다마키가 들었다면 주먹을 날릴 법한 이야기라고 생각한다. 현실감이라고는 없이 허울뿐인 감정. 그녀에게는 털어놓은 적이 없으며 앞으로도 분명 이야기하지 않겠지만.

"구름이 빠르게 흘러가던 것이나, 멍하니 보고 있었더니 하늘 색이 순식간에 바뀌었던 것이 그냥 선명하게 기억나. 참으로 아름답다고 생각했어."

"밤이 되었다는 건가요? 힘들었겠군요."

이미 끝나 버린 옛날이야기를 하고 있는데도 고키는 걱정스러운 표정을 지었다. 가노는 고개를 저었다.

"밤이 된 것까지 포함해서 보길 잘했다고 생각했거든."

"계절은 언제였어요?"

"여름."

대답을 듣고 고키는 안도한 듯 숨을 토해 냈다.

"그렇다면 다행이군요. 춥지 않았을 테니."

"응. 그런데 깜깜해지고 별이 보이니까 불안하긴 하더라. 걱정되신 부모님이 여기저기 찾아다니다 드디어 나를 발견해 줬을 때 얼마나 안심이 되던지. 그런데 어머니 품에 안기면서도 그 뒤에 펼쳐진 하늘에서 눈을 뗄 수가 없더라. 달을 중심으로 주변에 윤곽을 그리듯이 구름이 소용돌이치고 있었거든. 그게 느리게 선회하는 걸 보고 감동했어. 느릿느릿 움직일수록 거짓말처럼 아름다웠어."

"달을 둘러싼 구름은 나도 본 적이 있어요."

고키가 그네를 슬슬 구르면서 말했다.

"가노가 본 것과는 좀 다를지 몰라도 뚜렷이 기억합니다. 비슷한 하늘이 찍힌 사진도 갖고 있지요. 그걸 찍은 사진작가는 밤뿐만 아니라 낮에도 구름이 똑같이 움직이는 사진을 찍었더군요. 낮과 밤, 해와 달은 얼마나 다른가. 그걸 찍기 위해 꼬박 한 달 동안 기회를 노렸다고 합니다."

"오, 대단한데?"

가노가 웃자 고키도 덩달아 웃었다. "아무튼 내가 하고 싶은 말은" 하고 계속한다.

"가노와 내가 본 하늘은 이제나저제나 하고 기다렸다 보는 사람이 있을 만큼, 웬만해서는 보기 힘든 하늘임에 틀림없어요. 그걸 기억하는 건 무척 좋은 일입니다."

"고마워."

가노는 괜히 쑥스러운 기분이 들어 고개를 숙였다.

"다음에 그 사진 보여 줄래?"

"방에 있으니 빌려주지요."

고키가 부드럽게 말하더니 이내 표정을 가다듬었다. 그러고는 조용하고 어딘가 엄숙한 분위기가 깃든 목소리로 물었다. "어둠을 들여다볼 수 있는 건가요?" 하고.

"그런 일을 겪고 마음에 깊은 상처가 생긴 창작가 몇 명을 만난 적이 있습니다만, 모두 자기 안의 어둠을 들여다보며 거기에서 이야기나 감정을 끄집어내더군요. 나는 그런 게 없으니 궁금해서 묻는 겁니다. 가노도 그렇게 할 수 있는 건가요?"

"내가 하고 싶은 일과는 거의 관계가 없어. 누군가 상처받는 걸 보고 있으면 역시 감정이 소모되긴 하지만. 이런 내게도 따뜻하게 대해 주는 가족이 있어서 중고등학교 때는 친구도 많이 사귀었고 지금도 친구가 많아."

어둠과 타협하는 방법.

완전히 가두든가 몸을 내맡기든가. 헤맨 적도 있다. 그러나 가노는 이미 결정했다.

"초등학교 시절의 그들을 원망하는 대신 나는 나와 대등하게 어울려 준 사람들에게 각별히 감사하는 마음을 품게 되었어. 그런 나 자신을 나름 자랑스럽게 생각해."

"네."

고키가 눈을 가늘게 뜨고 고개를 끄덕였다.

"그런데."

이것은 들여다봐서는 안 되는 구역이다.

아동만화에는 아동만화가 할 수 있는 것이 있다. 가노는 맑고 깨끗한 세상을 그리며 살아가기로 결심했다.

그런데, 하긴 그러네──.

"마음만 먹으면 언제든지 들여다볼 수 있어. 그걸 동기부여의 계기로 삼을지 말지는 둘째치더라도, 근원으로 삼을 만한 어둠은 갖고 있어."

마음속에 있는 우물에서는 언제든지 시커먼 물을 길어 올릴 수 있다. 그러나 머리를 너무 깊이 넣었다가는 어둡고 깊은 바닥으로 떨어지고 만다. 그렇게 되면 두 번 다시 기어 올라오지 못하리라.

그 물은 마셔서는 안 된다.

(8)

동네 오락실에서 〈레이디 매디〉 게임을 한판 하고 나서 집으로 갔다.

이 게임이 다마키와 하이지마가 만나게 된 계기라고 설명하자 고키가 흐뭇해하며 웃었다. "다마키는 역시 멋지군요" 하고.

"그렇게 열심히 할 줄은 몰랐어요. 원작자로서 더할 나위 없이 영광입니다."

정작 고키는 게임을 오랜만에 하는지 플레이를 하자마자 컴퓨터에 실컷 얻어터졌다. 질 수야 없지, 하고 끙끙대며 동전을 연속 투입. 반지를 하늘 높이 치켜들고 "갑니다!" 하고 특유의 대사를 읊고 대결에 나서는 매디. 또 죽고 동전 투입. 집에 간 것은 밤 10시가 다 되어서였다.

슬로하이츠에 도착하니 다마키가 거실 소파에서 자고 있었다.

현관에 들어서자마자 여자의 잠자는 얼굴이 보여 가노는 약간 당황했다.

집에 오자마자 바로 곯아떨어졌는지 다마키는 외출복을 입고 있었다. 화장도 지우지 않았다. 눈언저리에 파운데이션 가루가 잔뜩 묻은 것으로 보아 아마도 화장이 밀린 것 같았다. 가노는 황급히 시선을 돌렸다.

무심결에 고키와 얼굴을 마주 봤다. 그도 놀란 듯했다. 왜 이런 데서 잠들었을까. 방으로 가면 좋으련만.

숨소리 하나 내지 않고 잠들어 있는 다마키의 팔이 하얗다. 네일아트일 리는 없을 테지만 오른손 검지와 중지의 손톱 틈이 검게 물들어 있었다.

"덮을 것 좀 가져올게요."

"어, 그래."

고키가 자기 방에서 하늘색 타월 이불을 가져왔다.

"아, 이거 여름에 세탁소에 맡기고 나서 한 번도 사용하지 않은 거라 괜찮을 겁니다. 세탁소 비닐에 항균이라고 쓰여 있었고요."

"아무도 뭐라 한 사람 없습니다요."

74

가노가 쓴웃음으로 대꾸했다.

타월 이불과 함께 그는 자신의 노트북도 가져왔다. 다마키 혼자 이곳에 두기가 불안한 눈치다. 가노도 만화 도구를 가져오기로 했다.

"나, 실은 제법 압니다."

"뭘?"

고키가 키보드 치는 소리가 거실 안에 일정한 리듬으로 울린다. 그것을 들으면서 만화를 그리는 것은 제법 기분이 좋았다.

"이 생활이 오래 지속되지 않으리라는 것을요."

가노는 원고지 위로 펜을 놀리던 손을 멈추고 고개를 들었다. 고키는 여전히 노트북 화면을 보고 있었다. 그가 가노를 보지 않고 물 흐르는 듯한 말투로 설명한다.

"좋은 일도 나쁜 일도 영원히 계속되지는 않으니까요. 언젠가는 끝이 옵니다. 그것이 오지 않을 경우에는 상황이 바뀌지요. 나쁜 일이 그러하듯 그 대가로 생기는 좋은 일도 끝이 납니다. 그렇지 않으면 섭리에 어긋나고, 무엇보다 계속되는 것이 꼭 좋다고만 볼 수는 없거든요. 원하건 원치 않건 간에 무조건 그렇게 됩니다. 나는 제법 잘 압니다."

고키가 화면에서 고개를 들어 가노를 향해 웃어 보였다. 손가락은 여전히 움직이고 있었다.

"나는 여기 생활이 좋아요. 무척 즐겁거든요. 다마키에게 고마워하고 있습니다."

그 말을 끝으로 다시 묵묵히 일에 집중했다.

한참이 지나서야 다마키가 눈을 떴다.

멍하니 고개를 들어 가슴에 덮인 타월 이불을 신기하게 바라본다. 고키가 키보드 치는 소리에 반응해 가노와 고키를 향해 "왔어?" 하고 인사했다.

"왜 거기서 자고 있는 거야?"

다마키가 가볍게 고개를 돌리며 "으음" 하는 소리를 냈다. 어쩌면 잠이 덜 깼는지도 모른다.

"뭐랄까, 겹칠 때는 많은 일이 한꺼번에 겹친다니까."

그 말뿐이었다. 그런 애매한 표현은 다마키치고는 드물다. 그녀답지 않았다.

"이 이불, 누구 거야?"

"아, 내 겁니다. 괜찮아요, 여름에 소독을——."

"고마워."

고키의 말을 다마키가 싹둑 잘라 버렸다. 그는 안심한 듯 숨을 토하고 나서 "아차, 다마키" 하고 그녀를 불렀다. 다마키는 타월 이불을 개면서 그를 보지 않고 대답했다.

"왜?"

"《프린세스 기미코》 봤어요."

그 말에 다마키가 동작을 멈추었다. 그녀가 긴장한 것이 느껴졌다. 그러나 고키는 전혀 눈치채지 못한 듯했다.

다마키가 천천히 고키를 쳐다보고는 긴장된 목소리로 물었다.

"그걸, 봤구나."

"네."

"어, 그래."

가노는 그녀가 화제를 돌리고 싶어 한다는 것을 알 수 있었다. 다마키는 어중간하게 대답하고 심드렁한 미소를 지었다. 그러고는 그에게서 시선을 거두었다.

"별로 대단한 이야기도 아닌데."

"그런가요? 나는 좋던데요."

고키가 말한다. 다마키가 숨을 멈춘 것을 알 수 있었다.

"다마키의 이야기에 나오는 인물은 아무리 힘들어도 밥을 꼭 챙겨 먹더군요. 재판과 재판 사이에도, 장례식을 마친 뒤에도 음식을 배달시켜 먹거나 식당에 가기도 하면서 삼시 세끼를 꼬박꼬박 챙겨 먹습니다. 나는 그게 무척 좋았습니다."

그 말을 듣고 다마키가 조용히 그를 봤다. 다음 순간 그녀의 얼굴이 일그러졌다. 애티가 남아 있는, 막 잠에서 깨어난 얼굴이 순간 울음을 터뜨릴 듯한 기색을 띠었다. 전혀 예상치 못한 순간에 기습을 받았다는 표정. 그러고는 허둥지둥 일어났다.

고 쨩!

가노는 순간 마음속으로 외쳤다. 자기 일도 아닌데 왠지 못 견디도록 기뻤다.

고 쨩! 당신, 무슨 소리를 하는 거야?

다마키가 작게 "고마워" 하고 말했다. 어떤 표정을 지어야 할지 몰라 그를 돌아보지 않고, 어색한 동작으로 부엌으로 걸어갔다.

그녀의 뒷모습에 대고 고키가 "스— 얘기 들었습니다" 하고 말했다.

다마키는 걸음을 멈추지 않은 채 "들었구나" 하고 중얼거렸다. 아무런 감흥도 없다는 듯 "어쩔 수 없지" 하고.

"여기를 나가겠대. 난 솔직히 다시 봤어. 스—가 마사요시한테 의존하지 않고 자기 발로 걸으려 해."

"그런 것 같더군요. 나는——."

그때 가노는 자신이 본심에 충실하지 않고 위선의 말로 상황을 깊숙이 넣어 두려는 것에 불과하다는 것을 깨달았다.

고키는 단호히 말했다.

"나는 그냥 그 두 사람이 계속 사귀기를 바랐어요. 자립이니 의존이니 그런 건 모르겠고 마사요시와 스—의 사이가 좋기만을 바랐습니다. 스—가 계속 여기에 있어 줬으면 했어요. 내 욕심이지만요."

다마키가 뭔가 깨달았다는 듯이 자세를 가다듬고 고키를 돌아봤다. 그리고 고개를 숙였다.

가노가 그러했듯이 다마키 또한 같은 생각을 한 것일까. 이는 당사자만의 문제일 뿐 제삼자가 참견할 권리도, 의견을 말할 권리도 없다. 그러나 고키가 솔직한 속내를 드러냄으로써 덩달아 마음이 흔들렸다.

부엌에서 다마키가 컵에 물을 따르고 이쪽을 향해 돌아섰다. 여전히 고개를 숙이고 있지만 눈시울이 붉어진 것이 보였다. 다마키는 남들 앞에서 우는 것을 싫어한다.

가노는 그녀가 남의 시선에 아랑곳없이 눈물 흘리는 모습을 딱 한 번 봤다. 그러므로 오늘은 두 번째다.

(9)

다마키는 남들 앞에서 눈물 흘리는 것을 싫어한다.

눈물은 쉽게 무기가 되기 때문에 비위에 거슬린다고 말한 적이 있다.

2년 전 이곳에 살기 시작했을 무렵 가노는 자기가 생각해도 썩 잘 그렸다 싶은 만화를 한 편 완성했다. 아무도 상처받지 않는 마냥 착한 이야기로, 아이가 읽을 것을 염두에 두고 잔혹함과 격렬함을 몽땅 제거한 단순한 이야기. 그림 그리는 로봇과 인간 소녀의 사랑 이야기였다.

동경하는 《게라케라코믹》 편집부에 가져갔지만, '아이들이 원하는 우당탕 신나는 느낌을 이해하지 못하고 있다'며 매정하게 퇴짜 맞고, '감동이 없어도 되니 신나고 재미있게 쓰도록. 이야기 자체는 완성도가 높지만' 하고 위로 아닌 위로를 받은

16매짜리 단편 만화.

　속상하고 서글펐다. 어깨를 축 늘어뜨리고 타달타달 집으로 돌아오자 스미레가 저녁을 짓던 참이었다. 다마키도 집에서 작업 중이라 셋이서 저녁을 먹었다.

　편집부에서 들은 말을 들려주자 다마키가 거만하게 입을 열었다.

　"나, 그거 읽고 싶어. 편집부에서 안 된다고 했다는 건 가노가 아무리 자신 있게 내놨어도 미흡한 점이 있다는 뜻이야."

　자신의 일이었을 때와는 백팔십도 다른 태도로 "그러니까 남이 보는 눈을 의심하고 원망하는 건 바람직하지 않아" 하고 말한다. 그녀가 원고를 다 읽을 때까지 가노는 긴장되어 그 자리에 있을 수가 없었다. 방에서 기다려도 되겠느냐고 묻자 다마키가 "이 겁쟁이야" 하고 독설을 날렸다.

　어쩔 수 없잖아, 하고 방에 틀어박힌 지 30분쯤 지나, "가노, 너무하네" 하고 스미레가 장난스럽게 가노를 부르러 왔다.

　무슨 일인가 싶어 얼른 복도로 고개를 내밀자 스미레는 웃고 있었다. 정말이지 기뻐서 못 견디겠다는 듯 환하게 웃으며 흥분하고 있었다. 그러고는 덧붙였다.

　"가노, 그럼 못써. 여자를 울리다니."

　"어?"

　당최 무슨 뜻인지 몰라 거실로 돌아가자 그곳에 다마키가 앉아 있었다. 원고를 쥐고 있는 그녀의 얼굴을 보고 가노는 소스라치게 놀랐다.

도대체 뭐가 녹아내리고 있는 걸까.

우선 그렇게 생각했다. 그녀의 얼굴, 눈 밑에서 뺨에 걸쳐 검은 줄이 곱게 그어져 있었다. 흡사 서커스에서 피에로가 하는 분장 같았다.

마스카라가 번진 탓에 그렇게 되었다는 것을 깨닫기까지 다소 시간이 걸렸다. 두 눈에서 떨어지는 검은 눈물. 다마키가 울고 있었다.

"제길."

가노와 눈이 마주친 그녀가 나직이 내뱉었다. 꾸밈없이 솔직한 말투. 전혀 예상치 못한 결과였다. 가노는 뒤늦게 실감이 확났다.

가노의 만화가 다마키를 울린 것이다.

"어떻게 책임질 거야? 나 오늘 밤에 외출해야 하는데."

다마키는 화를 내고 있었다. 눈이 붉게 충혈되고 눈가에는 또 눈물이 고였다.

"이거, 굉장히 좋아."

사람이 죽는 장면이나 화려한 전개 하나 없건만. 누구나 읽을 수 있는 만화를 그리고자 한없이 착한 이야기를 생각해 냈건만.

"바꾸지 않아도 돼" 하고 다마키가 말했다.

"아까 말한 거 취소. 그 편집자 말은 믿지 마. 이대로 계속 그리면 돼. 이번에 이 이야기가 거절당한 건 이해가 안 가지만, 이 길을 따라 가면 가노는 반드시, 언젠가 기필코 인정받을 거야."

"다마키가 뭔가를 읽고 울다니 웬일이람."

스미레가 흐뭇해하며 말했다. 다마키가 괘씸하다는 듯 얼굴을 잔뜩 찌푸리고 고개를 저었다. "하긴, 그러네. 내가 생각해도 너무 방심했어."

다마키가 가노를 향해 돌아섰다.

"나의 이 반응은 진절머리 나도록 진심이야. 난 너희가 쓴 걸로는 결코 울고 싶지 않았거든."

주르르 흘러내리는 눈물과 마스카라를 닦는, 분한 표정의 그녀를 봤다.

그때였다.

가노는 결심했다. 어쨌든 기뻤다.

사람을 상처 입히지 않고 어둠도 들여다보지 않고 상대를 감동시켜 마음을 뒤흔드는 것은 분명히 가능하다. 그렇게 살아가자, 자신이 믿는 상냥한 세계를 완성하자. 그것을 해내지 못하면 자신의 인생은 실패한 것이나 다름없다고 그렇게 생각했다.

제8장

나가노 마사요시는
가위를 꺼낸다

(1)

스미레의 이사는 가노와 마사요시가 도왔다.

두 사람은 트럭에 짐을 실어 나르는 것까지만 도왔다. 이사 간 곳에서의 짐 풀기는 스미레가 사양했기 때문이다.

슬로하이츠는 부엌과 욕실 공간, 생활공간의 대부분이 공동이었다. 전자레인지와 냉장고, 세탁기. 스미레는 혼자 사는 데 필요한 가전제품을 전혀 준비해 놓지 않은 것 같았다. 그것이 무엇을 뜻하는지 가노는 알고 있었지만 굳이 입 밖에 내지 않았다. 아마 마사요시도 알아차렸을 것이다.

"이가라시 군한테 차이면 언제든지 돌아와."

마사요시가 웃는다. 스미레는 장난 반 비명 반의 목소리로 "그런 말은 하는 거 아니야" 하고 볼을 부풀려 보였다. 마치 그렇게 장난스럽게 말하면 심각한 일이 다 없어진다고 믿듯이.

더없이 불안한 앞날 때문에 스미레는 이사 준비를 하는 몇 달간 새 남자친구와 툭하면 말다툼을 했다.

상대와 거리가 너무 가까운 탓에 서로를 극한으로 몰아붙이는 십 대의 연장 같은 연애 방식. 스미레는 그런 연애에 푹 빠져 있었다.

매일 만나는데도 성에 차지 않아 몇 시간 동안 전화를 하고 수십 통의 문자를 주고받는 식이다. 철저히 두 사람만 존재하는 연애 세계에서 어떤 극적인 기분을 느끼고 싶을 때는 자연히 상대에게 화살을 돌린다.

이사 날짜를 너무 늦게 잡았다. 아직 예전 남자친구에게 미련이 있는 것이 아닌가. 전화를 늦게 받는 것으로 보아 바람을 피우고 있었음에 틀림없다. 혹은 과거에 어떤 사람과 어떤 식으로 사귀었는가 하는 것까지.

아니 땐 굴뚝에서 연기를 발견하고 뿌연 시야 속에 서로를 발가벗기고 만다. 그때마다 그녀는 가노의 방에 찾아와 울곤 했다.

"어떡하면 좋아? 나 그 사람이 너무 좋은데, 날 싫어하는 것 같아."

그런가 하면 몇 시간 뒤 상대에게 전화가 걸려 왔다며 함박웃음을 짓는다.

"용서해 주겠대. 원래대로 돌아갔어."

남자가 여자에게 폭력을 휘두른 뒤 연인 사이를 유지하기 위

해 용서를 구하고 애정 공세를 하는데, 이는 언어폭력일 경우에
도 마찬가지다. 스미레는 남자친구에게 완전히 휘둘리고 있었
다.

그리고 마사요시에 대한 미련이 그녀에게 손톱만큼도 남아
있지 않다는 것에 가노는 조금 놀랐다. 그러나 다음 순간 생각
을 고쳐먹었다. 그녀는 사랑에 빠졌으니 어쩔 수 없다.

스미레의 눈에는 이가라시 군밖에 보이지 않고 다른 사람은
필요 없다. 극단적으로 말하면 지금 상담해 주고 있는 가노도
필요 없다.

어느 날 밤 마사요시가 가노의 방에서 작업을 하고 있었는
데, 그때 스미레가 찾아왔다. 여느 때처럼 눈물이 그렁그렁한
눈으로 "어떡해"라고 말하며. 마사요시가 그 자리에 있든 없든
상관없이 울음을 터뜨렸다.

"놀이공원에 가기로 약속하고 어제까지 분위기 좋았는데, 그
런데 갑자기."

하도 울어서 목소리가 쉰 그녀는 제대로 서지도 못했다. 스
미레의 마음속에서 마사요시는 이미 연애 상대에서 오빠 같은,
가족 같은 존재로 바뀐 걸까. 마사요시는 그녀의 머리를 부드럽
게 쓰다듬으며 위로했다.

"내가 지금 이상하다 싶을 만큼 너한테 다정한 거, 알아?"

난처한 미소를 띤 마사요시 앞에 미련이나 기만, 혹은 자아
도취 같은 단어는 어울리지 않아 보였다. 그렇게 할 수밖에 없

는 자신을 내려놓은 것처럼 주체 못하고 있는 그의 마음이 아프도록 느껴졌다.

그러나 스미레는 알지 못하리라. 그녀에게 있어 머리 위에 놓인 마사요시의 손은 받아들일 것도, 반대로 뿌리칠 것도 없다. 공기처럼 그냥 그곳에 있을 뿐인, 보이지 않는 것이다. 그리고 그녀에게 그림을 그리는 기색이라고는 찾아볼 수 없었다.

가노는 그런 상태의 스미레를 배웅했다.

자신이 다마키처럼 오지랖이 넓었다면 스미레를 말렸을까. 그녀의 비겁한 부분은 사랑의 고민을 다마키에게는 한 마디도 털어놓지 않았다는 것이다. 자신의 투정을 받아 주는 사람은 누구이고, 받아 주지 않는 사람은 누구인지 정확히 알고 있었다.

스미레의 이삿날, 다마키는 미팅이 잡혀 배웅을 하지 못했다.

집필하던 손을 멈추고 고키가 리리아와 나란히 배웅하러 나왔다. 최근 리리아는 일하고 있는 고키 옆에서 그의 DVD 컬렉션을 조용히 보는 것이 낙이라고 한다.

"다음에는 나도 같이 봐도 돼?"

마사요시가 말하자 리리아는 야단스럽게 얼굴을 찡그렸다.

"가끔은 괜찮지만 방해하면 안 돼요."

고키에게 들리지 않도록 조심하면서도 아주 싫지만은 않다는 듯이 대답한다. 그 두 사람을 바라보다 문득 얼마 전 고키가 한 말이 떠올랐다.

──가가미 씨는, 아니에요. 가가미 씨는 예쁘잖아요. 분명히

그녀와 어울리는 훨씬 멋있는 남자를 좋아할 겁니다.

아무런 맥락도 없는 기억의 연결. 그러나 마사요시와 리리아가 나란히 서자 그야말로 청춘 영화의 한 장면 같은 분위기였다. 두 사람 다 그만큼 미남미녀.

스미레를 잃은 그는 앞으로 어떻게 할까. 새로운 사랑을 찾을까, 아니면 상실의 무게를 견디는 마음가짐으로 당분간 혼자 지낼까.

막연히 걱정하던 가노는 자신이 절친을 얕잡아 봤음을 알게 되었다. 마사요시의 마음은 앞으로 나아갔다.

(2)

마사요시가 단편영화를 찍게 되었다고 알려 준 것은 스미레가 떠나고 난 직후였다.

"전에 말한 그 영화 기억나? 여러 편의 단편을 옴니버스식으로 구성하는, 잡탕 느낌을 노린 빈티지한 인상의 영화. 그중 한 편이 배우와 예산 문제로 엎어졌거든. 내가 패자 부활전에서 겨우 기회를 잡았지."

"굉장한데!"

──주장하고 싶은 거라니, 그런 거 없어.

가을밤 가노의 방에 찾아온 그가 읊조린 말이 귓가에 되살아난다. 떨리는 주먹에서 터져 나오던 그의 분노가 아직도 기억난다.

"어떤 영화야?"

그 질문에 마사요시는 씁쓸히 웃으며 "읽어 볼래?" 하고 A4 크기의 종이를 두 장 건네주었다.

"기획서나 각본의 전 단계에 쓴 조잡한 글인데, 대체로 그런 분위기야."

작품 타이틀은 〈집게벌레〉.

마사요시는 '조잡한 글'이라고 겸손을 떨었지만 전혀 그렇지 않았다. 그것은 짧은 소설로, 가노는 다 읽은 뒤 종이를 이마에 갖다 댄 채 아무 말도 할 수 없었다.

그동안 마사요시는 마음을 얼마나 많이 죽여 왔을까.

모든 것은 스미레의 제멋대로인 행동에서 비롯되었건만, 그가 오로지 자신을 탓해 왔다는 것을 가노는 알고 있었다. 자신이 한심한 탓에 이런 상황을 초래했다고.

이튿날 가노와 마찬가지로 마사요시에게 그 종이를 건네받았다는 다마키와 복도에서 스쳤다. 그녀는 조용히 웃으며 "죽였더라" 하고 중얼거렸다. 가노가 고개를 끄덕이자 진지한 표정으로 돌아와 말했다.

"현실 세계에서 감정을 억눌러야만 이야기에서 그걸 끄집어낼 수 있다니, 아이러니한 창작가네."

"계속 이 방법으로 하려는 건 아니야. 아마 이번 한 번뿐일

거야. 여자와 헤어지고 나서야 이야기를 쓰게 되다니 칭찬받을
만한 일은 아니지."

마사요시는 쑥스러워하는 것 같지도 않았다.

"그런데 깨달은 게 있어. 그걸 주장이라고 부르는지는 잘 모
르겠지만, 내가 분명히 찍고 싶은 게 있다는 거."

"감독 데뷔 축하해."

"그래."

마사요시가 여느 때와 다름없이 가볍게 웃는다.

"고마워. 당분간 엄청나게 바빠질 테지만 굉장히 기뻐."

쓰고 실패하고 뭉쳐서 버린다. 시행착오 끝에 태어난 그의
〈집게벌레〉. 그 작업을 하는 동안 그는 제대로 화내고 울 수 있
었던 걸까.

그랬으면 좋겠다고 가노는 바랐다.

〈집게벌레〉 나가노 마사요시

그는 니체의 신봉자다. 니트족이고 방금 일어났다.

자면서 흘린 땀 때문에 찝찝하다. 한낮이었지만 꿈은 악몽이
었다.

얼마 전까지 동거를 했다. 서로 말은 하지 않았어도 언젠가
결혼하겠거니 생각했다.

그러나 여자는 떠났다. 남자는 아무것도 하지 않는다.

연인과 삐걱거리기 시작했을 무렵에 CD 플레이어, 스피커, TV와 비디오, 휴대폰이 차례로 망가졌다. 도쿄로 상경했을 때부터 쭉 애용한 물건들이었다.

하지만 역시 마지막에 망가지고 잃어버린 것이 가장 괴로웠다.

내일은 헤어진 연인이 두 달에 한 번 머리를 잘라 주러 오는 날이다. 그녀에게 새 남자가 생겼는데도 그는 아직 미련을 버리지 못한 것 같다.

꿈속에서 그는 다정한 옛 연인을 죽였다. 찔러 죽였다.

낮잠을 자면서 꾸는 악몽은 무서움보다 꺼림칙함이 온몸에 엉겨 붙는다.

하아.

화장실이니 한숨도 배설에 속하리라. 무슨 상관이랴. 화장지가 다 떨어졌구나. 화장지 구입 담당은 그녀였다. 그래서 지금은 티슈밖에 없는 거구나.

편의점에는 화장지도, 가위도 판다.

머리를 직접 잘라 볼까.

그런데 계산하는 도중 꿈의 세부 내용이 떠올랐다.

홍기는 가위가 아니었을까.

바보와 가위는 쓰기 나름이라더니, 바보가 가위를 사용한 격이군.

신은 죽었다.

의미 같은 것은 없다. 평소 그의 말버릇. 아니, 이때 처음으로 의미를 지닌 말이 되었을지도 모른다.

그는 머리를 길렀다. 어깨까지 기르고 허리까지 길렀을 무렵에는 그는 더 이상 니트족이 아니었다. 그는 뮤지션이 되었다.

연인이 떠나기 전 가전제품이 하나둘씩 망가진 것은 멈췄던 시간이 움직이기 시작했기 때문이다. 한때 행복한 시간이 있었다. 시간이여 멈춰라, 하고 소망한 연인들이 있었다. 시계는 움직이기 시작했다.

그리고 그도.

그는 사랑의 노래를 불러 인기를 얻고 여자친구가 생겼다. 세상에서 가장 그녀를 사랑하여 결혼했다.

헤어진 연인과는 두 번 다시 만나지 않았지만 그녀에 대한 마음은 어쩐지 일부러 생각하지 않기로 한 듯하다. 아직도 좋아한다면 애처롭고, 그렇지 않다면 쓸쓸하니까.

하지만 그에게 알려 주자.

그의 첫 앨범에 수록된 곡 중 팬에게도 인기 없는 곡이 하나 있다. 그녀가 그 노래를 듣고 한 번 눈물을 흘렸다는 것을.

(3)

겹칠 때는 이것저것 겹치는 법이다.

그 무렵 잠에서 막 깬 다마키가 혼잣말처럼 내뱉은 그 말에 이것까지 포함되어 있었다니.

계절이 바뀌어 새해가 밝은 1월 초. 다마키가 모두를 슬로하이츠 거실로 불러 모았다.

다 같이 밥 먹자, 하는 제안으로 소집된 것이다. 그 시기에 가장 바쁜 사람은 데뷔가 결정되어 어떻게든 성과를 내야 하는 마사요시로, 그의 일정에 맞춰 밤 9시라는 늦은 시각에 식사 모임이 시작되었다.

역 앞 상점가 초밥집에서 배달을 시켰다. 밥값은 다마키가 쏜다고 했다. 1인분에 2천 엔인 특초밥을 먹으면서 가노는 도대체 무슨 일이 일어날까 마음의 준비를 했다. 다마키는 필시 무슨 속셈이 있는 것이다.

세입자 전원을 소집하다니 혹시 이 건물을 처분하려는 걸까, 하고 슬쩍 걱정이 되었다. 그러나 이미 이 집에서 나간 스미레까지 불렀다는 것을 알고 생각을 고쳤다.

스미레는 식사 도중에도 정신없이 문자를 주고받았다. 테이블 위로 벌레의 날갯짓 같은 진동이 전해진다. 그녀는 오늘 모임 내용을 남자친구에게 정확히 전달했을까. 의문이 머리를 스쳤지만 이내 그만 생각하기로 했다. 전달했다면 방금 주고받은 문자 내용이 쉽게 짐작이 가서 지긋지긋한 데다, 그렇지 않다면 숨기는 것이 많아지는 관계에 무슨 의미가 있으랴 하는 생각이 들기 때문이다.

"모두에게 묻고 싶은 게 있어."

모두가 밥을 다 먹을 타이밍을 가늠해서 드디어 다마키가 운을 뗐다.

"구로키 씨가 없는데?"

가노가 말하자 다마키가 대놓고 얼굴을 찡그렸다.

"그 사람은 도망갔어. 여기 있는 사람들과는 별도로 먼저 물어봤는데 얼버무리더라. 오늘도 일단 오라고는 했는데 역시 안 왔어."

"그리고 스미레는 불렀는데 엔야가 없는 건 의미가 있는 건가?"

"있어. 시기적인 문제가 좀 있어서 엔야는 해당되지 않아."

다마키의 발치에 그녀가 늘 작업용으로 들고 다니는 서류가방이 놓여 있었다. 안에 뭐가 들었는지 가방이 빵빵하게 부푼 것이 보였다. 거기에서 불온한 낌새가 느껴지는 것은 가노뿐일까.

"사과부터 할게."

다마키가 차분하게 말했다. 그녀가 이런 목소리를 내는 것이 어떨 때인지 가노는 알고 있었다. 터지기 직전의 폭탄을 안고 있을 때다.

그녀가 발치의 가방에서 갈색 봉투 하나를 꺼냈다. 모두에게 잘 보이도록 테이블 중앙에 올려놓는다. 표면이 쪼글쪼글 구겨져 보풀까지 인 그것은 출판사 대대사의 업무용 봉투였다. 고키 앞으로 우편물이 오거나 구로키가 들고 다니는 것을 여기 있는 모두가 본 경험이 있다.

'퀵서비스 취급'이라고 찍힌 붉은색 도장. 물에 젖어서인지 수신인 라벨의 끝이 말려 올라갔다. 주소가 표기되어 있지만 슬로하이츠라는 글자에서 끊겨 있다. 나머지는 잉크가 번져 글자를 알아볼 수가 없었다.

"작년 10월 초순이었나. 태풍의 영향으로 큰비가 쏟아진 날, 이게 우리 집에 배달되었어. 보다시피 비에 젖어 수취인을 알아볼 수 없게 되는 바람에 실례인 줄 알면서도 내용물을 뜯어봤어. 오늘까지 내가 말없이 보관한 탓에 주인은 난처했을 거야. 먼저 사과할게. 미안해."

"이게 뭐야? 봐도 돼?"

"응, 봐."

마사요시가 봉투를 들고 내용물을 꺼냄과 동시에 다마키가 이어서 말했다.

"그거 《블랑》에서 연재 중인 『다크웰』의 원작 원고야."

말로 표현할 수 없는 긴장과 놀라움이 거실에 모인 사람들 사이로 흘렀다. 스미레가 휴대폰을 만지작거리던 손을 멈췄다. 모두가 고개를 들어 다마키를 쳐다본 다음 봉투를 들고 있는 마사요시의 손으로 시선을 옮겼다.

마사요시가 원고를 테이블 위에 두었다. 가노도 몸을 내밀어 들여다봤다.

감정을 배제한, 냉혹하기 이를 데 없는 퍼즐 게임 『다크 웰』. 치열한 두뇌 게임을 그린 대인기 서스펜스.

그것은 각본 형식으로 대사와 상황 설명만이 조목조목 나열 된 원고였다. 편집자가 꼼꼼히 교정해 놓은 흔적이 엿보이고, 《블랑》 독자라면 친숙한 캐릭터들의 이름도 나열되어 있다. 무엇보다 원고 오른쪽 끝에 인쇄된 활자에 눈이 빨려 들어간다.

「다크웰 블랑 신춘특대호 미키나가 마이」

"원작자 미키나가 마이 씨가 집필하고 편집자가 교정, 그 후 재조정. 작화 담당인 야마시타 씨한테 넘기기 직전의 원고 같 아."

다마키가 대본이라도 읽는 것처럼 단숨에 말했다.

"요즘 가장 잘나가는 대인기 만화 『다크웰』. 작년 여름에는 영화로 제작되었고 지금은 드라마도 최고 인기를 자랑하지. 지 요다 브랜드의 『레이디 매디』를 뛰어넘는 기세로 《블랑》을 지탱하는 대인기 만화. 그 원작 원고가 우리 집에 배달되었어."

"진짜 원고인가요?"

고키가 흥분한 목소리로 물었다. 그의 반응은 알기 쉬웠다. 순수한 흥미와 호기심.

"그걸 확인하려고 오늘을 벼른 거야."

그녀가 다시 가방을 열어 꺼낸 것은 지금 서점에 진열된 《블랑》의 최신호였다. '신춘특대호'라는 글자가 크게 박혀 있다.

"내용을 비교해 봤더니 완전히 똑같았어. 틀림없이 어제 발행된 《블랑》과 똑같은 내용이야. 내가 숨겨 놓은 탓에 작업을 두 번 했을지도 모르겠지만 어쨌든 마감 시간에 맞췄나 봐."

그녀가 서서히 감정을 억누르고 담담히 말했다.

"누구야?"

그 목소리가 조용히 울렸다.

"나는 그동안 실컷 잘난 척을 해 왔어. 그 대가를 지불할 용의가 있어. 내가 어리석은 어릿광대였다는 걸 깨끗이 인정하고 사과할게. 그러니 가르쳐 줘. 이 중에 이거 쓴 사람 있지?"

"미안하지만 있을 리 없잖아."

가노는 말해 버린다. 어릿광대였다는 다마키의 말. 그것이 절절히 가슴을 파고들었다. 슬로하이츠의 이인자 아카바네 다마키. 그녀는 『다크웰』의 원작자 미키나가 마이의 존재가 그런 자신의 자리를 뒤로 물리기에 충분하다고 판단한 것이다.

"미안하지만."

가노는 같은 말을 반복했다.

"이렇게 말하면 뭣하지만, 있을 리 없어. 그 『다크웰』이잖아. 한심한 이야기지만 이 집을 떠난 엔야를 포함해 이 중에 그걸 쓸 만한 사람이 있다고 쳐도——."

"나 아니면 고 짱이라고 보는 게 타당하지. 다른 사람들은 실력적으로 그 대인기작에 못 미치니까. 무슨 말을 하려는지는 알아."

다마키가 한 치의 망설임도 없이 말했다. 모두를 똑바로 쳐다보며 "그래도 이 중에 조커가 있다는 거잖아?" 하고 묻는다.

"누군가가 잘하면서 못하는 척을 했단 말이야. 그동안 입 다물고 있었던 이유는 뭐야? 평소 잘난 척을 하는 나한테 미안해서라는 거지같은 이유가 아니길 바랄게."

"이름이 '마이'라서 나는 당연히 여자일 줄 알았는데."

마사요시가 말했다. 자연스럽게 스미레와 리리아에게 시선을 옮기고 "아닌가?" 하고 어깨를 으쓱한다.

다마키가 고개를 끄덕였다.

"꼭 여자란 법은 없지. 그건 편집 쪽에서 하는 말일 뿐이고. 실제로 『다크웰』의 그 감정에 휩쓸리지 않는 냉정한 작풍이 남성적이라는 의견도 많거든."

"잘못 배달 왔을 가능성은?"

스미레가 조심스럽게 말했다. 그러자 최악의 타이밍으로 그녀의 휴대폰이 진동하기 시작했다. 스미레가 황급히 두 손으로 휴대폰을 감쌌다. 우는 아이를 억지로 가두듯 얼굴을 일그러뜨리고 진동이 멎기를 기다리는 그녀를 보기가 괴로웠다. 가노와 다른 사람들까지 바늘방석에 앉은 기분이었다.

"받아도 돼. 무슨 용건인지도 모르고, 그런 건 가볍게 여기지 않는 편이 나아."

다마키가 씁쓸히 웃으며 말했다. 그러고는 고개를 내저었다.

"그 가능성도 없어. 아까 말했다시피 여기서 모두에게 말하기 전에 구로키 씨한테 미리 물어봤거든. 이 원고를 분실한 줄 알고 잊고 있었나 보더라. 그 사람답지 않게 동요하면서 '다마키가 갖고 있었구나' 하고 경솔한 말을 하더라니까. 처음부터 이 일에 관여해 왔던 거야."

"그 구로키 씨가 원작자라는 생각은 안 드나요?"

지적한 사람은 리리아였다. 기교 있게 눈을 천천히 깜빡이고 고개를 갸우뚱 기울인다.

"얼마 전부터 인터넷에 그런 소문이 돌던데요? 미키나가 마이는 사실 구로키 씨의 필명이고 『다크웰』은 야마시타 씨와 편집부의 합작이 아닐까 하고요. 아닌가요?"

"본인은 그 소문을 부인하던데요."

당황한 고키가 보충 설명을 했다.

"그 사람은 내가 데뷔했을 무렵부터 목숨 걸고 편집자 일에만 매달렸어요. 만화와 소설을 포함해 창작의 세계를 무척 좋아하지만 제 손으로는 그림은커녕 글도 못 쓰기 때문에 남을 이용하는 거라고 옛날부터 습관처럼 말해 왔어요. 이야기를 지어내는 복잡한 일은 도저히 생각할 수도 없다고 말입니다. 나는 그 말이 진심이라고 생각해요."

"내가 캐물었을 때도 똑같은 말을 하더라."

다마키가 말했다. 이내 고개를 젓고 말했다.

"그런데 그 사람은 여우처럼 생긴 주제에 엄청난 너구리거든. 아무것도 믿을 수 없으니까 리리아가 말한 가능성도 제로는 아니라고 생각해."

"참고로 저는 아니에요."

누가 묻기도 전에 리리아가 미소를 지으며 말했다. 립글로스를 발라 붉게 빛나는 입술을 치켜올리며 우아한 표정을 머금는다.

"저는 『다크웰』의 팬이에요. 지요다 선생님의 소설 다음으로 지금은 그걸 좋아하거든요. 원작자인 미키나가 씨가 이 중에 있다면 정말 믿기 힘들 거예요. 너무 좋아요."

"다른 사람들은 어때?"

아무도 대답하지 않았다.

"나설 생각이 없다는 거네?"

다마키가 확인하듯 일부러 물었다.

"고 쨩도 모른다는 거지? 미키나가 마이의 정체에 관해 구로키 설 다음으로 거론되는 게 지요다 고키 설인데."

"안타깝게도 정말 진짜로 몰랐습니다. 지금도 너무 놀라서 진정이 되질 않는군요."

지요다 고키의 눈에는 내가 비치지 않아, 그는 내게 관심이 없어. 옛날부터 장난스럽게 내뱉던 다마키의 불만. 그런 지요다 고키가 자신의 패배를 깨끗이 인정할 만큼 푹 빠져 있는 『다크웰』.

그동안 실컷 잘난 척을 해 온 대가. 어릿광대, 이인자.

장난조로 사용해 온 말에 책임과 죄가 있을 리 없다. 그럼에도 불구하고 다마키는 그것을 청산하려 한다. 자신이 내뱉은 말을 기꺼이 자신에게 되돌릴 준비를 하고 있다. 그 태도에서 숨을 삼킬 만큼 강한 의지가 느껴져 가노는 악연했다.

모두의 얼굴을 훑어본 뒤 다마키가 한숨과 함께 일어섰다.

"어쨌든 원고를 돌려줄 테니 원작자는 가져가. 지금껏 말도 없이 갖고 있어서 미안했어. 그리고 정체를 밝히고 싶은 마음이 생기면 언제든지 말해."

그 말을 끝으로 그녀는 뒤돌아 계단으로 향했다. 시야에서 그녀의 모습이 사라진 뒤 곧바로 3층 문이 닫히는 소리가 들렸다.

가노를 포함한 사람들은 잠시 아무 말도 하지 않았다. 마사요시가 마치 자신의 역할이라는 듯 가볍게 웃었다. "어떡하지?" 하고 묻는다.

"가져가라니, 신단에 모셔놓고 싶어도 집에 그런 것도 없고."

그러고는 진심으로 감동했다는 듯 천진난만하게 말했다.

"역시 여기 생활은 끝내준다니까. 심심할 틈이 없어. 재미있게 돌아가네."

"조금 전의 아카바네 씨는 무서워요."

다마키가 사라진 계단에 시선을 두면서 리리아가 불쑥 내뱉었다. 동의를 구하듯 사람들을 훑어보고는 미간에 작게 주름을 잡는다.

"왜 저렇게 정색하는 거예요?"

"다마키는."

대답한 것은 고키의 목소리였다. 그 또한 다마키가 사라진 방향을 바라보고 있었다.

"다마키는 아마 엄청나게 상처받았을 겁니다."

"──응."

가노도 동감이었다. 정면에 앉은 스미레의 손안에서 지독할 정도로 집요하게 휴대폰 불빛이 깜빡거렸다.

(4)

얼마 후 가노가 집에서 만화를 그리고 있는데 다마키에게 전화가 걸려 왔다.

"집이야? 나 지금 밖인데 나올래?"

"지난번 『다크웰』 때문에 그래?" 하고 묻자, '아냐, 아냐' 하는 가벼운 대답이 돌아와 왠지 마음이 놓였다.

"그때 한 이야기는 일단 그걸로 끝. 아니면 가노가 정체를 고백할 마음이 생겼다면 얼마든지 들어 줄 용의는 있어."

"난 아니야."

"사실이 어떤지 궁금해서 그래."

"무슨 사실?"

그녀가 애매모호하게 말하는 바람에 아까 그 문제를 계속 묻는 것처럼 들렸다. 그러나 다마키가 얼른 대답했다.

"스미레의 남자친구 말이야. 걱정된다고 하면 위선처럼 들리려나?"

"아아."

가노는 방에 걸린 벽시계를 확인했다. 약속 시간과 장소를 정하고 전화를 끊었다.

외출하기 전에 거실을 지나가자 고키와 리리아가 차를 마시고 있었다.

"아, 가노. 얼마 전에 이야기한 사진 말인데요."

고키가 부르는 소리에 뒤돌았다.

"바다와 하늘과 구름 사진집을 지금 가가미 씨와 함께 보고 있어요. 나중에 빌려줄게요. 기억해요?"

"정말? 고마워."

물론 기억한다. 고개를 끄덕이자 리리아가 옆에서 끼어들었다.

"굉장히 아름다워요. 이 세상이 아닌 것처럼 좋은 분위기인데다 달과 구름도 윤곽이 뚜렷하고 선명해요."

고키와 있을 때의 그녀는 역시 평소보다 기분이 들떠 있다. 그녀가 가노를 올려다보며 다정한 목소리로 물었다.

"가노 씨도 차 한 잔 드릴까요?"

"아, 난 이만 나가 봐야 해서 괜찮아. 미안해, 고마워. 고 짱, 그거 잠깐 봐도 될까?"

"그럼요."

건네받은 책 표지가 눈에 들어온 순간 가노는 헉 하고 숨을 삼켰다.

달을 둘러싼, 소용돌이처럼 겹겹이 쌓인 구름. 그것은 하나의 강한 빛을 갈망하듯 둘러싼 수많은 팔처럼 보이기도 했다. 보고 있자니 당장에라도 선회하기 시작할 것 같다.

"이거야."

말이 생각보다 먼저 튀어나왔다. 가노는 고개를 들어 고키를 바라봤다.

"내가 본 것도 이런 느낌의 하늘이었어."

"역시 그랬군요."

고키가 씨익 웃으며 말했다. 가노의 고양된 감정과 달리 부드럽고 자연스러운 말투였다.

"이 사람의 사진은 좋습니다. 이건 자연만 찍은 건데요, 인물을 찍은 것도 기가 막히지요. 나는 오래전부터 좋아했는데 요즘에 점점 유명해져서 기분이 좀 복잡하더군요."

"그렇구나."

"그렇습니다."

고키가 고개를 깊이 끄덕였다.

"어떤 가수의 CD 재킷에 쓰이기도 해서 마치 메이저 가도를 달리기 시작한 마이너 아이돌의 뒤꽁무니를 따라다니는 기분이 들더군요. 이제 이 사람은 내가 없어도 괜찮다는, 그런 심리 말입니다. 큰 상을 받고 나서 갑자기 바빠진 모양입니다."

"지요다 선생님은 아시자와 씨에게 책 표지 디자인을 부탁하고 싶은 거죠?"

"네."

리리아가 묻고 고키가 고개를 끄덕였다. 왠지 요즘 이 두 사람이 거리를 두는 방식은 블랙잭과 조수 피노코(데즈카 오사무의 의학 만화 『블랙잭』의 주인공인 어둠의 의사와 그의 귀여운 조수)를 연상케 한다.

"부탁하고 싶지만 나 정도로는 어려울지도 모르겠군요. 자신의 이미지에 흠이 생긴다고 판단될 가능성이 충분하기 때문에 미리 우울해할 준비를 하고 있어요."

"이 사람, 좋은데?"

"이번에 에비스에서 사진전이 열리는데, 그녀가 거기서 다마키와 함께 일한다고 하더군요."

"지요다 선생님, 그 사진전 같이 보러 갈래요?"

리리아가 기다렸다는 듯이 밝게 말했다. 그것을 흘끗 본 뒤 가노는 건네받은 사진집을 다시 살펴봤다. 이 사진집은 타이틀도 근사했다.

『Super Flight, 아시자와 아키라』.

슈퍼 플라이트. 아주 높이 날아가는 하늘의 여행.

(5)

"여보세요?"

전화를 받은 스미레의 목소리가 딱딱하게 굳어 있었다.

휴대폰에서 휴대폰으로 걸었을 때 보통 액정 화면에는 연락처에 등록된 상대의 이름이 표시된다. 그러나 조심스럽게 겁내고 경계하는 것이 배어난 목소리였다.

"여보세요, 나 다마키인데."

"아아."

목소리를 듣고 그제야 안도하는 기색이 느껴진다. 그 어떤 말보다 명백한 증거였다. 불길한 예감이 들었다.

"다마키, 무슨 일이야? 오랜만이네. 잘 지내?"

돌연 수다스러워지는 목소리를 듣는 동시에 확신한다.

스미레는 다마키의 번호를 삭제했다. 그리고 그것을 들키지 않으려 애쓰고 있다.

"얼마 전 모두를 불러 모았을 때, 내가 스—한테도 전화했거든."

가노는 눈치가 빨라 아마 여기까지만 말해도 알아차릴 것이다. 그는 "응" 하고 고개를 끄덕였다.

"어떻게 된 일이야?"

"스―의 남자친구가 이해심이 부족한가 봐."

"그쯤은 분위기로 알아차렸어."

다마키는 술 없이 대화하고 싶어서 약속 장소를 패밀리레스토랑으로 정했다. 싸구려 커피를 한 모금 마신 뒤 한숨을 쉬었다.

"그런데 그건 상대에 따라 다를걸. 스―가 사귀는 남자는 분명 평범할 거야. 스―가 부추겨서 정도를 심하게 만드는 거지. 그 애가 푹 빠져 있는 거잖아? 수심이 얕은 수영장에서 억지로 발이 닿지 않는 척을 하며 즐기고 있어."

가노는 어색하고 민망해하는 것 같았다. 그는 누구의 편도 들지 않는다. 아무도 비난하지 않고 늘 상대가 원하는 것을 장려하는 식이다. 그의 그런 개성은 장점이리라. 그러나 이번에는 다르다.

"화내지 말고 들었으면 해. 확실히 스―의 휴대폰에는 이제 나와 네 연락처는 없어. 남자친구가 뭐라고 해서 지웠대."

"우리가 전 남친 친구라서?"

"그건 으음, 좀 다른데."

가노가 쓴웃음을 지었다.

"뭘 해도 의심받으니까 몽땅 지운 거야. 메모리에 남은 건 남자친구와 아르바이트 연락처, 그리고 본가 전화번호 정도일걸."

기가 막힐 노릇이다. 다마키는 그만 가노의 얼굴을 싸늘히 쳐다봤다.

"믿기지가 않네. 왜 안 말렸어?"

"그런 말이 어딨어? 선택한 건 스— 본인인데."

가노가 얼굴을 찌푸렸다.

"남자친구가 아무리 싫은 소리를 했더라도 얼마든지 거절할 수 있었을 텐데, 선택한 건 스— 본인이야. 게다가 나와 네 번호를 지운 건 남겨 두면 의지할 것 같아서라고 하더라. 그런 식으로 집을 떠났는데 이제 와서 저 편하자고 기댈 순 없다면서 제대로 자립하고 싶다고 했어."

"가노, 네 앞에서는 울면서 하소연만 잘하던데?"

지적하자 가노는 입을 다물었다. 다마키는 계속했다.

"휴대폰에서 번호를 지웠어도 네 것만은 외웠거나 어딘가에 적어 놨을 거 아냐. 그러니까 계속 연락하지. 불행에 의존하는 사람은 누군가에게 그 상태를 보이는 것까지 포함해서가 하나의 의식이야. 그런데 또 가노는 그걸 잘 받아 주지. 실컷 투정 부리게 해서 스—가 듣고 싶어 하는 조언을 계속 들려주잖아."

"내 탓이라고?"

"그래."

다마키는 화를 냈다. 그야말로 어린아이처럼 신경질을 내고 있다는 걸 알면서도 어쩔 수 없었다. 멈출 수가 없었다.

"그 애가 거의 중독되다시피 한 공의존(타인과의 관계에서 자신보다 타인의 요구를 중요시하여 그 요구에 자신을 끼워 맞춤으로써 정체성을 찾는 상태)이 워낙 전형적이라 쉽게 알 수 있잖아. 알고 보면 스―가 주도권을 쥐고 있다는 뜻이야. 그 애가 싫다고 하면 두 사람의 관계가 그걸로 끝이라는 걸 가노도 이미 알고 있잖아. 그런데 왜 자꾸 질질 끄는 거야?"

"그럼 우는데 어떡하라고? 벌써 수없이 차였고 그때마다 상처받았잖아."

"그러면 좀 어때서."

다마키가 낮게 가라앉은 목소리로 받아쳤다. 패밀리레스토랑의 다른 손님이 몰래 이쪽 상황을 살피는 시선이 느껴졌다. 그러나 상관없었다.

"그래 봤자 눈물이야. 값싸게 질질 짜는 게 그렇게 대단해?"

자신이 시키는 대로 하는 스미레를 보면서도 고분고분한 그 모습이 되레 꼴 보기 싫은 남자. 남자의 요구가 점점 심해지도록 조장하고 그 요구를 다 받아들이는 여자. 그 의존은 쾌락 이외의 무엇도 아니다. 결코 불행일 리가 없다.

가노는 잠자코 있었다. 반론하지 않고 그저 무거운 한숨을 토해 냈다.

"……스―가 마사요시하고 다시 잘되길 바라는 건가?"

"전혀 아니야. 마사요시를 끌어들일 생각은 요만큼도 없어."

"그럼 어떻게 하고 싶은데?"

가노의 말투에 빈정거림이라고는 전혀 없었다. 그 목소리에 새삼 질문을 받자 다마키도 뭐라 대답해야 할지 몰랐다. 입을 다물고 잠시 생각한 뒤 말했다.

"그림을 그리게 하고 싶어."

그 말을 듣고 그가 천천히 다마키를 쳐다봤다. 다마키는 다시 한번, 이번에는 아까보다 더 분명하게 대답했다.

"많은 여자들이 사랑이나 남자 이상의 행복은 없다고 생각하잖아. 나도 그건 알아. 일로 성공하지 않아도 사랑하는 남자가 있으면 그걸로 충분하다는, 그 기분도 알아. 그림으로 아무리 인정받아도 사랑이 없으면 채워지지 않잖아. 스—가 그런 타입이라는 건 지겨울 정도로 잘 알아. 그런데."

한 걸음이라도 좋으니 걸어 봤으면 좋겠다. 그것이 다마키의 이기심에 불과하다는 것을 알면서도 그런데도 바라고 만다.

"아마 스—는 지금은 누구의 말도 들리지 않을 거야."

안타깝게도, 하고 가노가 슬픈 표정을 짓는다. "알아" 하고 다마키는 대답한다.

(6)

대학교 때 극단 동료가 각본에 대해 험담을 할 때마다 다마키는 눈물을 쏟았다.

방 안에 혼자 웅크리고 앉아 "나쁜 것들, 다 죽어 버려" 하고 울부짖었다. 분하고 억울해서 잠들 수가 없었다. 내 성격과 인간성이 작품이랑 무슨 상관이란 말인가. 어째서 나를 굳이 거론하며 스토리에서 허점을 찾아내는가, 하고 베개에 얼굴을 묻고 흐느껴 울었다. 가노와 마사요시, 지금의 친구들이 그 무렵부터 각본을 읽어 주었지만, 그래서 더더욱 이런 우는소리를 그들에게 할 수가 없었다.

원하는 목표가 터무니없이 높건만, 자신이 그곳에 도달할 수 있을지 알 수 없었다. 이런 입구 근처에서 아직 아무것도 시작하지 못했다.

그 최악의 시기에 엄마가 죽었다.

울 권리조차 없는 불효자인 다마키 앞에서 그녀가 갑자기 사라졌다.

장례식을 마치고 온갖 잡무를 소화했다. 다 끝냈더니 정신이 멍하고 세상이 색을 잃은 것처럼 보였다. 슬퍼할 권리가 없다. 나는 엄마를 원망했다. 앞으로도 계속 용서할 생각이 없고 저주할 작정이었다. 그런 내가 슬퍼할 리가 없다.

죽음에 관련된 사무적인 절차가 얼추 끝나자 여동생과 삼촌에게 연락할 힘조차 없게 되어 다마키의 세계에서 타인이 사라졌다. 나는 누구에게도 연락하지 못한다.

뭐야, 타인과 어울리지 않아도 역시 살아갈 수 있구나. 그렇게 생각하고 웃어 버렸다.

그 며칠간의 기억이 없다. 아무것도 먹고 싶지도, 쓰고 싶지도 않았다. 집 안에 비쳐 드는 빛만이 낮과 밤을 나타내는 유일한 증거였다. 충전을 게을리한 휴대폰은 진작에 배터리가 다 되어 누구의 연락도 받지 못하는 상태가 되었지만 딱히 상관없었다.

뭔가를 쓰려고 하면 위장에 묵직하고 뻐근한 느낌이 들어 토할 것 같았다. 자신의 모든 감정이 그동안 살면서 잃은 것과 연결되어 있어 그 무엇도 글자를 이루지 못했다. 이대로 가면 정말 아무것도 쓰지 못하게 된다, 나는 끝나고 만다, 하고 어렴풋이 생각했다. 처음이었다.

그러던 어느 날 잠에서 깨자 된장국 냄새가 났다.

백된장과 적된장을 섞은 혼합 된장의 냄새. 여태껏 살면서 가장 맛있게 식사하던 시절이 떠올랐다. 부모님이 집을 떠났을 시기에 여동생과 외할머니와 함께 먹은 밥. 이웃사람이 나눠 준 맛있기로 유명한 된장에 겨우 오이와 가지를 재웠을 뿐인 일명 '대충 절임'. 그것이 들어간 된장을 조리용으로도 사용하는 등 조리법에 얽매이지 않고 대충대충 요리하던 외할머니가 다마키와 모모카 자매는 무척 좋았다. 외할머니가 밥물 양을 넉넉히 잡아 짓는 부드러운 쌀밥도.

할머니, 하고 불러 본다. 게슴츠레 눈을 떴다.

다음 순간이었다. 다다다다, 하고 방으로 누군가 달려오는 소리가 났다. 머리 밑으로 그 진동이 드릉드릉 울린다.

"이 바보."

숨소리를 죽인 듯한 목소리였다. 누군가 다마키의 고개를 질질 들어 올렸다. 머리 밑에 바닥이 없는 감각은 꽤 오랜만이었다. 뇌가 흔들리는 것을 알 수 있었다. 아아, 기분 좋다, 하고 생각한 다음 순간, 갑자기 고개가 앞뒤로 마구 흔들리는 바람에 눈이 핑핑 돌았다.

"바보, 바보, 바보, 사과해. 다마키는 바보야."

하얀 안개로 뒤덮인 시야 속으로 뛰어 들어온 것은 스미레의 얼굴이었다. 놀라는 것도 잊고 이름을 읊조렸다.

"스―."

그녀는 엉엉 울고 있었다. 머리 위, 뺨과 이마에 따뜻한 물방울이 똑똑 떨어진다. 가녀린 손이 다마키의 목을 끌어안은 탓에 부들부들 떨고 있었다. 무거우면 놔도 돼, 하고 생각하건만 목소리가 나오지 않는다. 그녀는 다마키를 손에서 놓지 않았다.

"모모카 쨩이 언니랑 연락이 안 된다며, 최근 만났느냐고 나한테 전화가 왔어. 그래서 와 봤더니――."

그 목소리를 들으면서 다마키는 새삼 방 안을 둘러봤다. 아아, 이것 참. 무슨 젊은 여자 방이 이래? 하고 생각한다. 쓰레기봉투가 겹겹이 쌓여 있고 옷가지며 책은 바닥에 널브러져 있다. 학교에는 벌써 며칠이나 가지 않았는지 모르겠다. 온 방 안에 쉰 냄새가 진동한다. 몸에서는 땀내가 난다. 시간이 얼마나 흐른 걸까.

"알겠어? 현관문이 잠겨 있지도 않았다고. 젊은 여자가 여태

조심성 없이——."

스미레가 콧물을 훌쩍이며 계속했다.

"다들 마음 쓰느라 다마키한테 연락을 못 하겠다고 했어. 그런데, 사과해. 모모카 짱이 얼마나 걱정했는데. 그 애랑 나한테 사과해. 바보, 사과해."

"스—."

"나."

비명처럼 드높은 그녀의 목소리가 갑자기 푹 꺼졌다. 그녀가 다마키의 머리를 끌어다 가슴에 품었다. 스미레가 울음을 터뜨렸다.

"나 다마키가 그렇게 우는 거, 처음 봤어."

엄마, 엄마.

느닷없이 귓가에 목소리가 되살아났다. 어렸을 적의 것이 아닌, 어른이 되고 나서인 자신의 목소리. 귀의 기억이란 의외로 무시할 수 없는 거구나. 아아, 그렇구나. 생각함과 동시에 눈가에 눈물이 핑 돌았다. 뺨이 이렇게 얼얼한 것은 분명 눈물을 흘린 뒤이기 때문이다. 잠결에 엄마를 부른 것이다.

"스—."

눈을 감고 숨을 들이마셨다. 좋은 냄새가 난다. 부엌일을 하던 중이었는지 스미레의 손바닥이 물기로 촉촉하다.

"된장국 냄새가 나."

그러자 위 언저리가 작게 꼬르륵 하고 울렸다. 아아, 식욕이 없는 게 아니었구나, 하고 깨닫는다. 다마키는 웃음이 났다.

"미안해."

사과하면서 눈물을 흘리고 그러고 나서 콜록콜록 기침을 할 때까지 그렇게 계속 웃었다. 그때 불쑥 그런 생각을 했다. 아무리 오랜 시간이 걸려도 상관없다. 아무리 괴로운 작업이 되어도 상관없으니 언젠가 어머니에 관한 이야기를 쓰자, 하고.

"미안해."

스미레가 지어 준 밥을 된장국에 조금씩 말아 부드럽게 풀어 입안으로 가져가고 있는데 그녀가 대뜸 말했다. 마주 앉아 식사하던 다마키는 아직 흐릿한 시야 한가운데에 그녀를 본다. 스미레는 쑥스럽다는 듯 웃었다.

"사과하라고 막 화내서 미안."

『거짓 울음을 짓는 여자의 말로』.

각본이 입상했을 때 다마키는 칭찬받았다. 이렇게까지 쓰다니 대단해, 하고 동료들이 칭찬해 주었고, 저명한 각본가는 애처로우리만치 지독하다고 칭찬했다. 그때 화낸 사람은 스미레뿐이었다.

──이러면 다마키가 무너질 거야.

매우 올바른 감각이라고 생각했다. 사람으로서 올바르고 길을 잘못 들지 않는다. 이 애는 내 친구다. 무너져도 상관없다는 다마키를 "모모카 짱이 볼 거잖아" 하고 간절히 꾸짖었다. 그녀는 각본가 아카바네 다마키가 아닌, 인간 다마키와 제대로 사귀

116

기로 한 것이다. 나는 스미레의 말을 듣지 않았으나 스미레는 그런 나를 용서했다.

그래서 결심했다. 스미레가 잘못된 길을 갈 때에는 온 힘을 다해 같은 일을 할 것이다.

한 번은 제대로 꾸짖으며 그 길이 틀렸음을 전할 것이다.

가노가 가르쳐 준 주소는 나카노에 있는 작은 목조빌라였다. 비슷한 건물이 밀집해 있는 구역, 큰길에서 좁은 골목길로 들어간 곳.

초인종은 누르고 있는 동안만 울리는 구식이었다. 삐이 하는 소리가 밖에까지 들린다. 스미레가 문을 연다. 눈앞에 서 있는 다마키의 얼굴을 보고 소스라치게 놀랐다.

다마키는 미소 지으며 말한다.

"오랜만이야. 안에 들어가도 될까?"

제9장

하이지마 쓰카사는
실수를 저지른다

(1)

"오늘 저녁에 놀러가도 될까요? 집에 누가 있습니까?"

갑자기 전화를 걸어 온 하이지마가 오랜만에 슬로하이츠를 방문했다.

그의 연인인 다마키는 오랫동안 집을 비운 상태였다. 이번에 각본을 맡은 드라마의 배경지가 오키나와라 취재하러 간 것이다. 경비로 오키나와에서 지내다니 나도 많이 컸네, 하고 웃으면서.

그것이 허세인지 아닌지는 둘째치더라도 신이 나서 나갔다.

"다마키가 없는데 괜찮겠어요?"

"그렇긴 한데, 그 건물이 무척 마음에 들어서 보고 싶기도 하고 단순히 여러분과 술을 마시고 싶거든요. 같이 마셔 주실래요?"

캔 맥주 12개들이 한 팩과 선물 받았다는 레드 와인과 샴페인 두 병씩. 그것을 들고 나타난 하이지마를 가노와 고키, 리리아 이렇게 셋이서 맞이했다. 마사요시는 단편영화 촬영으로 바쁜 나날을 보내고 있어 불참했다.

"와인과 샴페인은 따로따로 선물 받았는데요, 혼자 따면 과음하기 일쑤인 데다 다마키는 오직 맥주나 청주만 마시거든요."

"아카바네 씨가 청주를 마셔요?"

리리아의 질문에 하이지마는 "응" 하고 미소로 답했다.

"시골 출신이라 깨끗한 물로 빚은 술이 좋다고 했거든."

그렇게 이야기를 나누는 두 사람을 보고 있자니 신기한 조합이라는 생각이 들었다. 리리아는 오늘도 흰 블라우스에 에이프런 드레스 차림이다. 한편 하이지마는 편안한 폴로셔츠에 청바지 차림. 왠지 현실과 비현실의 경계가 모호하다.

"다마키는 2주 가까이 되는 일정이었나요? 졸지에 원거리 연애를 하게 되셨네요."

"일할 때의 그녀는 신바람이 난 것처럼 보이는데, 이번에는 놀러 간 것도 있으니 얼마나 좋겠습니까."

하이지마가 쓴웃음을 짓고 나서 새삼 진지한 표정을 지었다.

"얼마 전까지만 해도 울적해 했는데 기분전환도 할 겸 마침 잘되었다고 생각합니다."

"아아——."

가노는 납득이 갔다. 잠시 망설인 끝에 질문을 하기로 했다. 이에 대답할지 어떨지는 하이지마에게 맡길 셈이었다.

"역시 타격을 입었나 보네요. 다마키는 우리 앞에서 스—에 대한 이야기를 거의 하지 않았거든요."

"저도 자세한 이야기는 듣지 못했어요. 몇 없는 동성친구를 잃었다며 웃고 있었지만요. 그런데 말하는 것 이상으로 큰 충격을 받았다는 건 쉽게 짐작이 가더군요."

"이가라시 군은 집에 없더라. 뭐, 그 편이 낫긴 한데, 스—하고 대판 싸우고 말았어."

난감하네, 하고 그날 이곳으로 돌아온 다마키는 웃고 있었다. 가볍게 내뱉으면서 "녀석, 생각보다 고집이 세더라" 하고 입술을 삐죽거렸다.

"집에 들어가서 스—가 차를 끓여 주는데, 그냥 다 못 참겠는 거야. 이 집을 떠난 뒤 혼자 그곳에서 애썼다고 생각하니까 괜히 속상하고 슬펐어. 조금 기특하기도 하고."

단숨에 설명한 다음 깊은 한숨을 내쉬었다. "이렇게 정에 휩쓸리는 건 내 약점이지" 하고.

"얼마 전까지 여기에 있었던 컵을 그 애가 다른 집에서 사용한다든가, 남자친구의 방 한쪽 구석에 놓여 있는 그림 도구라든가. 그런 걸 봤더니 막 부글부글 끓어올라서 말이 곱게 안 나가더라. 스—가 그 사람이랑 안 헤어질 것 같더라고."

그녀와 스미레의 충돌이 정말 격렬한 싸움이었음을 가노는 그날 밤 걸려 온 스미레의 전화를 받고 알게 되었다. 다마키가 웃으며 이야기할 만한 수준이 전혀 아니었다는 것이 전화기 너머 울음소리로 절절히 전해졌다.

"너처럼 글러 먹은 여자는 처음 봤어."

다마키가 차분하고 싸늘하게 말한다.

"자립은 무슨. 그런 나약한 근성으로 혼자 살아갈 수 있을 것 같아? 네가 선택한 거니까 다른 사람한테 매달리지 좀 마."

"다마키도 전에는 나쁜 남자만 만났잖아."

용서해 줘. 비명 같은 목소리로 스미레가 말한다.

"이번에는 네가 나 좀 봐줘. 나 그 사람이 정말 좋아."

그에 대한 다마키의 대답은 매정했다.

"상관없어. 나는 강하니까 문제없어. 누구와 사귀든 혼자 살아갈 자신이 있거든. 그런데 스―, 너는 다르잖아. 뭔가에 의존하지 않으면 살아갈 수 없는 개성의 소유자는 누군가 다른 사람으로 인해 행복해지는 수밖에 없어. 그럼 최소한 남자 보는 눈은 있어야 하는데, 그것도 없으면서 어쩌겠다는 거야?"

"나도 좋아하지만 않았으면 헤어질 수 있는데, 하고 하루에도 열두 번은 생각해. 좋아하지만 않으면."

"그럼 그걸 놔 버려. 그게 가장 위대하다고 생각하는 동안에는 아무도 네가 불행하다고 생각하지 않아. 그리고 휴대폰에서 내 번호를 지우다니 어떻게 그럴 수가 있어? 내가 충격도 안 받고 끄떡없을 줄 알았어?"

다마키가 쥐어짜는 듯이 말한다.

"마지막으로 그림을 그린 게 언제야? 잘 들어. 네 남친은 네가 성공하면 질투심 때문에 발목을 잡을 좀스러운 남자야. 알아?"

"그렇지 않아. 이제 그만해, 다마키, 부탁이야, 제발 화내지 마. 난 괜찮으니 걱정하지 마."

가노와 통화하면서 스미레는 다마키가 알아주질 않는다며 울고 또 울었다.

어디에 있는 걸까. 남자친구에게 뭐라 말하고 밖으로 나왔을까. 코트 하나 걸치고 편의점 주차장에서라도 전화하는 듯한 분위기로 스미레는 연신 코를 훌쩍였다.

"물론 말이 안 통할 때도 있지만 이가라시 군에게도 좋은 점은 있어. 얼마 전에는 내가 여섯 살이나 많은 게 신경 쓰이느냐고 먼저 말해 줬어. 그러고는 나이 바꿀까? 하고 웃으며 말해 줬고."

남자친구의 말 하나하나를 머릿속에 신중히 기억하고 확대 해석할 뿐 아니라 그 말에서 기댈 곳을 찾는 작업. 그것을 몽땅 남에게 털어놔 버리는 충동.

"만약 헤어지면 어떻게 될까 하는 이야기를 했더니 이가라시 군은 상상도 못 하겠대. 나더러 좋아하는 사람 생겼느냐고 몹시 걱정하더라. 그를 혼자 두다니 나는 절대——."

또다시 격한 울음소리.

"다마키가 됐다, 됐어 하면서 나가 버리더라. 내가 기다리라고 불렀는데도 이제 나 같은 건 어떻게 돼도 상관없대. 난 아직 다마키가 좋은데."

다마키가 열 내는 모습이 상상되었다. 자신에게서 멀어지려는 사람에게 무의식중에 매달린 스미레. 오히려 정이 떨어져 더욱 멀어지는 상대.

다마키의 눈에는 그 구도가 보였으리라. 그 구도를 이루는 역할에서 하차한 것이다.

"이 집은 오래전에 지어졌는데도 여전히 튼튼하군요. 정말 잘 지어졌습니다."

하이지마가 땅딸막한 유리잔으로 와인을 마시며 시선을 올렸다. 군데군데 연한 선처럼 금이 간 거실 벽을 바라보고 차분하게 말한다.

가노의 눈에는 단순한 벽과 기둥으로밖에 보이지 않지만 그의 눈에는 전혀 다른 것으로 받아들여지는 것이리라. 생각하면 흥미롭다.

시야 한쪽에서 리리아와 고키가 다른 이야기를 시작했다. 드문드문 들려오는 단어를 통해 리리아가 『매디』 이야기에 푹 빠졌음을 알 수 있었다. 한창 이야기를 나누는 중이라면 이쪽 말소리가 들리지 않을 것이다. 가노는 작심하고 하이지마에게 물어봤다.

"이 집이 다마키의 외할아버지 소유였다면서요?"

"그렇다고 하더군요."

그가 선선히 대답했다. 말하지 말라는 당부는 없었던 모양이다. 딱히 의문스럽게 여기는 기색도 없이 매우 태연한 말투였다.

"외할아버지가 젊은 시절 도쿄로 일하러 올라왔을 때 친구와 함께 운영한 여관이라고 하더군요. 가족이 자신에게 남긴 눈에 보이는 거의 유일한 것이라고 했습니다. 눈에 보이지 않는 것이라면 어머니에게 받은 마음의 상처와 증오, 아버지에 대한 원망 같은 것이 잔뜩 있다고도 했고요. 그리고 외할머니와의 추억이라든가."

다마키가 할 법한 말이지요?

하이지마가 웃는다.

"수리 및 관리가 힘들 것 같아서 여태껏 내버려 뒀지만 상속받은 이상 처분하고 싶지 않았고, 지금 여러분과 살기로 결심하길 잘했다고 하더군요."

"그랬군요."

"언젠가 집 전체를 리모델링한다 해도 분위기를 바꾸지 않는 방법은 얼마든지 있다고 저도 가끔 이야기합니다."

그의 말에 고개를 끄덕인 뒤 그가 따라 준 샴페인에 입술을 적셨다. 그러고는 왜일까, 하고 생각한다.

다마키는 왜 중요한 일은 끝까지 말해 주지 않는 걸까.

(2)

　다마키의 이야기, 집 이야기, 그리고 자전거 이야기. 술안주로 이런저런 이야기를 하던 중 하이지마가 한 가지 이야깃거리를 꺼냈다.

　"사실 제가 얼마 전에 저질러 버렸답니다."

　"저지르다니 뭘 말이에요?"

　"다마키가 화를 내더군요. 싸웠습니다."

　"오호."

　하이지마의 가벼운 말투와 목소리로 보아 이미 해결된 문제임을 알 수 있었다. 타이밍이 조금 달랐다면 오늘 그 이야기를 하지 않았을지도 모른다.

　"다마키가 화내는 건 드문 일도 아니니 너무 신경 쓰지 마세요."

　가노도 편안한 마음으로 응했다.

　"다마키한테 혼나는 데는 제가 프로 중의 프로이고 그런 의미에서는 하이지마 씨의 선배인 셈이니 무엇이든 물어보시죠."

　"아니, 제가 잘못한 게 맞고 거듭 사과해서 용서를 받았으니 이제 전혀 문제없습니다."

　그가 쓸쓸히 웃으며 가노 앞에서 시선을 돌렸다.

　"지지난달 다마키가 각본을 쓴 영화 《프린세스 기미코》를 보러 같이 갔습니다. 그녀의 영화를 한 편도 본 적이 없는데 지금 상영 중이면 같이 보면 좋겠다 싶어서요."

"하이지마 씨, 여자친구가 각본 맡은 영화를 본 적이 없다고
요?"

"네, 그렇지요."

하이지마가 약간 민망해하는 것 같았다.

"그래서 그때가 처음 본 것이었습니다만――."

하이지마가 난처한 듯 힘없이 미소를 띠었다.

"그 후에 싸웠지요."

"아니, 뭐라고 했길래요? 재미없다거나 별로라고 하셨어요?"

하이지마가 경솔하고 얕은 말을 할 사람은 아니지만 일단 물
어보자 그가 조용히 한숨을 쉬었다.

"'잘 만들었네'라고 대답했습니다."

아아.

난감한 나머지 얄팍한 미소가 절로 나오는 것이 느껴졌다.
가노는 하이지마를 쳐다봤다.

"그러면 다마키가, 화낼 만하네요."

하이지마가 씁쓸히 웃었다. "그렇죠" 하고 무거운 감정이 깃
들지 않은 목소리로 말했다.

"깊이 생각하지 않고 말했는데, 다마키의 높은 자존심을 얕봤
던 겁니다. 그런 대답으로는 만족하지 않을 테죠. 다마키가 대
뜸 첫소리로 악을 쓰더군요."

"기분 나쁘게 생각하지 않으셨으면 하는데요, 아마 하이지마

씨에게 화내는 게 아닐 거예요."

가노는 저도 모르게 두둔하듯이 말했다.

"다마키는 자기가 쓴 시나리오로 사람의 마음에 영향을 주고 싶어 하거든요. 과장해서 말하면 그 후의 삶을 조금이나마 바꿀 만큼 일종의 혁명을 일으키는 힘을 쥐고 싶어 하는데, 자기 각본이라면 그럴 수 있다고 믿어요. 그런데 하이지마 씨에게는 통하지 않아 속상했을 겁니다."

그것은 개인에 대한 화가 아니다.

울림을 주지 못했고 뒤흔들지 못했다.

어쩔 수 없는 사실이 그곳에 가로놓여 있는 것. 어쩔 수 없건만, 그런데도 그에게 기어코 악을 쓰고 마는 것. 그 속절없음에, 제 욕심인 것을 알면서도 다마키는 화를 냈으리라.

"안타깝지만 저는 영화나 드라마에 감정을 이입할 정도로 젊지 않거든요."

하이지마가 산뜻할 만큼 시원하게 고개를 가로저었다.

"제 말투가 거만하게 들렸다면 물론 미안하죠. 그래서 그다음에 제대로 칭찬했습니다. 나는 죽었다 깨어나도 각본 같은 것은 절대로 못 쓰고, 그런 이야기가 인기 있다는 것도 분명히 안다, 대단하다고 생각한다고 솔직하게 말했습니다. 거의 필사적이었지요."

장난스럽게 어깨를 으쓱하는 하이지마를 보고 가노는 그게 아닌데, 하고 생각했다.

다마키는 프로다. '나는 죽었다 깨어나도 못 쓴다'라는 말로 만회가 될 리 없다.

아마 다마키가 집을 봐도 기둥의 구조나 벽 소재를 알지 못할뿐더러 머리에 도면을 그리지 못하는 것과 똑같을 것이다.

"그러고는 식사하고 각자 집으로 갔습니다만."

거기까지 말하고 하이지마의 얼굴이 아까보다 다소 한심스러운 표정으로 일그러진다.

"거기서 또 제가 다마키를 화나게 했지 뭡니까. 영화 때문에 언짢게 한 것도 모자라 정떨어지게 하다니 어찌나 무섭던지 살아 있다는 느낌이 들지 않더군요."

"뭘 하셨는데요?"

"밥 먹을 식당을 예약했는데 그 앞에서 우연히 전 여자친구를 만난 겁니다."

"저런."

살짝 웃고 동정했다.

"날벼락을 맞으셨네요."

"모든 커플이 그렇듯이 좋게 헤어진 사이가 아니었던 탓에 마음이 동요되더군요. 한심한 이야기지만 그녀의 얼굴을 본 순간 사귀었을 당시의 기억이 모조리 되살아나서."

하이지마의 말투에서는 그 이야기를 제삼자에게 털어놓음으로써 완전히 지나간 우스갯소리로 여기려는 뉘앙스가 엿보였다. 그리고 그 기분을 모르는 것도 아니다.

"전 여자친구와는 솔직히 다시는 만나지 않을 줄 알았기에 몹시 놀랐습니다. 서로 아는 척을 하지는 않았지만……. 결국 다마키에게 솔직히 말하고 예약을 취소한 다음 다른 식당으로 갔습니다."

하이지마가 한숨을 쉬었다.

"동요한 뒤 이번에는 의기소침해지더군요. 얼굴이 경직되고 기분이 가라앉았습니다."

"하이지마 씨가 전 여자친구를 많이 좋아하셨나 봐요."

"사귀었을 때는 그랬지만 지금은 아닙니다."

하이지마가 고개를 흔들며 말했다.

"다마키는 절 탓하지 않더군요. 처음에는 제가 식은땀을 흘리는 걸 보고 닦아 줄 만큼 상냥했지요."

"그것 참 갸륵하네요."

흐뭇한 마음에 그렇게 말했지만 하이지마는 난처해하며 씁쓸히 웃을 뿐이었다.

"다시는 만날 일 없다고 마음속에서 즉시 지워 버린 존재를 갑작스레 맞닥뜨린 것. 살아 있는 모습을 보고 당황하는 것은 어쩔 수 없다, 이해한다고 다마키가 말하더군요. 요컨대 유령을 만난 것과 똑같은 감각이라면서요."

"유령이라."

읊조리면서 생각했다. 그렇다면 가노는 물론 다마키에게도 일방적으로 봉인하고 죽인 사람들이 많다는 이야기다.

"그런데 다마키의 얼굴을 차마 똑바로 쳐다볼 수가 없더군요. 제 눈동자가 마구 흔들리는 게 느껴지고 겸연쩍어서 도저히."

가노는 바닥을 보인 하이지마의 유리잔에 와인을 따라 주었다. 그가 고맙다는 뜻으로 오른손을 가볍게 올린 뒤 계속했다.

"잠시 후 다마키가 대뜸 '잠깐만' 하고 자리에서 일어나는 겁니다. 저한테 정떨어졌다는 듯이, 너무 갑작스러운 타이밍에 말이에요. 한심한 이야기지만 저는 그제야 그녀가 실은 화가 났다는 걸 알아차렸어요. 화가 극에 달해 어찌할 도리가 없었던 거죠. 다마키는 자리를 비울 때면 반드시 가방을 가져가는데 그때는 그조차 잊었더군요."

집에서는 맨 얼굴을 드러내지만 일단 밖에 나가면 틈을 보이지 않으려 정신을 바짝 차리는 다마키. 상상도 되고 본 기억도 있다.

"어찌할 바를 모르겠더군요. 화장실 칸에 들어가서 벽을 치거나 발로 찰 것이 틀림없다는 생각이 들고 그 모습이 너무 리얼하게 상상되었거든요."

"다마키라면 충분히 그러고도 남지요."

다마키는 남과 비교당하고 지는 것이라면 질색한다. 그 애의 성격을 거기까지 파악하고 그가 그것을 알아차렸다는 것이 왠지 기뻤다.

"괜히 어색해지기 싫어서 자리로 돌아온 그녀에게 순순히 사과하지 못했지요. 그때부터는 땀을 닦아 주던 갸륵한 모습은 온

데간데없더군요."

아까 가노가 한 말을 자조적으로 인용했다.

"그런데 상냥한 모습보다 그 편이 훨씬 마음이 편했지만요."

"그래서 어떻게 되었어요?"

"헤어질 때가 되어서야 사과했습니다. 실은 화났지? 하면서요. 아까 자리에서 일어난 것도 화가 나서라는 걸 알고 있었는데 너무 미안해서 바로 말하지 못했다고 말입니다."

하이지마가 머리를 긁적였다.

"다마키가 말없이 저를 쳐다본 뒤 알았으면 됐다고 용서해 주더군요."

실은 그녀가 사랑스러워서 못 견디겠는 것이리라. 그가 웃으면서 계속했다.

"이렇게 나와 충돌한 것도 머지않아 전부 각본에 쓸 거지? 하고 물었더니 그것도 괜찮겠네 하고 웃더군요. 그녀의 불같은 성격을 제가 허투루 봤던 겁니다. 다음부터는 조심하려고요."

연애란 좋은 거군요, 하고 야유와 비아냥 없이 가노가 말하려던 그때였다.

"그거, 언제 적 일입니까?"

난데없이 고키의 딱딱한 목소리가 끼어드는 바람에 줄곧 둘이서 대화하던 하이지마와 가노는 깜짝 놀랐다. 리리아와 대화하는 줄로만 알았던 고키가 지금 이쪽을 보고 있다.

그를 향해 돌아선 가노는 또다시 놀랐다. 고키의 얼굴이 창백해 보였기 때문이다. 옆에 있는 리리아는 어리둥절해하며 고키와 가노 일행을 번갈아 보기 바빴다.

"언제였는지 날짜까지 기억하지는 못하지만 11월——."

"27일 아니었습니까?"

고키의 목소리는 어딘지 절실하게 들렸다. 하이지마가 눈을 빠르게 깜빡이고 고개를 부자연스럽게 끄덕인다.

고키는 날짜와 시간, 사람의 이름과 장소에 신경질적일 만큼 빈틈이 없다. 머릿속에서 분류된 그의 기억 중 무엇이 그렇게 걸리는 걸까, 가노는 짐작도 할 수 없었다.

"아마 그즈음이었을 겁니다."

그 대답에 고키가 숨을 들이마셨다. 얼굴이 창백하다 못해 파리해지는 것이 확연히 보였다. 그의 맥락 없는 태도에 모두가 어안이 벙벙해 있자 그가 이어서 물었다. 속사포처럼 빠른 말투였다.

"다마키는 한 번 화장실에 다녀온 것을 끝으로 다시 자리를 뜨지는 않았을 겁니다. 일찌감치 식사를 마치고 가게를 나왔을 테지요."

"그렇습니다."

"그럼."

고키가 흠칫흠칫 떨리는 목소리로 말했다.

"다마키에게 사과해 주십시오. 부탁합니다."

조용하고 조심스럽게 말하는데도 필사적으로 호소하는 것처럼 들렸다. 그는 모두의 시선이 자신에게 쏠렸는데도 개의치 않았다. 보기에 딱할 정도로 고키는 안절부절못하며 동요하고 있었다.

놀란 모습의 하이지마가 이내 평정심을 되찾고 "물론이죠" 하고 대답했다. 부드러운 미소를 머금고 "괜찮습니다. 걱정 끼쳐 드려 죄송합니다" 하고 덧붙인다.

"부탁합니다."

하이지마의 대답을 듣고도 고키는 재차 당부했다.

"다마키는 하이지마 씨를 무척 좋아합니다. 당신이 좋아하는 사람이 자신이라는 사실이 이루 말할 수 없이 기쁠 겁니다. 그러니 가급적 제대로 사과해 주십시오. 좋아한다고 말해 주십시오."

마지막 한마디는 온화하고 따뜻한 말로 느껴졌다. 그 말을 하는 것이 긴장한 모습의 고키였기에 더욱 그렇게 느꼈을지도 모른다.

"네, 물론 그렇게 할 겁니다."

하이지마가 유리잔을 기울이고 쑥스럽게 웃었다.

(3)

하이지마가 간 뒤 거실을 정리했다. 리리아는 가노와 고키의 권유로 아까 자신의 방으로 올라갔다. 가노가 잔을 씻으면 고키가 물기를 닦아 선반에 원래대로 집어넣었다.

"고 쨩, 아까 왜 그랬어?"

"다마키 일 말인가요?"

무슨 소리냐고 시치미를 뗄지도 모른다고 생각했건만, 고키는 의외로 선선히 대답했다. 가노는 자신이 물어 놓고 살짝 놀라 잠시 뜸을 들인 뒤 "어" 하고 끄덕였다.

"고 쨩이 가가미 씨와 이야기하길래 우리 대화에는 신경 안쓰는 줄 알았거든."

"미안합니다. 들으려던 건 아닌데 같은 공간에 있다 보니 그만."

고키의 사과에 가노는 고개를 흔들었다.

"괜찮아. 그냥 좀 놀랐을 뿐이야. 누군가와 이야기하면서 다른 대화도 들을 수 있다니 대단한데? 쇼토쿠태자(일본 아스카시대의 정치가이자 사상가(573~621). 열 명의 청원자가 앞다투어 꺼낸 말을 모조리 알아듣고 적절히 답변해 주었다는 일화가 유명하다.) 같네."

"주의력이 부족해 산만한 데다 욕심까지 많아서 그래요. 미안합니다."

"아니야, 그냥."

파랗게 질리던 그의 얼굴.

"고 쨩이 당황해서 어쩔 줄 몰라 하길래. 하이지마 씨가 제대로 사과했고 둘이서 화해했으니 이제 걱정 마."

"네."

고키는 수긍하면서도 난처한 듯 웃고 있었다. 유리잔 표면을 행주로 닦으며 시선을 가노의 얼굴로 옮겼다.

"하이지마 씨에게는 비밀로 했으면 합니다. 좋은 사람이니 알면 몹시 걱정할 거예요."

"알겠어. 고 쨩이 원한다면."

대답하자 고키가 숨을 작게 들이마셨다.

"하이지마 씨와 다마키가 싸운 날은 우리가 스―의 그룹전에 다녀온 날입니다. 집에 왔더니 다마키가 소파에서 자고 있었던 거 기억해요?"

"……아."

기억의 밑바닥에서 두 가지가 딱 맞물렸다. 그날인가. 피곤한지 무방비한 얼굴로 자고 있던 다마키. "겹칠 때는 이것저것 겹치는 법이네" 하고 막 잠에서 깬 목소리로 중얼거리던 의미를 알 수 없던 혼잣말.

"그날 자고 있던 다마키의 손톱 끝이 검게 물들어 있었습니다."

고키의 뛰어난 기억력과 그것들을 연관시키는 기지에 놀라고 있자 그가 눈을 내리깔고 그날 다마키가 자고 있던 소파로 슬며시 고개를 돌렸다.

"어찌 된 일일까 싶더군요. 눈을 감고 자고 있어서 더 잘 보였는데, 그날따라 다마키는 눈언저리를 유독 꼼꼼히 화장한 상태였습니다. 화장품 가루를 육안으로 확인할 수 있을 만큼."

기억난다. 확실히 그의 말이 맞았다. 그래서 가노는 황급히 시선을 돌린 것이다. 고키가 계속 말했다.

"다마키가 하이지마 씨와 같이 있을 때 자리에서 일어난 건 화장실 벽을 치기 위함이 아닙니다. 화나서가 아니라, 다마키는 울었던 겁니다."

"다마키가——."

운다고? 고작 그런 일로?

가노는 말을 하려다 삼켰다. 고키의 얼굴이 진지함 그 자체였기 때문이다. 가노의 마음을 알아차렸는지 그가 고개를 부드럽게 저었다.

"격하게 울지는 않았을 거예요. 눈물이 자꾸 고여서 어쩔 수 없이 자리에서 일어난 겁니다. 하이지마 씨에게 들키지 않으려 조바심을 냈을 테지요. 타이밍이 갑작스러웠던 것도, 가방을 가져가지 않았던 것도 아마 그 탓일 겁니다."

고키가 숨을 고르고 가노를 봤다. 당시 그녀의 기분이 전염된 것도 아닐 텐데 그의 얼굴은 당장에라도 울음을 터뜨릴 것 같았다.

"다마키는 늘 화장을 꼼꼼히 하고 있더군요. 울면 아이라인과 마스카라가 눈물에 번집니다."

"알지."

가노는 거의 반사적으로 대답했다. 본 적이 있다. 가노의 만화를 읽은 다마키가 느닷없이 울었던 그때도 마찬가지였다. 도대체 뭐가 녹아내리고 있는 걸까. 피에로 같은 그녀의 얼굴을 보고 만화를 그리며 살아가기로 결심한 것. 거기까지 단숨에 기억이 떠올랐다.

"손톱 끝의 얼룩은 그때 생긴 것이 그대로 남아 있었던 겁니다. 가방을 깜빡하고 안 가져갔으니 화장 도구가 없어서 화장을 고치지도 못했겠지요. 여기서부터는 추측이지만, 검은 눈물 자국을 지우려고 손수건을 적셔서 어떻게든 하지 않았을까요? 가방은 깜빡해도 손수건쯤은 갖고 있었겠지요. 하이지마 씨의 땀을 닦아 주지 못한 것도 분명 그 탓에 손수건이 더러워져서일 겁니다."

"그런데 그 얼굴로 자리에 돌아왔으면 하이지마 씨가 알아봤을——."

가노는 머릿속에 떠오른 의문을 자연스럽게 입에 담던 도중 깨달았다. 하이지마가 한 말이 떠올랐다. 그는 동요하고 뺨이 경직되고 눈동자가 마구 흔들리는 바람에 미안해서 다마키의 얼굴을 차마 쳐다볼 수 없었다고 했다.

하이지마는 알아차리지 못했던 것이다.

다마키의 얼굴은 평소와 명백히 달랐을 것이다. 그럼에도 불구하고 그는 그녀를 보지 않았고 알아차리지 못했다.

"다마키의 마음에 가장 걸렸던 건 분명 그 부분일 겁니다. 하이지마 씨가 자신의 얼굴을 보지 않는 것, 전 여자친구의 존재에 동요해서 자신의 변화를 알아차리지 못한 것 말이에요. 다마키가 다시 자리를 뜨지는 않았다고 하니 얼굴 화장은 한동안 지워진 채였을 겁니다. 집에 오기 전에 어디선가 화장을 고쳤을 테지만 어쩌면 그것도 하이지마 씨와 헤어진 후였을지도 모르지요. 그와 함께였던 동안에는 줄곧 그 상태였을 수도 있습니다."

고키가 아무도 없는 소파를 바라보며 말했다.

"그 직전에 다마키는 영화 때문에 하이지마 씨와 말다툼을 했습니다."

"알 것 같아. 평소 같았으면 다마키도 그런 일로 울지는 않았을 테지. 그런데 아마."

유독 자신감이 넘치는 다마키. 그녀의 감정이 일이나 작품과 직결된다는 것을 가노는 알고 있다. 다마키는 옛날부터 그래 왔다.

"다마키는 그렇게까지 강한 사람이 아닐 겁니다. 하이지마 씨가 제대로 사과하면 좋을 텐데요."

하이지마는 다정한 사람이지만 이 문제를 무겁게 인식하지는 않았을 것이다. 당연하다. 어두운 덤불을 쑤셔 불러낸 존재가 무엇인지를, 다마키는 그에게서 감추었다.

책을 읽는 것, 사람과 이야기하는 것, 경치를 보는 것, 자기 자신을 자랑스럽게 여기는 것. 그녀 안에서는 모든 것이 각본과 연결되어 있다. 심장부에서 혈액의 흐름이 막히면 다른 모든 곳으로의 산소 공급이 중단된다.

가노는 돌연 깨달았다. 하이지마가 저지른 실수가 새삼 짐작이 갔다. 그는 마지막에 말하고야 말았다.

——이렇게 나와 충돌한 것도 머지않아 전부 각본에 쓸 거지? 하고 물었더니 그것도 괜찮겠네 하고 웃더군요.

(4)

모리나가 스미레는 한탄하고 슬퍼하고 그리고 분노했다. 아카바네 다마키 때문에.

며칠 전 집에 들이닥친 다마키와 크게 싸운 뒤 줄곧 그 상태였다. 생각만 해도 위가 꽉 조이는 느낌이다. 동성친구 관계는 때로 안이해지기 십상으로, 한쪽이 연애를 하면 그녀의 우선순위는 남자친구가 된다. 사랑하는 사람과 함께하는 시간은 무엇과도 바꿀 수 없을 만큼 행복하기 때문이다.

그것을 왜 모르는 걸까. 다마키에게 동성친구가 적은 이유를 알 것 같다. 동성친구를 사귀는 데 있어 필수인 불문율. 그 감성이 결여되어 있기 때문에 지금까지도, 앞으로도 분명 같은 일을 반복해 갈 것이다. 안되었지만 그녀는 몰라도 너무 모른다.

"그림을 그리란 말이야."

다마키는 이를 악물고 악다구니를 쓰듯 말했다.

"마지막으로 그림을 그린 게 언제야? 꼭 그림이 아니어도 좋아. 혼자서도 살 수 있는 사람이 되어 보란 말이야."

"나도 나름대로 생각하고 있어."

다마키처럼 이를 악물자 속상해서 눈물이 펑펑 솟아났다. 다문 입술 사이로 눈물이 흘러 들어와 입속이 뜨겁고 찝찔했다. 스미레는 정신없이 소리쳤다.

"너희와 함께 살 때보다 내가 더 똑 부러져야겠다는 생각에 마음을 단단히 먹고 있어. 거기서 살았을 때보다 훨씬 좋아. 이가라시 군의 부족한 모습을 보면 내가 더 잘해야겠다는 생각이 들어. 그를 뒷받침할 수 있도록, 그가 좋아하는 일을 할 수 있도록 말이야."

"스―, 그걸 말이라고 하니?"

다마키가 어이없다는 듯 웃으며 고개를 절레절레 흔들었다. 깔보는 듯한 태도에 격한 충격과 분노가 차올랐다.

"글러 먹은 남친을 부양하기 위해 그림을 그리겠다는 소리야? 지금 그렇게 들리는데?"

"그게."

스미레의 가슴속에서 전에 없이 강렬한 감정이 끓어올랐다. 눈앞의 이 여자를 무너뜨릴 수만 있다면 그 격정을 보여도 상관없다. 시커먼 마음이 등 뒤에서 덮쳐 온다.

"그게 뭐가 나빠? 난 그 편이 행복해. 그걸 위해서라면 그림을 제대로 그리며 살 수 있어."

다마키의 표정이 굳었다. 얼어붙은 것처럼 그 자리에 꼼짝 않고 입을 딱 벌렸다.

스미레는 뒤늦게 자신이 내뱉은 말뜻을 새삼 깨닫고 몸서리를 쳤다. 후회하지 않을 줄 알았는데 숨 쉬기가 괴롭다. 안 돼, 가지 마.

욕심이지만 나는 이가라시 군도 다마키도 그 집도, 전부 다 갖고 싶다. 분명히 양립할 수 있을 것이다.

"다마키."

간절하게 이름을 불러 보지만 그녀는 대답이 없었다.

긴 침묵이 찾아왔다. 다마키가 일어선다. 현관을 향해 말없이 걸어간다. 떠나기 전 가냘픈 목소리로 뭔가 말한다. 스미레는 알아듣지 못해 "뭐라고?" 하고 물었다.

그러나 그것이 어떤 내용인지는 충분히 짐작이 갔다. 마음대로 해, 혹은 좋을 대로 해, 같은 말일 터였다. 그것을 확신하자 스미레의 가슴에 묘한 안도가 밀려왔다. 나는 안다.

다마키의 심리는 자신의 곁을 떠나 자립하려는 딸을 못내 아쉬워하는 어머니의 심정 그 자체다. 그녀는 자신이 그토록 싫어한 모성을 내면에서 키워 왔던 것이다.

가엾다.

잠시 후 다마키가 입을 열었다. 아까 한 말을 반복한 것인지, 스미레가 되묻자 말 내용을 바꾸었는지는 알 길이 없었다.

그녀가 말한다.

"그동안 밥해 줘서 고마워, 잘 먹었어."

맥 빠지는 말이었다. 예상치 못한 말을 듣자 스미레는 마음이 사정없이 흔들렸다. 그런 말에 현혹되지 않을 것이고 우습게 보여서는 안 되건만. 다마키의 머릿속은 늘 계산으로 가득하건만.

스미레는 자신의 발판을 다시 세워야 했다. 울음을 참느라 목멘 소리가 나왔다.

"기다려, 다마키. 난 가능하면······."

다마키는 정말 이대로 스미레를 떠날 작정인 것이다. 차라리 평소처럼 매도하고 독설을 퍼부으면 좋으련만.

불안해서 견딜 수가 없었다. 나는 아직 다마키가 좋은데. 사이좋게 지내고 싶은데.

하염없이 우는 자신을 내버려 두고 다마키는 조용히 떠났다.

영화관 접수처에 멍하니 서서 그날 일을 회상한다. 요 며칠간 아르바이트를 할 때면 스미레는 상념에 잠기곤 한다. 지나치게 안이한 동성친구 관계. 이 나이가 되면 연인이나 부모가 아니고서는 그런 식으로 충돌할 일이 없는데, 왜 나는 그 애와 유치하게 굴어야 했을까.

최근에는 남자친구와도 잘 지낸다.

그와 싸우기라도 하면 그 영향으로 다마키와의 일이 별것 아

닌 것처럼 느껴질 텐데, 그녀 일로 머릿속이 거의 차 있는 것이
서글프고도 괜히 속상했다.

지금은 오전 1회차 영화를 접수받는 중이다. 스미레가 싫어
하는 직원도 아직 출근 전이다.

평판이 신통치 않은 로맨스 영화의 관람객은 얼마 없었다.
영화가 시작된 직후 여중생이 헐레벌떡 뛰어왔다. 하늘색 더플
코트에 운동화. 어깨에 멘 가방에 달린 라인스톤 열쇠고리가 반
짝반짝 빛난다. 스미레가 영화표 반쪽을 뜯자 그녀는 사방을 두
리번거리며 이미 문이 닫힌 상영관을 향해 걸어갔다. 누군가와
약속이라도 한 걸까.

그때 스미레의 휴대폰이 진동했다. 책상 밑에서 슬며시 화면
을 보자 090으로 시작하는 휴대폰 번호가 표시되어 있다. 누구
일까. 연락처를 거의 다 지운 탓에 아는 사람의 번호도 알아볼
수가 없다.

아르바이트 중이지만 여기에 언제까지 있을지도 모른다. 받
아도 되겠지. 스미레는 전화를 받았다.

"……네."

"여보세요."

처음 듣는 여자 목소리 같았다. 순간 영업 전화일지 모른다
는 생각에 후회가 되었지만 상대의 목소리는 매우 차분했다.

"안녕하세요. 저는 아시자와라고 합니다만, 모리나가 스미레
씨 전화 맞나요?"

"그런데요."

휴대폰을 귀에 대고 있자 이가라시가 탈의실에서 옷을 갈아입고 나오는 것이 보였다. 그러고 보니 오늘은 한 시간 차이로 같은 시간대에 근무하기로 되어 있다. 그는 스미레가 통화하는 모습을 흘끗 본 뒤 고개를 획 돌렸다.

아시자와. 들어 본 적이 있는 것 같기도, 없는 것 같기도 하다.

당황하고 있자, 그녀가 "혹시 기억하시나요?" 하고 묻는다.

"전시회에 간 적이 있는데, 그때는 여러모로 감사했습니다. 아카바네 씨와 함께 갔던 사람입니다만."

"아아."

생각났다. 다마키와 함께 온 그 여성. 그녀가 계속 말했다.

"갑자기 죄송합니다. 실은 아카바네 씨에게 물어 이 번호로 연락드린 거예요."

실은 모리나가 씨에게 부탁이 있습니다.

낡은 영화관 구석.

귀에 댄 휴대폰에서 아시자와가 하는 말을 듣고 스미레는 눈을 휘둥그렇게 떴다.

"전화상이라 간략히 설명드려 죄송합니다만."

부드러운 목소리는 계속되었다. 스미레는 거의 아무런 대꾸 없이 귀로만 그 내용을 듣고 있었다. 머리로는 잘 이해가 되지 않았다. 심장이 크게 뛰기 시작한다.

시야 한쪽에 아까부터 이가라시가 슬쩍슬쩍 엿보는 것이 보인다. 누구와 무슨 대화를 하느냐고 연신 짜증스러운 시선을 던지다 스미레와 눈이 마주치려는 찰나 황급히 고개를 돌린다.

"일단 자료를 봐 주셨으면 하거든요. 직접 만나서 이야기하고 싶습니다."

"네."

자신의 대답 소리가 떨리는 것이 분명히 느껴졌다. 흥분과 기대로 떨리는 동시에 목소리 주위로 짙은 불안의 안개가 자욱하다.

"……생각할 시간을 주세요."

스미레는 기어 들어가는 목소리로 겨우 대답했다. 그 한마디를 하는 것이 고작이었다.

"알겠습니다. 제 휴대폰 번호는 지금 거기 표시되어 있겠지만 혹시 모르니 다시 알려드리죠."

그녀가 가르쳐 준 번호를 메모하는 대신 속으로 거듭 되뇌었다. 머릿속이 새하얬다. 전화를 끊고 휴대폰을 꽉 쥐었다. 그러자 방금 들은 내용이 머릿속 한가운데로 단숨에 밀어닥쳤다.

에비스의 사진전.

마사요시와 함께 간 적이 있는 그 커다란 사진 박물관. 사진가인 아시자와가 현대의 창작가 여러 명에게 자신의 사진을 모티브로 작품을 만들 것을 제안했다. 그리고 그 전시회를 연다고 한다.

아시자와가 참여할 예정이라고 알려 준 창작가는 스미레도 잘 아는, 각 분야의 제일선에서 활약 중인 사람들뿐이었다.

그녀는 이벤트 회사에서 기획한 대로 이십 대부터 삼십 대 초반의 여성 창작가에게 제안했다고 한다. 진부한 표현이라 미안하지만, 요컨대 자신의 사진을 안줏거리 삼아 '현대의 젊은 여성 창작가'를 한데 모으는 것이라고 설명했다.

"모리나가 씨, 이 사진전에 참여해 주시겠어요? 가능하면 모리나가 씨의 이번 그림을 홍보 포스터로 사용하고 싶습니다."

상상만으로 현기증이 났다. 에비스 가든 플레이스의 그 세련된 통로. 작년 여름에 그곳을 마사요시와 함께 걸었다. 그곳에 붙어 있던 《매디》의 영화 포스터를 보고 서로 감탄한 기억이 난다. 그곳에 자신의 그림이 붙여진다니.

스미레는 왜 자신을 선택했느냐고 물었다. 아무 경력도 없는 초짜에, 구로키도 그룹전에 오지 않을 만큼 별 볼 일 없고 이름 없는 화가.

아시자와는 의연하게 대답했다.

"포스터처럼 눈에 보이는 것은 모리나가 씨처럼 아직 아무 색에도 물들지 않은 분의 작품을 사용하고 싶었습니다. 다른 분들은 아무래도 각자의 색이 너무 강하잖아요."

전화기 너머로 그녀가 부드럽게 말했다.

"이 조건에 맞는 창작가를 이벤트 회사에서 여러 명 소개 받았습니다만, 전부 뭔가 부족한 느낌이 들더군요. 아카바네 씨와 미팅할 때 그 이야기를 했더니 그녀가 몹시 적극적으로 지금 당장 외출하자는 겁니다. 그때가 실은 그날이었어요. 모리나가 씨가 오모테산도에서 그림 전시회를 하던 날."

휴대폰을 쥔 채 숨을 들이마셨다. 그 숨을 내뱉을 수가 없었다. 할 말을 잃은 스미레에게 아시자와가 부드러운 목소리로 계속했다.

"모리나가 씨의 그림을 보고 그녀가 하고 싶은 말이 뭔지 단박에 알겠더군요. 전시회장을 나와 그녀가 걱정스레 소감을 묻는 것이 살짝 재미있었습니다. 제가 아는 아카바네 씨는 불안해하는 모습을 결코 남에게 보이는 사람이 아니거든요."

아시자와가 웃고 나서 진지하게 말했다.

"저와 함께 일하지 않으시겠어요?"

믿기지 않았다.

"그림 세 장. 그 인어를 그린 푸른 색채의 이미지로 부탁드리고 싶습니다."

"안에 있을지도 모르니 한 번 더 보고 와도 돼요?"

그 목소리에 퍼뜩 정신이 들었다. 휴대폰을 얼른 윗주머니에 넣고 고개를 들자 스미레의 아르바이트 여자 후배가 소녀와 이야기하고 있었다.

하늘색 더플코트에 운동화. 아까 그 소녀였다.

후배는 난처한 듯 미소를 짓고 타이르듯 말했다.

"그래도 되지만 이번 회차에는 손님이 거의 없었거든요. 접수처에서도 중학생 영화표는 한 장밖에 팔지 않았고요."

"그럼 아직 안 왔나 봐요."

소녀가 고개를 숙이고 대답했다. 이내 초조해하며 상영관 입구를 쳐다보다 시선을 거두고 작게 물었다.

"죄송하지만 여기에 앉아서 기다려도 돼요?"

"괜찮긴 한데 연락이 잘 안 되니?"

소녀가 말없이 고개를 끄덕였다. 화장실 앞 벤치에 앉아 휴대폰 폴더를 열고 어딘가로 문자를 치기 시작했다.

"저 애, 무슨 일이야?"

"친구랑 만나기로 했나 봐요."

그녀가 속삭이듯 대답하며 소녀를 걱정스럽게 쳐다본다. 소녀는 문자를 보낸 다음 가방에서 책을 꺼내 고개를 수그리고 읽기 시작했다.

"상영관 안에서 보기로 약속했다는데⋯⋯. 오늘은 손님도 별로 없고 중학생 손님은 아직 저 애 하나뿐이거든요. 여학생 넷이서 만나기로 했대요."

언뜻 불길한 예감이 가슴을 스쳤다. 후배도 마찬가지였으리라. 그녀가 일부러 밝은 목소리로 말했다.

"관내 안내 방송이라도 해 주고 싶은데, 우리는 그런 거 없잖아요. 한 회차 늦은 거랑 헷갈렸나."

"모리나가 씨, 잠깐 시간 되나?"

갑자기 딱딱하게 굳은 목소리가 들려 뒤돌아보니 이가라시가 서 있었다. 그는 무표정이었다. 굳게 다문 입술, 할 말이 있는 듯한 눈빛. 조용히 불렀지만 그 속에 있는 감정을 숨기지는 못했다.

"무슨 일이에요?"

두 사람의 교제는 다른 아르바이트생도 다 알고 있다.

접수처를 떠나지 않고 대답하는 스미레의 태도에 이가라시는 놀란 듯했다. 후배가 눈치 있게 자리를 피해 로비 쪽으로 걸어갔다.

"아까 전화, 누구한테 걸려 온 거야?"

그가 물었다. 불안해하며 자기 여자친구의 얼굴을 들여다본다. 스미레는 말없이 시선을 피했다.

스미레는 남자친구에게 그림 이야기를 한 번도 한 적이 없다. 그동안 말하지 않은 것을 이제 와서 설명해 봤자 이해하지 못할 것이다. 고개를 흔들고 아무렇게나 그의 얼굴을 쳐다봤다.

그때 느닷없이 다마키의 목소리가 되살아났다.

——네 남친은 네가 성공하면 질투심 때문에 발목을 잡을 좀스러운 남자야. 알아?

뜻하지 않게 콧속이 시큰하고 눈물이 나올 것 같아 고개를 푹 숙였다.

그러지 마.

그렇게 생각했다. 부탁이야. 다마키가 한 말에 지면 안 돼. 이가라시 군은 그런 사람이 아니야. 나를 질투하다니 말도 안 돼. 이야기하면 분명히 그림에 관한 것도 이해해 줄 거야. 그동안 말하지 않은 내가 나쁠 뿐이야. 그러니 제발 그런 눈으로 나를 보지 말아 줘. 그런 몸짓은 진심이 아니었던 걸로 해 줘.

"친구였어. 별거 아니야."

한심했다. 그러지 않길 바라는데도 그는 어디까지나 다마키의 말대로 행동했다.

제삼자의 객관적인 시선에는 보이지 않는 당사자인 두 사람만 아는 것이 있기 마련이다. 다마키가 알 리가 없다. 나는 그를 믿어도 된다, 그래야 하건만.

"그래? 그럼 됐어."

일부러 차가운 태도를 취하는 것은 나를 불안하게 만들기 위해서다. 그러면 나는 매달리고 만다.

이제 돌아갈 수 없다.

영화 상영이 끝나자 벤치의 소녀가 허둥지둥 일어섰다.

나오는 관객의 얼굴을 하나하나 확인하고 자신의 친구가 없다는 것을 알고 다시 주저앉았다. 이따금 휴대폰을 귀에 대고 여러 개의 번호로 전화를 거는 듯하지만 상대가 연락을 받는 것 같지는 않았다.

2회차 상영이 시작되기 직전에 접수처로 와서 물었다.

"계속 기다려도 돼요?"

"되긴 하는데……."

후배가 난감한 얼굴로 스미레를 쳐다본다. 스미레는 고개를 끄덕이고 미소 지었다.

"친구가 빨리 왔으면 좋겠구나."

"네."

다시 벤치로 돌아가는 소녀의 뒷머리. 양 갈래로 묶은 머리가 찰랑대는 것을 지켜보며 후배가 불쑥 중얼거렸다.

"바람맞은 거네요."

"그러게."

막상 소리 내어 말하자 정말 그것이 사실이 된 것 같아 왠지 서글퍼졌다. 여자친구 세 명과의 약속. 시간이 되었는데도 아무도 오지 않고 전화도 문자도 되지 않는다. 이 상황에서 어떤 악의가 느껴지는 것 같아 안쓰럽기 짝이 없었다.

소녀는 벤치에 앉아 다시 책을 읽기 시작했다. 고개를 숙이고 눈앞의 활자를 노려볼 뿐이다. 소녀도 이제 와서 뒤로 물러날 수 없는 것이리라. 둔감하게 계속 기다리는 척을 하지 않으면 그곳에 있을지도 모를 진상을 알아차리고 만다.

2회차 영화가 끝나 가는데도 소녀의 휴대폰은 울릴 기색이 보이지 않았다. 로비에도 새 손님은 오지 않았다. 화장실에 가려고 소녀 앞을 지날 때 스미레는 자신이 어색하게 긴장하는 것을 느꼈다.

어떻게든 해 주고 싶지만 방도가 없다. 앞을 지나던 그때 소녀가 읽고 있는 책 표지가 보였다. 그 순간 스미레는 번개를 맞은 듯한 충격에 숨을 깊이 삼켰다. 목구멍이 얼어붙는 감각. 발끝이 후들거린다.

소녀가 페이지를 넘기고 있는 그 책은 지요다 고키의 『레이디 매디』였다.

심지어 최근 발행된 것이 아닌 1권이다. 표지는 군데군데 주름이 잡혀 있고 색이 바랬다. 페이지를 눈으로 좇는 소녀의 표정은 진지함 그 자체였다. 소녀가 이 책을 들고 다닌다는 것을 직감했다. 그야말로 수도 없이 읽고 또 읽으면서.

기다려도 아무도 오지 않아.

그렇게 소리치고 싶어서 스미레는 황급히 시선을 거두었다.

아무도 없는 화장실로 뛰어들자 거울에 비친 자신의 얼굴이 당장에라도 울 것처럼 일그러져 있었다.

마음이 걷잡을 수 없이 동요되었다. 아시자와의 전화, 에비스의 사진전, 그곳에 서서 웃는 마사요시와 자신, 포스터에 그려진 고 쨩의 애니메이션 일러스트, 자신을 욕하는 다마키, 그림을 그리란 말이야, 이가라시 군, 이가라시 군, 이가라시 군······!!

대답해 줘, 이가라시 군.

목구멍까지 차오른 감정이 당장에라도 폭발할 것 같았다. 부탁이야, 이토록 많은 것을 희생해 온 나의 기대에 부응해 줘. 모든 것을 채워 줘. 그렇지 않으면 나는 돌아가고 싶어질 거야. 네 곁을 떠나고 말 거야.

그것은 처음 생긴 감각이었다. 어느덧 스미레는 주저앉아 울고 있었다. 가슴속에 있는 충동에 놀라 얼굴을 감싼다. 이다지도 그를 좋아하는데, 그래서 절대 떨어지지 않을 줄 알았는데 왜일까.

나는, 그 집으로 돌아가고 싶다.

소녀는 결국 3회차가 끝나는 오후 늦게까지 벤치에 앉아 책을 읽었다.

저녁 회차가 시작되기 전에 자리에서 일어나 "실례 많았습니다" 하고 사과하고 영화관을 나갔다. 장시간 로비에 있는 직원에게 자신이 어떻게 보였는지 물론 자각은 있었으리라. 그런데도 그녀는 책을 읽으며 버텼다.

돈을 지불해 놓고 영화는 보지 않았다. 친구들은 결국 오지 않았다.

스미레는 업무 시간이 끝나 탈의실에서 옷을 갈아입었다. 휴대폰을 꺼내 통화 이력을 보자 연락처를 몽땅 삭제한 탓에 이가라시의 이름 외에는 거의 숫자만 나열되어 있었다. 그중 가장 위에 있는 것이 아시자와의 번호다.

그 번호를 연락처에 등록했다. 화면에 '1번으로 등록되었습니다'라는 표시가 나온 순간 기억났다. 이 휴대폰에는 나가노 마사요시의 번호가 제일 처음에 등록되었는데 자신이 그것을 지웠다는 것을.

(5)

『좋은 아침이에요. 시험 끝났으니 오늘 저녁에 만날래요? 하고 싶은 이야기도 있고. 바쁜가? 폐가 되려나?』

존댓말과 반말이 섞인 문자.

아침에 눈을 떠 문자가 온 것을 본 순간 가노는 기뻐서 벌떡 일어났다. 시계를 보고 지금이 11시가 넘었다는 것을 확인하고 상대에게 전화를 걸어도 되는 시간대라고 판단했다. 약속을 잡았다. 그녀의 목소리를 오랜만에 듣자 좋아서 어찌할 바를 몰랐다. 좋구나, 이런 단순한 메커니즘이 자기 안에 있다는 것이. 가노는 그런 생각을 했다.

외출 전에 일을 더 해 두려고 작업 도구를 꺼내 전원을 연결했다. 화면이 뜨기를 기다리는 도중 문득 책상 구석에 놓인 사진집 『Super Flight』가 눈에 들어왔다. 표지 사진이 마음에 들어 고키에게 빌렸는데 아직도 돌려주지 않고 있다.

세수하러 가는 길에 사진집을 들고 2층 그의 방을 찾아갔다. 세 번째 노크했을 때 문이 열렸다.

"아아, 가노."

"미안. 일하는 중이었어?"

"네, 그렇지요. 단 가가미 씨가 안에서 DVD를 보고 있지만요."

"아."

그렇다면 더욱 미안하다고 사과하려다 그렇게 말하는 것 자체가 촌스럽다는 생각에 입을 다물었다. 방 한가운데에 TV용 헤드폰을 벗으면서 리리아가 인사를 했다.

"아, 안녕하세요. 가노 씨."

"안녕."

같이 산 지 꽤 오래되었는데도 이 아이에게서 느껴지는 비현실감에는 적응이 잘 되지 않는다. 어질러지고 생활감 가득한 고키의 방에 이 아이가 앉아 있는 것은 참으로 이상한 그림이다. 생생한 것인지, 전혀 그렇지 않은지 잘 모르겠다.

이 좁은 방 안에서 많은 시간을 함께 보내는데도 아무 일이 없다니. 괜한 생각이 가지처럼 뻗어 나갈 것 같아 얼른 차단했다. 가노는 "너무 오래 빌려서 미안" 하고 사진집을 건넸다.

"내 취향에 딱이더라. 오랫동안 고마웠어."

"이제 괜찮은가요?"

"응, 조만간 나도 사려고. 그런데 사진가가 여자더라. 책 뒷부분에 실린 프로필 보고 깜짝 놀랐어."

"다마키와 친한가 보더군요."

고키가 그렇게 말한 뒤 기뻐하며 가르쳐 주었다.

"실은 다다음 달에 나오는 내 신간 표지로 여기에 실린 사진을 쓰게 되었습니다. 안타깝게도 표지의 그 밤 사진이 아니라 낮 버전이지만요."

"와, 잘됐다!"

가노도 덩달아 기뻐서 소리가 절로 나왔다. 그때였다. 지금껏 뒤에 있던 리리아가 뺨을 살짝 부풀리며 일어섰다.

"잘된 일이 아니에요, 가노 씨. ……지요다 선생님도 왜 화를 안 내시는 거예요? 더 억울해하셔야죠."

"무슨 소리야?"

그 질문에 리리아가 심통 난 표정으로 "들어 보세요" 하고 말한다.

"다른 작가가 선생님이 희망하신 밤 버전의 사진을 사용하고 싶다고 선수를 쳐서 아시자와 씨의 승낙을 받았단 말이에요. 일부러 괴롭히는 게 틀림없다니까요. 선생님, 더 화내고 억울해하고 우시란 말이에요."

"다른 작가라니 설마."

"고도 지카라요."

리리아가 미간에 주름을 잡고 분명히 말했다. 그러고는 혼잣말하듯 덧붙였다. "믿기지가 않네, 진짜."

가노도 몹시 놀랐다. 그러고는 상상해 봤다. 서적 신간 코너에 낮과 밤만 다를 뿐 완전히 똑같은 구도로 찍힌 사진이 두

권 나란히 놓여 있는 모습을. 한 책의 상하권 같은 이미지인데 실제로는 진짜와 가짜라는 섬뜩함.

리리아가 말한다.

"요즘 아주 살판났다니까요. 날개 돋친 듯 팔리는 것도 모자라 여기저기서 '지요다를 넘었다'며 난리예요. 그게 더 재미있다고 평가되기도 하나 봐요. 가노 씨, 알고 있었어요?"

"……소문으로 듣긴 했는데."

그 말을 당사자인 고키 앞에서 해도 될까. 리리아에게는 미안하지만, 가짜에 대한 분노보다는 고키의 기분이 상하지 않을까 하는 걱정이 먼저였다. 차라리 모르는 편이 나은 경우도 세상에는 더러 있는 법이다.

"고도 지카라가 일부러 그러는 게 틀림없다니까요. 지요다 선생님이 그 사진을 점찍어 놓은 걸 어디서 들은 게 분명하다고요."

"어쩔 수 없어요, 가가미 씨."

고키가 난감해하며 말한 그때였다.

3층 방문이 열리는 소리가 났다. 외출하려는지 코트를 걸친 다마키가 계단으로 내려왔다. 2층 복도에서 소란스럽게 구는 가노 일행을 보고 살짝 놀라는 표정이었다.

"무슨 일이야? 이 조합은 또 뭐고?"

"아, 아카바네 씨."

가장 먼저 입을 연 사람은 리리아였다. 이내 고자질하듯 말했다.

"너무하다니까요. 고도 지카라는 요즘 분명히 살판났을 거예요. 지요다 선생님 흉내나 내는 주제에."

그러고는 아까 한 이야기를 똑같이 다마키에게도 들려주었다. 도중에 다마키의 얼굴에서 표정이 쏙 빠져나갔다. 얼굴이 하얗게 질리고 말없이 눈만 깜빡일 뿐이었다.

"분명히 일부러 그러는 거라니까요."

리리아가 뺨을 부풀리며 반복했다. 억울하다는 듯 입술을 깨물고 눈물까지 글썽였다.

"아카바네 씨도 말 좀 해 줘요. 선생님은 더 분노해야 한다고요."

"괜찮아요."

아까와 마찬가지로 고키는 난감해하면서도 부드럽게 대답했다.

"낮 버전이라 해도 정말 좋아하는 구도의 사진이니 이걸로 만족합니다. 아시자와 씨도 이미지가 겹치니 다른 분위기의 사진으로 하면 어떻겠느냐고 권유해 주었지만, 나는 이 사진이 좋거든요. 사용할 수 있게 되어 정말 다행입니다."

고키가 말하던 그때였다.

여태껏 입을 다물고 있던 다마키가 천천히 입을 열었다. 그녀의 눈이 리리아를 똑바로 노려본다. 그러고는 말했다.

"나를, 열 받게 했겠다?"

"네?"

그 말에 리리아가 다마키를 돌아봤다. 눈이 마주치기를 기다리지 않고 다마키가 그녀에게서 시선을 휙 거두었다. 코트를 휘날리며 곧장 3층 자신의 방으로 되돌아가려 한다.

"잠깐 전화 좀 하고 올게. 아시자와 씨도, 그런 일은 수락하면 안 되는데 뭐 하는 거야."

무슨 일인가 싶어 어안이 벙벙한 세 사람을 남겨 놓고 다마키가 자리를 떴다. "다마키, 괜찮아요" 하고 허둥지둥하는 고키의 목소리에도 그녀는 뒤돌아보지 않았다. 잠시 후 그녀의 방문이 쾅 닫히는 소리가 들렸다.

"……깜짝이야."

리리아가 울상으로 말했다. 가노와 고키를 바라보면서.

"왜 저러는 걸까요? 아카바네 씨, 너무 무서워요. 아시자와 씨까지 싸잡아서 비난하다니, 그건 좀 아니지 않아요?"

그러고는 뒤늦게 걱정스럽게 말한다.

"괜찮은가 모르겠네요. 『다크웰』의 미키나가 씨 일이 있고부터 계속 예민한 상태잖아요. 그 일도 뭔가 착오가 있는 걸지도 모르는데 친구들을 그런 식으로 의심하다니, 슬프네요……. 요즘 아카바네 씨를 보고 있으면 괜히 걱정돼요."

"아, 그런데 이번 고도 씨 소설은 굉장히 진지하고 좋은 이야기라고 합니다."

고키가 약간 가벼운 톤으로 화제를 돌렸다. 그가 아니면 안 될 것 같은 신기한 타이밍. 어디까지 의도적으로 그렇게 한 것인지는 도무지 알 수 없었다.

"그래서 아시자와 씨도 표지 요청 일을 수락했겠지요. 그녀의 사진의 이미지를 잘 지킬 수 있어 다행이지 뭡니까."

"고도 지카라의 소설이 괜찮다라, 결국 고 짱의 공 덕분이잖아."

가노도 어이없다는 듯 웃으며 말했다.

"진짜가 좋아야 가짜도 힘을 발휘하지."

"그런가요? 그렇담 기쁘군요."

고키가 씨익 웃었다. 본인은 싱긋 웃으려 했을지도 모르지만.

가노는 방으로 돌아가 잠깐 일한 뒤 약속 장소로 가기 위해 방에서 나왔다. 현관에서 신발을 신고 있던 가노의 귀에 다마키의 방문이 열리는 소리가 들렸다. 아직 안 나갔구나. 3층에서 그녀가 내려오는 기척이 느껴진다.

밖에 나가는 타이밍이 겹치면 불편한데, 하고 채비를 서두르자 뜻밖에 그녀의 발소리가 계단 중간에서 멈췄다. 2층 방을 노크하는 소리. 잠시 후 목소리가 들렸다.

"리리아, 잠깐 실례. 할 이야기가 있는데 다음 주에 시간 있어?"

그 목소리를 뒤에서 들으면서 가노는 재빨리 집을 나섰다.

(6)

약속 장소는 신주쿠에 있는 '하이츠 오브 오즈' 직영의 과일
디저트 카페 앞으로, 아카바네 모모카는 벌써 와서 가노를 기다
리고 있었다.

다마키를 꼭 닮은, 그러나 화장기 없는 얼굴을 숙이고 벽에
기대어 있다. 밑자락이 퍼지는 코트에, 목에는 분홍색 숄, 갈색
부츠.

"가노 씨."

북적이는 사람들 속에 나타난 가노를 보고 웃음을 짓는다.
그 모습을 보고 가노는 손을 크게 흔들며 그녀 곁으로 다가갔
다.

"오래 기다렸어? 미안해."

"아니. 나야말로 갑자기 불러내서 미안해요. 와 줘서 고마워."

문자와 마찬가지로 존댓말과 반말이 뒤섞인 이 거리감을 가
노는 좋아한다. 마지막으로 만난 것은 그녀가 시험 기간에 들어
가기 전이었으니 오늘은 2주 만의 데이트다.

모모카와 가노는 사귄 지 벌써 2년이 넘었다.

그녀의 언니인 다마키에게 '꿈이 이루어질 예정도 없는 니트
족'이라고 평가받는 동안에는 민망해서 주변에 절대 알리지 못
하는 관계.

그러나 모모카가 다마키에게 보낸 최근 몇 년간의 생일 선물

중 몇 개는 가노가 함께 고른 것이었고, 언젠가 만화로 만족스러운 결과를 내면 다마키에게도 당당히 인사하러 갈 작정이다. 아무리 욕을 먹고 혼쭐이 나더라도.

다마키가 늘 끼고 다니는 『레이디 매디』에 등장하는 것과 흡사한 디자인의 반지는 둘이서 함께 이세탄 백화점에서 구입한 것이다.

다마키도 자주 이용한다는 '오즈'의 카페는 건물 7층이었다. 엘리베이터를 타고 올라가자 먼저 온 손님들이 길게 줄을 서 있었다. 그것을 보고 모모카가 생긋 웃으며 "기다리면 안 되나?" 하고 중얼거렸다.

"기다려 봐야 30분 정도일 거예요. 가노 씨, 오늘은 정말 다른 일정 없어? 오랜만에 만난 거고, 이야기하다 보면 30분쯤은 후딱 지나갈 텐데, 어때?"

"알겠어."

다마키와 가노는 이야기 만들기에 필요한 것은 무엇인가 하는 대화를 자주 나눈다. 다마키는 '화려함'이 있어야 한다고 하고, 가노는 '온기'라고 주장한다. 그리고 아카바네 자매는 각각의 성질을 '화려함'과 '온기'로 분류할 수 있다. 모모카에게는 매우 따뜻한 온기가 느껴진다.

"다들 잘 지내요? 요즘 시험이랑 실습까지 겹쳐서 슬로하이츠에 못 간 지 한참 되었네. 가노 씨도 자주 못 만나고……. 스미레 씨가 나갔다는 말은 언니한테 살짝 들었는데."

"응."

과연 어떤 식으로 들었을까. 궁금했지만 되묻지는 않았다.

"다들 잘 지내. 마사요시의 영화도 봄에 개봉하고."

"아, 그렇구나. 마사요시 씨 대단하다."

모모카가 감탄했다.

"모모카는? 시험 잘 본 것 같아?"

"으음. 최대한 자격증을 많이 따려고 수업을 욕심내서 들었거든."

그녀가 웃으면서 고개를 절레절레 흔든다.

"이제 보니까 자격 취득에 수업이 별 필요 없더라. 어찌나 충격을 받았던지. 나는 요령이 나쁘다고 해야 할지, 쓸데없는 일만 많이 해."

"다마키는 요령이 아주 좋던데. 만약 네 몫까지 가져간 거면 좀 얄밉네."

가노는 자신의 말이 다 끝나기도 전에 실은 그렇지도 않다고 고쳐 생각했다. 다마키도 충분히 요령이 나쁘다. 그 점은 모모카와 방향이 다를 뿐 공통점이다.

"그럴 수도 있겠다."

언니 이야기가 나오자 모모카의 표정이 환해졌다.

"사람의 운은 처음부터 어느 정도 정해져 있는 게 아닐까 싶어. 그중에서도 나는 극단적으로 운이 나쁜 사례야. 예를 들어 꼭 먹고 싶은 한정판 아이스크림이 있다고 쳤을 때——."

모모카가 자신의 앞뒤로 줄 서 있는 사람들을 보며 말한다.

"이렇게 줄 서 있으면 어김없이 내 앞쪽으로 세 사람째에서 아이스크림이 다 팔리는 개성이라고 생각해. 쭉 기다렸는데 눈앞에서 품절되면 불쌍하니까 신이 선심 써서 세 사람 앞에서 딱 끊는 거지."

"결국 사지도 못하고 먹지도 못하는 건 마찬가지잖아."

엉겁결에 웃어 버리자, 모모카는 "그렇긴 한데" 하고 웃음 짓는다.

"그런 도움 아닌 도움을 받는 위치라는 거예요."

"그런데 아이스크림을 먹은 사람들이 그 후 식중독으로 고생할지도 몰라. 그럼 오히려 신에게 은혜를 받은 셈이지."

"아, 그러네."

모모카는 가공의 이야기에 진지하게 고개를 끄덕이더니 "그런데" 하고 다시 씁쓸히 웃었다.

"그럼 차라리 내 바로 앞에서 딱 끊기는 편이 극적이고 이야기로서도 재미있잖아. 그렇지도 않다는 점이 역시 나다워. 운이 좀 나쁘고 은혜를 좀 받는, 그런 개성."

쿡 하고 웃더니 혼잣말처럼 계속한다.

"언니였다면 분명 언니가 마지막 아이스크림을 샀을 텐데. 딱 언니까지 살 수 있는, 아슬아슬하게 통과하는 자리인 거지. 아이스크림에 독이 들었을 경우에는 언니 바로 앞에서 품절되는 거야. 못 샀다며 아쉬워하고 있었더니 눈앞에서 사람들이 픽픽

쓰러지는 거예요."

"다마키의 경우, 그렇게 아슬아슬하게 살아가니까 안 되는 거야. 그냥 일찌감치 나와서 줄 서면 살 수 있잖아."

"응, 맞아."

모모카가 시선을 슬며시 낮추었다.

"언니의 그런 점이 가끔 걱정돼."

모모카가 보낸 문자에 할 이야기가 있다고 적혀 있던 것이 떠올랐다. 무슨 일일까.

이윽고 순서가 돌아와 가노 일행은 자리로 안내받았다. 지금이 제철이라는 딸기파르페와 쇼트케이크를 주문했다.

"가노 씨한테 물어볼 게 있어요."

바로 본론으로 들어가면 모처럼 주문한 딸기 디저트를 제대로 즐길 수 없다고 생각했는지도 모른다. 모모카는 신중히 때를 가늠해 입을 열었다. 가노는 말없이 그녀를 봤다. 똑바로 앞을 향한 모모카의 얼굴은 긴장으로 경직되어 있었다.

"그저께 언니를 만났어. 오키나와에서 사 온 선물을 주겠다고해서 이 가게에서 만났어. 일하다 중간에 빠져나온 것 같았어."

"응."

"선물을 받고 나서 차를 마셨어. 오키나와에 갔던 이야기랑지금 맡은 드라마 이야기를 하면서. ——가노 씨."

울음을 터뜨릴 듯한 얼굴로 그녀가 물었다.

"지요다 씨는 지금 사귀는 사람 있나요?"

"……그건 왜?"

"그저께 여기서 지요다 씨를 봤어요. 연예인이나 모델처럼 굉장히 예쁜 여자랑 같이 있었는데, 레이스가 잔뜩 달린 까만 메이드복 같은 옷이 잘 어울리는 여자였어."

"리리아야."

가노가 대답했다.

"엔야가 떠난 뒤에 우리 집에 이사 온 애인데, 고 짱의 왕팬이래."

걱정을 끼치고 싶지 않아 모모카 앞에서 자신이 그 이야기를 조심조심 피해 온 것을 떠올린다. 그녀가 계속 물었다.

"그 두 사람은 사귀는 사이예요? 언니는 가볍게 인사만 하고, 곧바로 나더러 이제 나가자며 자리에서 일어났어. 방해하면 안 된다며 쓸쓸히 웃더라."

"아직 사귀는 사이는 아닌데 솔직히 시간문제라고 생각해. 리리아가 고 짱을 좋아하거든."

그 말을 듣고 모모카가 말없이 이마를 짚었다. 일그러진 표정으로 고개를 숙인다. "어떡해, 가노 씨" 하고 그녀가 머리를 싸쥐었다.

"우리 언니, 지요다 씨를 좋아해요. 오래전에 포기했지만."

"알아."

가노는 고개를 끄덕였다. 깊고 조용하게, 그리고 천천히. 애절하게 말하는 모모카를 보고 있자니 새삼 그 안타까운 마음이 가슴에 사무친다. 가노는 다시 한번 말했다.

"알아. 우리 모두 알고 있어."

제10장

아카바네 모모카는
언니에 대해 이야기한다

다마키가 엔야와 함께 사이타마 현의 고등학교에 다니던 시절, 엔야는 방과 후에 반 남학생과 싸운 적이 있다고 한다. 자신이 좋아하는 책을 무시하는 그 남학생에게 "읽지도 않았으면서 나쁘게 말하지 마" 하고 고함을 쳤다.

그로부터 얼마 후 다마키가 고등학생 시나리오 공모전에서 입상했을 때, 그 남학생이 이번에는 그녀를 깎아내렸다. 그러자 엔야는 자신이 좋아한 책을 무시당했던 그때처럼 고함을 치며 다마키를 감쌌다.

──이 애의 마음속에서 내가 쓴 그 원고지 다발은 어엿한 작품이구나 싶었어. 내 원고가 설령 한 순간이었다 해도 엔야가 봤을 때 그 책과 어깨를 나란히 했다고 생각하니 몸이 떨리는 거야. 코끝이 찡하고 눈물이 나올 뻔해서 혼났어.

가노는 처음 그 이야기를 들었을 때 느낌이 팍 왔다. 엔야가 좋아하는 책은 틀림없이 지요다 브랜드일 것이라고.

지요다 고키는 아마 다마키에게 그런 작가일 것이다.

자신이 쓴 이야기가 설령 한 순간이었다 해도 그의 이야기와 어깨를 나란히 한 것, 그것을 생각하면 몸이 떨릴 만큼 그녀에게 '특별'한 존재인 것이다.

(1)

'알지도 못하는 할아버지에게 받은' 집에서 다마키가 '적당히' 시작한 생활에는 꿍꿍이가 있다. 가노는 모모카와의 교제를 통해 슬로하이츠 밖에서의 다마키의 얼굴을 알게 되면서 보이기 시작한 것이 있다.

"우리 언니는 옛날부터 지요다 브랜드를 무척 좋아했어."

처음 모모카에게 그 이야기를 들은 것은 슬로하이츠에서 살기 훨씬 전으로, 가노에게 지요다 고키란 멀기만 한 작가였을 무렵이다.

모모카는 그것을 대수롭지 않게 여겼는지 가노에게 쉽게 알려 주었다. 어쩌면 모모카는 언니가 친구들에게 이미 밝혔다고 생각했을지도 모른다. 그 말을 듣고 가노는 뜻밖이라는 생각을 했다. 지요다 고키는 그녀가 좋아하는 수많은 작가 중 한 명에 불과한 줄 알았는데 실은 단연코 으뜸이었던 것이다.

다마키의 가정 사정은 모모카와 몰래 만나는 동안 그녀를 통해 알게 되었다.

자매의 외할아버지가 남긴 낡은 여관이 도쿄 도시마 구의 시나마치 역 근처에 있다는 것. 아무도 살지 않는 빈집이니 친척들과 부동산에서 집을 넘겨 달라는 연락이 빗발치지만 다마키가 거부하고 있다는 것.

"그럼 아예 거기서 살자는 이야기도 하고 있는데, 둘이서 살기에는 너무 넓고 또 내가 다니는 대학에서 멀어지거든요. 정말 거기서 살 거면 지붕을 수리해야 하는데 그럴 돈도 없고요."

모모카가 난처한 듯 고개를 갸웃거리며 말한다.

그때는 설마 다마키가 그 집에서 함께 살자고 할 줄은 꿈에도 몰랐다. 가노는 그 이야기를 반쯤은 건성으로 들었다.

한참 뒤에 다마키가 '자신이 각본을 쓴 영화를 보고 감명받은 할아버지에게 집을 선물 받았다는 이야기'를 꺼냈을 때 오랜만에 떠올렸다. 소중한 외할아버지의 유산을 우연치 않게 횡재한 것처럼 지어낸 그녀의 진의는 무엇이었을까. 가노는 막연히 짐작만 할 뿐이다.

다마키는 겁이 났을 수도 있다. 자신이 집착하고 무거운 마음을 품고 있는 집에 친구를 불러들이기가 선뜻 내키지 않은 것이다. 그녀는 체면치레를 좋아하고, 자신의 영웅주의에 타인을 끌어들이는 것을 싫어한다.

그리고 슬로하이츠에서 같이 살자는 제안을 받은 직후 가노는 모모카에게 불려 나갔다.

그녀는 안절부절못하고 가노를 만나자마자 미안하다는 사과부터 했다. 어쩔 줄 몰라 하며 울음을 터뜨릴 것 같은 눈을 하고 있었다.

"내가 집에 대해 말한 거 비밀로 해 줄래? 안 그래도 체면이 중요한 사람인데 꼴사나운 모습을 보이면 얼마나 싫겠어? 언니도 나쁜 뜻은 없어. 그냥 친구들이 가벼운 마음으로 와서 살길 바랄 뿐이야. 이 거짓말에 깊은 의미 같은 건 없어요."

"알고 있으니 괜찮아."

일을 원활히 진행하기 위해 거짓말도 방편으로 쓰는 것은 간혹 있는 일이다. 하지만 아무리 사소한 거짓말이라도 그것을 나쁘다고 판단해 언니를 두둔하기 위해 애쓰는 모모카는 사람으로서 올바른 감각을 지니고 있구나, 하고 생각했다.

(2)

다마키가 고키를 좋아하는 것은 알고 있다. 누가 말해 준 것도 아닌데 언젠가부터 깨달았다. 직접 언급한 적은 없지만 마사요시와 스미레도, 엔야도 알고 있으리라. 어쩌면 구로키도 눈치챘을지도 모른다. 다마키는 어쩔 수 없는 연애 하수다.

가노의 말을 듣고 모모카가 어깨의 긴장을 탁 푸는 것이 보였다. 그리고 망설이듯 잠시 고개를 숙인 뒤 입을 열었다.

"가노 씨한테는 집안 사정도 털어놓았으니 이참에 전부 알아뒀으면 좋겠어요. 이대로는 언니가 아무한테도 말하지 않을 테니."

모모카가 다소 비장한 얼굴로 말했다.

"언니는 지요다 씨한테 가족을 만들어 주고 싶어 했어요."

"가족이라니?"

"──가족이라는 말이 걸맞지 않을 수도 있어. 미안해요. 그래도 친한 사람과의 관계가 어떤 건지를 지요다 씨가 제대로 알았으면 해서, 돌아갈 수 있는 집을 만들어 줘야겠다고 생각한 것 같아. 그래서 줄곧 방치해 두었던 그 집에 살기로 결심한 거야. 지요다 씨는 본인이 마음을 허락한 상대가 만든 음식이 아니면 먹지 못한다는 거, 알아?"

"응. 본인한테 들었어. 영양실조로 병원에 실려 가서 입원한 적도 있다고 하더라."

"언니가 그 이야기를 듣고 많이 걱정했거든. 지요다 씨에게 밥을 해 주거나 곁에 있어 주는 사람이 있으면 좋겠다고 그랬어. 아니면 본가로 돌아가거나."

"그랬구나."

"언니도 처음부터 그렇게 간절한 마음은 아니었던 것 같아. 그런데 지요다 씨랑 친해져서 메일을 주고받다 보니 지요다 씨의 출신지가 어딘지 알게 되었대. '내 고향은……' 하고 지요다 씨가 말을 꺼내서 알게 되었을 뿐 적극적으로 물은 건 아니었을 거야."

"그러고 보니 고 짱은 출신지가 어디야?"

어쩌면 들은 적이 있을지도 모르지만 잘 기억나지 않는다. 게다가 그 사건 전까지 지요다 고키는 복면 작가나 다름없었다. 얼굴과 출신지, 학력도 비공개. 공표한 것은 성별과 나이 정도. 가노의 질문에 모모카가 대답했다.

"후쿠시마 현이에요."

"아, 도호쿠(東北) 지역이구나?"

의외네, 하고 가노는 중얼거렸다.

"후쿠시마는 왠지 사투리를 섞어 쓸 것 같은데, 고 짱은 전혀 그렇지 않잖아. 도시 생활이 길어서 그런가."

"응."

태평하게 말하는 가노와 달리 모모카는 우울한 표정이다. "모르겠어?" 하고 작게 묻는다.

"후쿠시마 현은 10년 전 그 사건이 일어난 곳이야. 지요다 씨의 팬이 폐병원에 사람들을 모아 서로 죽고 죽였던."

"아."

가노는 짧게 소리쳤다. 이내 입을 다문다. 모모카가 조용히 가노를 쳐다봤다.

"지요다 씨는 원래 출신지를 비공개로 해 왔고, 그래서 사건의 주모자가 그곳을 선택한 것에 깊은 의미는 없었나 봐. 우연히 사건을 벌이기에 알맞은 건물을 찾았는데 그곳이 후쿠시마

였던 거지."

"잊고 있었어. 미안해. 도호쿠 지역의 산속이라는 것까지는 기억하고 있었는데."

"나도 마찬가지예요."

모모카가 고개를 천천히 저었다.

"그런데 언니는 바로 알아차렸나 봐. 그게 어떤 의미를 갖는 지도 아마 누구보다 빨리 깨달았을 거야."

모모카가 서서히 고개를 숙였다. 아, 큰일 났다. 순간 조바심 이 일었다. 어떻게 하지? 모모카는 분명 기억해 낼 것이다. 기 억해 내고 울음을 터뜨릴 것이다.

목소리에 깃든 떨림을 억누르듯 그녀의 목소리가 점점 감정 을 죽이고 담담해졌다.

"시골은 되게 좁은 곳이에요. 믿기지 않는 오해를 받거나, 이 미 지난 일이라 생각한 것도 다들 지겹도록 기억해서, 그 일이 영영 사라지지 않아. 후쿠시마도 우리가 살았던 동네랑 비슷할 거야."

말이 드문드문 끊기기 시작한 그녀에게 가노는 아무것도 해 줄 수가 없었다. "알아" 하고 맞장구를 치고 싶었다. 자신도 간 사이(關西) 지역 시골 출신이라 그것이 어떤 것인지 대강 짐작 이 간다. 하지만 그녀들에게는 말할 수 없다. 짊어진 무게가 너 무 차이 나서 그럴 권리가 없다.

"'힘드시겠어요' 하고 언니가 서둘러 메일을 보냈대. 아무리

179

복면 작가라 해도 그건 엄청나게 큰 사건이었고, 무엇보다 지요다 씨는 그때 TV에 얼굴이 나왔잖아. 사건이나 오락거리가 적은 시골 특성상 뭔가 사건이 발생하면 온 동네 사람들이 죄다 주시하거든. 전국 뉴스로 보도되는 이곳을 자신이 지나간 적이 있다, 사건 현장인 이 산은 집 근처라 잘 안다 등등. 평소에는 쳐다보지도 않던, 상관없었던 그런 것이 갑자기 친숙해지는 거야."

"……갑자기 연예인의 친척이나 친구라고 밝히고 나서는 사람이 많아지는 것과 똑같은 심리구나?"

방금 모모카는 사건과 오락거리를 한데 묶어 설명했다. 그녀가 거의 벼랑 끝으로 내몰려 경험한 바로는 그렇게 인식하는 것이 당연하리라. 모모카는 고개를 끄덕였다. 빨개지기 시작한 눈을 손으로 꾹꾹 누르고 희미하게 웃으면서.

"그러네. 설령 현장과 멀리 떨어져 있다 해도 자기가 사는 곳을 나타내는 지역명은 범위가 넓으니까요. 그곳에 애착을 갖고 고향을 자랑스럽게 여기는 마음이 그렇게 하도록 만든다고 생각해. 그런 마음을 품는 것 자체는 무척 좋은 일일 테지만."

"고 쨩의 고향에서도 그런 일이 벌어졌을 거다?"

"응. 지요다 씨는 그때 도쿄에 살았던 것 같으니 본인에게 직접적인 피해는 없었겠지만, 부모님이 그곳에 살았다면 당시 상황은 말도 못하게 심각했을 거야. 편지와 전화는 물론이고, 어쩌면 모르는 사람이 집에 찾아와서는 책임지라고, 양심도 없느냐고 난리쳤을지도 몰라."

난처한 듯 설명하는 모모카의 얼굴을 차마 똑바로 볼 수가 없었다.

몇 년 전 다마키의 데뷔작 각본을 읽었을 때와 얼마 후 TV에서 드라마로 봤을 때 일이 떠오른다.

어느 날 갑자기 어머니가 사라지고 그 후 시작된 많은 일들. 밤중에 "돈 내놔" 하고 현관문을 부서져라 두들기는 사람의 목소리. 영문도 모른 채 자매는 이불 속에서 바들바들 떨며 주문을 외운다.

『미안합니다, 미안합니다, 미안합니다, 미안합니다, 미안합니다, 미안합니다, 미안합니다, 미안합니다, 미안합니다……』

누구를 위해 하는 말인지 모르지만 그렇게 해야 한다는 의식만이 몸속에 찌들어, 그렇게 한다.

"언니가 보낸 '힘드시겠어요'라는 메일에 지요다 씨가 바로 답장을 주었대. 아무 감흥도 없이 짧게 '네, 저는 부모님께 의절당했습니다' 하고. 이어서 '언젠가는 용서해 주시리라는 안이한 기대를 하고 있습니다'라는 답장이 와서 언니는 그때 지요다 씨한테 정말 가족이 없다는 것을 알게 되었어요."

"그 사건이 일어난 지 벌써 10년이 지났네."

"네."

상상해 본다. 그동안 고키는 정말 기다렸을 것이다. 그의 성격상 해명하는 것은 생각도 하지 않았으리라. 그에게 책임이 있는 것도 아닌데 발생해 버린 폐해와 부작용. 그것이 시간과 함께 묻히기만을 기다리는 것이다.

──중학교 때도 고등학교 때도. 그 시기에 사귄 친구를 리셋해서 제 인간관계는 3년 주기로 바뀌었습니다. 운동부나 동아리에 들어간 적도 없어요. 누군가에게 뭔가를 권유받지도 못한 채 살아왔지요.

이사 당일 처음 만났을 때 고키가 해 준 말을 떠올린다. 그것은 분명 사실일 것이다. 그리고 지금 고키에게는 돌아가려야 갈 수 없는 집밖에 없다.

"언니가 나한테 그 이야기를 들려준 다음 미안해하면서 '그 집을 좀 써도 될까' 하고 물었어요. 자기도 가족과 인연이 멀어서 친구들끼리 모여 사는 걸 묘하게 동경한다고, 지요다 씨에게는 쓸데없는 일일지 몰라도 자기도 외롭다며, 가정에 굶주려 있다며 웃더라. 좋아하는 남자 때문에 소중한 그 집을 사용하다니 한심한 언니라서 미안하다며 사과하더라. 자기 사정만 내세워 가족을 등쳐먹기만 한다고. 언니가 그렇게 말하면 웃어넘길 수가 없잖아."

모모카가 안타깝기 그지없을 만큼 울면서 웃는 표정을 짓는다.

"언니는 가노 씨를 포함해 친구들을 정말 좋아해. 비록 가족 놀이에 끌어들인 셈이지만 그 집에 사는 동안 어떻게든 결론을 냈으면 좋겠고, 지요다 고키는 모두에게 충분히 자극을 줄 만한 작가라서 괜찮다고. ——미안해, 가노 씨. 언니가 워낙 그런 성격이라 잘난 척하면서 이런 말도 했어. 선택받은 걸 영광스럽게 생각해야 한다고."

"그렇게 생각해."

가노도 웃어 보인다. 고개를 끄덕이고 다시 말했다.

"물론 영광스럽게 생각해."

"그래서."

모모카의 목소리는 이제 분명히 떨고 있었다.

"그, 언니의 집에서 지요다 씨가 누군가와 사귀다니, 그런 일은——."

"……응."

고개를 끄덕일 수밖에 없었다.

"집을 리모델링한 것도, 3층 기둥이 흔들리고 지붕을 수리하지 않으면 도저히 사람이 살 만한 상태가 아니었기 때문이야."

그녀의 잘못이 아니건만 모모카는 정말 미안하다는 듯 가노에게 머리를 숙였다.

"머지않아 전부 보강 공사를 할 건데 지금은 돈이 부족해. 그런데 언니는 체면이 중요한 사람이라 친구들한테 그 말을 못하는 거야. 3층만 방이 좋아져서 균형이 맞지 않으니 그곳에는 집주인인 언니가 사는 것이 가장 자연스러운데 어떻게 해야 하나 고민하더라. 자기가 여왕이라도 된 양 그 유명한 지요다 고키를 평민 취급하는 게 황송하다며 쓸쓸히 웃었어요. 아!"

모모카가 지금 깨달았다는 듯이 급하게 소리쳤다.

"미안해요. 딱히 가노 씨와 친구들이 평민이라는 게 아니라."

"아, 괜찮아, 괜찮아. 그 부분은 딱히 신경 안 써. 평민이면 어때."

오히려 수위를 차지하는 것이 성미에 맞지도 않거니와 실제로도 평민이니 전혀 상관없다. 언니를 변호하느라 정신없는 모모카를 보고 있자니 그녀가 정말 다마키를 좋아한다는 것이 느껴져 흐뭇했다. 그리고 그런 모모카의 온기를 가노는 좋아한다.

"다마키는 지요다 고키를 완전히 포기했더라."

인간으로서의 고 쨩인지 작가로서의 그인지. 단정하는 말을 일부러 피하자 모모카가 조용히 고개를 들었다. 어느덧 붉게 충혈된 눈이 다시 촉촉해지기 시작했다.

귓가에 다마키의 목소리가 되살아난다.

——내가 고 쨩의 이상형이 아닌 것만은 확실해.

——일방통행인 짝사랑이야, 우스꽝스러운 이야기지. 나는 이렇게 사랑하고 있는데.

다마키는 웃으면서 그렇게 말한다.

잠시 후 모모카가 고개를 끄덕였다.

"옛날부터 언니랑 나는 지요다 씨의 소설을 굉장히 좋아했어요. 우리는 엄마 일을 겪으면서 한꺼번에 많은 걸 잃는 바람에 뭘 어떻게 해야 할지 몰랐어. 아빠는 우리가 꼴도 보기 싫다고 하고, 친구를 만나도 너무 조심스러워하는 게 느껴졌거든."

그녀의 담담한 말투에는 단순한 사실을 있는 그대로 전하는 자연스러운 강인함이 있었다.

"그럴 때 나랑 언니는 지요다 씨의 소설을 읽는 게 큰 즐거움이었어. 도서관에 다니며 읽을 수 있는 만큼 전부 찾아서 읽었지. 책방에서 몇 시간씩 서서 읽기도 했는데, 만화나 잡지도 아닌 활자가 가득한 책을 매장에서 끝까지 읽다니 지금 같으면 상상도 못 해. 그것도 지요다 씨의 소설이 아니었으면 그렇게까지 안 했을 거야."

모모카가 눈을 가늘게 뜨며 그윽하게 먼 곳을 바라본다.

"외할머니가 돌아가시고 친척 집에 거두어지고 나서는 특히 더 그랬지. 우리는 용돈을 받아도 미안해서 한 푼도 쓰지 못하고 언젠가 되돌려주기 위해 책상 밑에 보관해 뒀어. 도서관에 읽은 적 없는 지요다 씨의 책이 들어왔을 때는 어찌나 기쁘던지, 그리고 처음으로 지요다 브랜드에 나온 여기——."

모모카가 자신의 앞에 남아 있는 하이츠 오브 오즈의 딸기 파르페를 바라본다.

"'오즈'의 케이크를 먹었을 때는, 믿기지 않게도 홀 케이크 하나를 통째로 둘이서 먹어 치웠어. 그렇게 맛있는 케이크는 태어나 처음이었는데. 과연 고 짱의 케이크야, 하면서 둘이 감격에 겨워했지."

모모카가 미소를 머금었다. 자조하는 느낌도, 웃기는 이야기를 하는 느낌도 없이. 불행을 이야기하는 느낌조차 없이.

"일주일에 한 번 지요다 브랜드의 애니메이션을 보는 게 낙이었어. 지금 생각하면 좀 웃긴데 그걸 보려고 시골 역 대합실까지 다녔지. 집에서는 언니랑 같이 못 보거든."

"대합실이라."

가노의 고향의 시골 역에도 비슷한 장소가 있어 안다. 각각 다른 집에 살았던 자매가 일주일에 한 번 그곳에서 만나는 즐거움. 공공의 TV로 지요다 브랜드를 본다.

"포기했지만 그래도 좋아할걸. 지요다 씨를 존경하고, 실제로 지요다 씨랑 파티에서 만났을 때도 언니가 얼마나 기뻐했는데."

모모카가 고개를 들었다.

"당연히 나 혼자만 알고 있는 줄 알았는데, 가노 씨도 눈치채고 있었구나. 그리고 다른 친구들도."

"응."

가노는 고개를 끄덕였다. 그래서 안타까웠다. 리리아가 '고키의 천사'로, 그런 식으로 그 앞에 내려온 것이. 다마키가 그것을 받아들이기로 결심한 것이.

"파티에서 만났을 때 다마키는 고 짱에 대해 뭐라고?"

"상상한 그대로래."

모모카가 눈물을 삼키면서도 미소를 지었다.

"굉장히 멋있대. 누구야, 그 뉴스 보고 저런 사람이 고 짱이라 실망했다고 한 녀석이. 그렇게 말하면서 씩씩댔어."

(3)

　십 대의 아카바네 다마키의 이야기를 하자. 십 대의 아카바
네 다마키는 죽고 싶었다.

　약속 장소로 향하는 전철 안에서 다마키는 천천히 회상했다.
한낮의 전철에는 승객이 별로 없었다. 겨울 햇살이 진동과 함께
아무도 앉지 않은 의자 위에서 흔들리는 모습을 똑똑히 관찰할
수 있었다. 다마키는 끝자리 금속 기둥에 머리를 기대어 천천히
기억해 냈다.

　도서관이 유일한 즐거움이자 유일한 마음의 안식처였다.
　어머니가 눈앞에서 사라진 다마키는 자신과 여동생이 참으로
가엾다고 생각했다. 이보다 더 불행한 일은 없으니 모두 자신들
에게 상냥하게 대해 주리라 믿었다. 그런데 아니었다. 나쁜 짓
을 한 사람은 규탄받아 마땅하다. 그리고 그 가족도 마찬가지로
규탄받아 마땅하다는 것이다.
　아내가 한 일에 대한 책임감을 견디지 못해 마을에서 도망간
아버지의 소행 또한 결코 칭찬받을 만한 일이 아니다. 부끄러운
부모에게서 태어난 아이들을 어느 누구도 동정하지 않았다.
　어머니는 자신들에게 옷과 액세서리, 장난감과 게임기도 잔
뜩 사 주었다. 원하면 무엇이든 가질 수 있었다. 반 친구들이

매일같이 다마키네 집에 놀러 왔다. 다마키네 집에는 새로 출시된 게임 소프트웨어는 물론 새 장난감 등 없는 것이 없었다. 허영으로 가득한 다마키네 집의 거품이 펑 터진 뒤에는 친구들이 이렇게 말했다. "어머니가 나쁜 짓을 해서 너희 집이 '부자'였던 거구나." 까르르, 까르르 비웃음까지 당했다.

다른 현에 사는 외할머니 집에 살게 되어 전학을 갔을 때는 솔직히 매우 안심했다. 멀리 이사 가자 그 하찮은 사기 사건을 아는 사람도 거의 없고 새 학교에도 평범하게 다닐 수 있었다.

그러나 어제까지 사이좋게 지냈던 친구들이 하룻밤 새에 자신을 웃음거리로 만든 그 기억은 다마키의 가슴속에서 좀처럼 지워지지 않았다. 새 학교에서 생긴 친구에게 다마키는 자기 이야기를 도무지 할 수가 없었다. 웃어도 아무런 지장이 없는 이야기를 하는 것도 지쳐서 서서히 혼자 지내는 일이 많아졌다.

그때 거의 처음으로 도서관을 이용했다. 그 전에는 원하는 것은 전부 어머니가 사 주었기 때문에 책을 빌린 적도 없었다. 다마키가 다닌 외할머니 집 근처의 도서관에는 비디오와 DVD 대여 서비스도 있고, 헤드폰을 끼고 그것을 볼 수 있는 공간도 마련되어 있었다. 닥치는 대로 책을 읽고 영화를 봤다. 다마키의 머리는 스펀지가 물을 흡수하는 속도로 그것들을 소화했다. 작가의 이름이나 분야에 상관없이 그저 정신없이 읽던 어느 날 깨달았다.

문고본도, 노벨스도, 양장본도 어떤 작가의 것을 읽은 뒤에는 마음에 깊은 여운이 남았다. 그저 감동하는 책이 있는가 하면 눈물이 나도록 서글픈 기분이 드는 책도 있었다. 생각하게 하고 계속 고민하게 만드는 책도 있었다. 그것이 해피엔딩, 새드엔딩에 관계없이 책을 다 읽은 뒤의 느낌이 엄청나게 좋았다.

그것을 깨닫고 나서는 그 작가의 이름을 외워 그 사람의 책을 좇기로 했다. 그가 지요다 고키였다. 젊은 작가임에도 불구하고 그의 책은 잔뜩 있었다.

십 대의 다마키의 눈에 도서관은 방대한 열매가 열리는 숲처럼 비쳤다. 그 안에서 가장 좋아하는 것을 찾아냈다. 있는 책은 순서대로 빠짐없이 읽었다. 빌려 와서 동생에게도 읽게 했다.

다마키가 유치원생이었을 때 돌아가신 외할아버지는 도쿄에서 일한 세월이 길어서인지 도회적이고 세련된 사람이었다. 일기 쓰는 것을 좋아해 집에는 그가 사용한 앤티크한 느낌의 미사용 노트가 많이 남아 있었다. 넘기면 눈이 가려워질 만큼 불그죽죽하게 바랜 종이. 메마른 감촉. 외할머니에게 부탁해 그것을 넘겨받은 다마키는 그 무렵부터 이야기를 지어내기 시작했다. 처음에는 좋아하는 작가의 글을 베끼기라도 한 듯한 잡문부터 시작해 조금씩 여러 소재를 섞어 가며 지었다. 그것이 각본이라는 인식은 없었지만 다마키의 글은 지시문 없이 인물의 대화로만 이루어진 형식이었다. 따라서 지금 생각하면 각본을 쓰기 시작한 것은 그 무렵부터라고 할 수 있다.

외할머니 집에서 모모카와 함께 책을 읽고 이야기를 쓰는 나날은 무척 행복했다. 어쩌면 샹들리에처럼 화려한 조명이 빛나던 부모님과 함께했던 그 집에서의 생활보다 더 귀중한 것이었을지도 모른다고 지금은 생각한다.

그러나 재판을 마치고 집행유예로 풀려난 어머니가 외할머니집으로 온 뒤 다마키와 그녀 사이에는 싸움이 끊이지 않았다. 나와 모모카가 무슨 일을 당했는지, 무엇을 잃었는지 아느냐. 나는 절대 당신을 내 어머니로 인정하지 않겠다. 다마키가 독설을 퍼붓자 어머니도 가만히 있지 않았다. 격한 말싸움이 오간 뒤 혼자 안쪽 방에서 울고 있자 외할머니가 와서 몰래 꾸짖었다.

"엄마한테 그런 말 하면 못 쓴단다."

그치만, 하고 다마키가 말대꾸하려 하자 할머니가 방실방실 웃으며 말했다.

"다마 짱은 성격이 강해서 한 번 마음먹은 일은 무조건 실행하는 아이지. 할머니는 다마 짱의 그런 점도 좋아하는데 말이다."

그렇게 머리를 쓰다듬는 주름투성이 손은 만질만질했다. 그 따스함에 꺾여 다마키는 말없이 고개를 끄덕였다. 잘될 리도 없는데 끄덕였다. 세월이 흘러 먼 곳에서 생활하다 보니 어머니의 과거 사건을 아는 사람은 별로 없었다. 어머니는 새 근무처로 동네 슈퍼마켓이나 카페는 거들떠보지도 않고 외할머니 집에서 수십 킬로미터나 떨어진 곳에 있는 백화점 액세서리 매장을 택했다. 아직도 화려한 것이라면 사족을 못 쓰는 어머니에게 다마키는 또다시 심한 말을 했고 외할머니는 달래고 모모카는 울었다. "제발 싸우지 마" 하고 다마키와 어머니, 양쪽에 매달리며 울었다.

외할머니가 따뜻한 밥을 지어 주고 이웃 사람이 맛있는 된장을 나눠 주고 도서관에서는 책을 빌릴 수 있었다. 왜 그런 생활로는 만족을 못 하느냐고 어머니에게 수없이 따졌다. 행복하지 않은가. 그러나 근무처에 걸맞게 몸단장을 해야 한다며 그녀의 소지품에 다시 진주며 다이아몬드 같은 보석이 늘어났다.

어느 날 집에 오니 현관 앞에 빨간불이 깜빡이는 경찰차가 서 있었다. 빙글빙글 돌아가는 불빛이 집 벽을 가로지른다. 그것을 보고 놀라 우뚝 멈춰 선 다마키의 얼굴에도 그 불빛이 사정없이 쏟아진다. 집 앞에는 이웃 사람들이 무슨 일인가 싶어 구경하러 와 있었다.

그중에는 늘 외할머니에게 된장을 나눠 주는 아주머니도 있었다.

다마키의 모습을 발견하고 몇몇이 걱정스러운 시선을 보내왔다. 가엾은 것을 보듯 얼굴을 찡그리기만 할 뿐 아무 말도 하지 않는다.

열려 있는 현관 입구에서 형사 같은 중년 남자에게 이끌려 어머니가 나왔다. 그 뒤에 외할머니가 억장이 무너진 듯 바닥에 주저앉아 있다. 입구 바로 뒷벽에 '화목한 가정' 팻말이 걸린 것이 우스꽝스럽고 참으로 얄궂은 연출이구나 싶어 차라리 웃음을 터뜨리고 싶었다. 웃고 싶은데 얼굴이 괴상하게 굳어져 웃어지지가 않는다. 볼살이 위로 움찔한 직후 다마키는 "아아" 하고 하늘을 우러러봤다.

어머니가 또 저지른 것이다. 경관과 그녀 사이를 연결한 수갑 부분에 황토색 상의가 걸려 있었다. 그것을 걷어 내고 보여주길 바랐다. 결정적인 일이 일어난 것을 나에게 똑똑히 보여주고 내가 포기하게 하길 바랐다.

고개를 든 어머니가 다마키를 발견하고 눈을 부릅떴다. "다마짱" 하고 힘없이 중얼거림과 동시에 순식간에 눈에 눈물이 가득 고였다가 흘러넘쳤다.

"다마 짱, 미안하다."

다마키는 대답하지 않았다. 말없이 어머니를 노려보고 곧장 집 안으로 들어갔다. "할머니!" 할머니는 영혼이 빠져나간 듯 허망한 눈빛으로 바닥에 탈싹 주저앉아 있었다. 정신없이 뛰어가 어깨를 흔드는 다마키를 향해 느릿느릿 고개를 들더니 "아아" 하고 중얼거린다. 그제야 눈에 약하게나마 생기가 깃든다. 그러고는 강하게 말했다.

"아직 늦지 않았잖니? 얼른 가서 엄마와 이야기하고 오렴."

"안 가."

다마키는 외쳤다. 쇳소리에 가까운 소리로. 앞으로 무슨 일이 벌어질지 다마키는 이미 알고 있었다. 그것을 견뎌야 한다. 이번에는 다정한 외할머니까지 끌어들이고 말았다. 놀란 할머니는 다마키를 떼어 내려 했다.

"다녀오렴. 엄마와 이야기하여라."

"안 가, 안 간다고. 저런 사람과는 아무 말도 하고 싶지 않아."

다마키는 외할머니를 있는 힘껏 끌어안으며 소리 질렀다. 우리는 이제 그 친절한 이웃 아주머니에게 된장을 나눠 받지 못하게 되었다. "다마 쨩." 외할머니가 불렀다. 그녀의 눈에서 따뜻한 눈물이 한 줄기 흘러내려 주름과 주름 사이로 쏙 사라진다. 이내 닭똥 같은 눈물이 주룩주룩 흘러넘쳐 외할머니 얼굴이 순식간에 흠뻑 젖었다. 다마키가 매달리는 힘보다 더 세게 손녀의 팔을 되밀었다.

"다녀오렴. 엄마와 이야기해 주렴."

그 후의 일을 신기하게도 다마키는 기억하고 있지 않다. 그때 어떻게 했더라. 현관으로 나가 어머니와 이야기를 했던가. 기억에 선명히 새겨야 하는 장면인데 전혀 생각나지 않는다.

다음으로 생각나는 것은 외할머니가 돌아가신 날의 일이다.

어머니가 체포된 직후의 일이었다. 설국의 겨울은 그렇지 않아도 혹독하다. 그 와중에 외할머니는 감기가 악화되어 병원에 가자 폐렴이라는 진단을 받았다. 그날도 눈이 내리고 있었다. 모모카와 둘이서 병실의 외할머니 곁을 지켰다.

외할머니는 헛소리처럼 어머니 이름과 다마키, 모모카의 이름을 불렀다. 고통스러워하는 외할머니를 보고 이마의 땀을 수건으로 닦으면서 다마키는 진찰하러 오는 의사와 간호사에게 그녀가 환자 중 한 명에 불과하다는 것을 알고 속상했다. 그 밖에 여러 사람, 수많은 폐렴 사례 중 하나가 아니라 이 사람은 내 가족이다. 그렇게 생각하지만 어떤 말로 호소해야 할지 몰랐다.

제발 살려 줬으면. 아니면 어머니가 어쩔 수 없는 거짓말쟁이라 우리는 누구에게도 구원받을 자격이 없는 걸까. 입술을 깨물고 주먹을 쥐고 당장에라도 소리치고 싶은 충동을 꾹 참았다.

착하고 성실하게 살아온 외할머니의 터전까지 침범한 자신의 어머니라는 사람에 관해, 창밖에 소복이 쌓이는 눈을 보면서 생각했다. 외할머니는 몇 번이나 이렇게 말했다.

"사이좋게 지내야지. 다마 짱, 그러면 못 쓴단다."

다마 짱의 그런 점이 좋다고 말해 준 외할머니. 외할머니의 그 한마디가 없었다면 다마키는 견디지 못했을 일이 많았다. "알겠어, 할머니." 그럴 생각이 전혀 없으면서도 다마키는 순순히 대답했다.

유골을 들고 외삼촌이 운전하는 차를 타고 다마키와 모모카는 어머니를 만나러 갔다. 면회실, 유리 한 장이 가로막는 곳에서 보는 어머니는 그야말로 화려함을 통째로 잃은, 생기 없는 빈 껍데기였다. 보자기에 싸인 외할머니의 유골을 유리 앞에 놓고 다마키는 어머니를 저주했다. 당신 탓이라면서.

당신 때문에 할머니가 돌아가셨어. 할머니가 살아온 터전을 당신이 짓밟았어. 당신은 사람도 아니야.

어머니를 만난 것은 그때가 마지막이었다.

(4)

외할머니가 돌아가신 뒤 다마키는 모모카와도 떨어져 지내야 했다. 친척 집에서 자신들을 한 명씩 거둔 것이다. 어머니의 남동생인 외삼촌 집에는 모모카가, 다마키는 더 먼 친척인 어머니의 외사촌 집에서 살게 되었다.

두 가정은 졸지에 무거운 짐을 떠맡게 되었는데도 자신들을 따뜻하게 품어 주었다. 그럴 때마다 다마키와 모모카는 죄스럽고 염치없다는 생각에 몸 둘 바를 몰랐다. 양심의 가책을 받았다. 용돈을 받아도 거의 쓰지 못했다.

환경과 학교가 바뀌어도 즐거움의 본질은 바뀌지 않았다. 다마키의 즐거움은 도서관에 다니며 책을 읽는 것, 외할아버지가 남긴 일기장에 각본을 쓰는 것. 그리고 이번에는 모모카를 만나는 것이 추가된 정도.

그러나 다마키가 새로 이사한 집에서 다닐 수 있는 거리의 도서관은 장서가 빈약하고 희망하는 책도 거의 없었다. 지요다 고키의 책도 네다섯 권밖에 없음은 물론 비디오와 DVD 시청 서비스는 당치도 않다. 외할머니 집이 더 시골이었는데, 도서관의 질은 도시인지 아닌지에 관계없다는 것을 그때 배웠다. 그런데도 계속 도서관에 다니는 사이 다마키는 여성 사서와 친해졌다.

"예산이 거의 없어서 새 학술서를 구입하는 것만 해도 벅차. 장서를 구비하는 것까지는 힘든 상황이야."

사서가 안타깝다는 듯이 가르쳐 주었다. 지요다 브랜드는 중요도가 높지 않은 책으로 분류될까. 그래서 예산을 사용하는 데 순위가 뒤로 밀리는 걸지도 모른다. 게다가 그런 사건까지 있었으니. 그 사서는 친절한 사람이었지만 그런 그녀조차 순진한 목소리로 이렇게 말했다.

"아카바네 씨가 좋아하는 책은 뉴스에서 한참 시끄러웠던 그 살인 이야기지? 재미있니?"

무척 재미있어요, 하고 다마키는 대답했다. 묘하게 서글픈 기분을 느끼며 그렇게 대답하는 것이 고작이었다.

모모카에게 부탁해 그 동네 도서관에서 지요다 브랜드를 빌리기도 하지만, 그곳은 반대로 인기가 높아 대기를 해야 한다.

"언니, 미안해."

찔끔찔끔 구간을 빌려 오면서 사과하는 모모카에게 "아냐, 미안해하지 마" 하고 고마운 마음을 전한다. 그의 신간을 거의 읽지 못해 우울해하던 어느 날 도서관에 가서 깜짝 놀랐다.

그곳에 지요다 브랜드가 거의 전부 꽂혀 있었다. 신간도 전부. 외할머니네에서도 읽지 못했던 단편집까지 몽땅 갖추어져 있었다. 놀라서 책장 앞에 우뚝 서 있자 그 여성 사서가 달려와 가르쳐 주었다.

"예산을 탈탈 털어 쓸 각오로 저질렀어. 아카바네 씨처럼 도서관에 열심히 다니는 학생은 없으니 앞으로는 가급적 신간도 구입해 줄게."

"정말이에요?"

절로 떨리는 목소리가 나와 다마키는 살짝 놀랐다. 눈앞의 이 친절한 언니는 어쩌면 사비를 털었을지도 모른다. "고맙습니다!" 하고 코가 땅에 닿도록 인사했다. 그녀는 웃으며 "너무 그러지 마" 하고 가볍게 말했지만, 다마키는 기뻐서 견딜 수가 없었다. 인간을 혐오하는 지경까지는 가지 않을 것 같아, 하고 과장되지 않은 현실적인 감각으로 몇 번이나 생각했다.

어머니가 형기를 마치고 출소해도 다마키는 만나지 않았다. 그녀가 모모카와 살고 싶다는 말을 했다는 것을 듣고 외삼촌을 통해 펄펄 뛰며 반대했을 뿐이다. 어머니는 외삼촌 집 근처에서 혼자 살기 시작했다. 슈퍼마켓에서 파트타임으로 일한다는 소식을 듣고 "흐음" 하고 싱겁게 반응했다.

그 후 어머니가 돌아가실 때까지 다마키는 그녀를 한 번도 만나지 않았다. 딱 한 번 모모카의 간청으로 그녀의 생일 선물을 사는 데 아르바이트 비를 보탠 적이 있다.

어머니의 45세 생일.

같이 선물을 준비하자, 용서해 주자고 조르는 동생 때문에 다마키는 복잡한 심경이었다. 용서할 생각은 전혀 없었다. 아마 평생 그럴 테지만 동생이 어머니를 위해 얼마 되지도 않는 용돈을 쓴다고 생각하니 안쓰러워 견딜 수가 없었다. 수없이 고민하다 어머니에게 비밀로 하면 돈을 보태겠다고 했다.

이 제안에 이번에는 모모카가 고민하고 망설이는 듯했지만 언니가 간접적이기는 해도 어머니 일에 관여한 것을 좋게 판단한 모양이다. 동생은 어머니에게 선물을 사 주겠다며 어머니와 둘이서 생일 기념 식사를 하러 외출했다. 돌아온 동생에게 전화로 물었다. 어머니에게 뭘 사 주었느냐고. 모모카는 대답했다.

"재활용품점에서 청소기 샀어."

놀란 다마키는 얼른 말을 잇지 못했다. 잠자코 있자 모모카는 대수롭지 않게 "왜 그래?" 하고 멀뚱히 물었다.

"뭘 갖고 싶으냐고 물었더니 지금 사용하는 청소기가 할머니네 집에서 가져온 옛날 거라 상태가 나쁘다며 새 물건이 필요하다고 하더라. 엄마가 좀 쑥스러워했어."

한심하게도 다마키는 고작 그런 일로 어머니의 목소리와 얼굴을 떠올리고 말았다. 도저히 가만히 있을 수가 없어서 몰래 그녀의 집 앞까지 찾아간 것이다. 다마키가 부모님과 살았던 하얀 집에서는 청소는 가사도우미나 업자가 도맡아서 했다. 외할머니 집에서는 외할머니와 다마키 자매가 함께 했다. 어머니는 누가 청소를 하든 상관없이 머리와 화장을 꼼꼼히 체크하느라 거울 앞에 꼼짝 않고 붙어 있었다. 그랬던 어머니가 내가 낸 돈으로 청소기를 택했다. 보석도 옷도 아닌. 그 사람이 그런 것을 택하다니.

만날 생각은 털끝만큼도 없었다. 그저 충동에 휩쓸렸을 뿐이다. 어디 사는지 정말 그곳에 있는지 보고 싶었다. 빌라 앞에서 어느 집이 그녀의 집인지 보는 것만으로 충분했다.

모모카가 가르쳐 준 주소지의 빌라 앞에 거주자들의 쓰레기장이 있었다. 그곳에 정말 구식의 빨갛고 지저분한 청소기가 버려진 것을 보고 다마키는 얼굴을 싸안고 숨을 삼켰다. 외할머니 집에서 사용한, 낯익은 것이었다. 고개를 들고 어머니가 사는 것으로 여겨지는 집을 바라봤다. 노랗게 불 밝혀진 창문. 어머니는 저기서 이 청소기를 사용해 왔다.

창문을 올려다보는 사이 시야의 노란 불빛이 점점 번지고 흔들리는 바람에 다마키는 황급히 눈을 쓱쓱 비볐다. 나는 우는 게 아니야. 자신에게 그렇게 말하며 건물을 뒤로 하고 달렸다. 빨리, 빌라가 보이지 않는 곳까지 달려가고 싶었다. 그렇게 하지 않으면 자신이 어떻게 될지 몰랐다.

몇 년 뒤 어머니가 죽고 장례식을 할 때 모모카가 알려 주었다.

"언니, 화내기 없기" 하고 운을 떼고 말했다. 모모카는 어머니에게 알렸다. 그해 생일 선물은 다마키가 아르바이트해서 번 돈으로 샀다는 것을. 그녀는 죽기 얼마 전까지 그것을 '다마 짱이 사 준 청소기'라고 부르며 사용했다는 것을.

"화 안 내" 하고 다마키는 대답했다. "화 안 내, 모모카." 미소를 머금고, 그러나 손에 든 손수건이 주름투성이가 되도록 꽉 움켜쥐었다. 그 힘을 조금이라도 빼면 어떻게 될지 몰랐다. 그 날과 마찬가지로.

(5)

'지요다 고키의 소설 때문에 일어난 비극'이라 불리는 그 사건 뒤, 사태는 서서히 수습되고 그 일환으로 그의 TV 애니메이션 방영이 재개되었다.

그 소식은 다마키에게 매우 반가운 것이었다. 게다가 이번에는 기존 애니메이션에 더해 그의 새로운 애니메이션 시리즈도 시작된다. 한 시간이 통째로 지요다 브랜드 시간이 되는 것이다. 하지만 기쁜 것도 잠시 정작 다마키는 그것을 보지 못하게 될 것 같았다.

그 무렵 다마키는 친척들 보기가 미안해서 하교 직후 저녁 늦게까지 아르바이트를 하거나 도서관과 주민회관 툇마루에 앉아 책을 읽었다. 일주일에 한 번은 모모카를 만나러 전철 여행에 나섰다.

집에 있는 시간을 최대한 줄이기 위한 변명으로 동아리 활동을 하느라 늦어진다고 했다. 지요다 브랜드 방송 시간에는 집에 없는 것이 보통이고 솔직히 TV 애니메이션을 보여 달라고 말하기도 민망했다. 그래도 뭐, 괜찮다. 고 짱의 소설이 좋은 것이니 애니메이션은 딱히 보지 않아도.

그렇게 생각한 어느 날 평소 모모카와 만나기로 한 역의 작은 대합실에 TV가 설치되었다. 이용객이 적은 쓸쓸한 역. 모처럼 TV가 설치되었는데도 전원은 꺼진 상태였다. 벤치에서 툭 튀어나온 커다란 TV를 앞에 두고 다마키는 뛸 듯이 기뻤다. 강한 척, 괜히 허세를 부리는 것이었을 뿐 실은 이것이 못 견디도록 보고 싶었던 것이다. 그 진심 앞에 솔직해졌다.

모모카와 둘이서 방송 시간이 되어 오프닝이 나오는 것을 본 순간 꺄악 하고 환성을 질렀다. 겨우 이 정도로 신나고 흥겨워하다니 나도 참 어처구니없는 사람이네, 하고 생각했다. 그런데도 흥분되는 기분을 억누를 수가 없었다.

그러던 어느 날 크리스마스이브였다.

그날은 모모카가 사는 동네의 역 앞에서 만나기로 했다. 두 집 모두 크리스마스 파티에 자매를 초대해 주었다. 어느 한 집에서 자매가 함께 시간을 보내도 된다고 말해 주었다. 그 친절함이 고마웠지만 자매의, 특히 다마키의 마음에는 아무리 씻어도 지워지지 않는 죄책감이 끼어 있어 사양하고 물러났다. 모모카는 어머니 집에서 셋이 함께 크리스마스이브를 보내길 희망했지만 다마키는 그것도 완강히 거부했다. 모모카는 결국 다마키와 둘이서 보내는 것을 선택해 주었다.

그날은 모모카의 동네에 있는 패밀리레스토랑에 갈 작정이었다. 이날만큼은 제대로 전철을 타고 그곳에서 함께 케이크를 먹기로 약속했다.

아르바이트를 마치고 간 탓에 시간이 꽤 늦었다. 역 앞에는 다마키 같은 고등학생의 모습은 거의 없었다. 어쩌다 전철에서 내려도 부모로 보이는 사람이 차로 데리러 와 함께 사라졌다. 케이크나 선물 꾸러미를 품에 안은 회사원이 이따금 눈앞을 가로질렀다.

다마키는 자신이 토해 내는 하얀 입김 너머로 그 모습들을 지켜보며 동생을 기다렸다. 잠시 후 모모카가 달음박질을 하며 나타났다. 몸보다 마음이 앞서서인지 다리가 꼬이면서 앞으로 엎어지려는 찰나 가까스로 중심을 잡았다.

"언니!"

저 멀리서 자신을 부르는 동생의 뺨과 귀가 새빨갛게 상기되어 있었다. 그것은 살을 에는 듯한 겨울 추위 때문만은 아닌 듯했다. 그녀는 흥분한 상태였다. 울음이 터질 듯한 얼굴로 부르짖었다.

"언니, 언니!"

"모모카, 무슨——."

무슨 일이야?

그렇게 물으려다 목구멍 중간에 목소리가 걸려 나오지 않았다. 모모카가 두 손으로 어떤 상자를 단단히 안고 있다. 그것이 보였기 때문이다.

'heights of OZ'.

보라색 바탕에 에메랄드빛 글자. 하이츠 오브 오즈. 눈을 동 그랗게 뜨는 다마키 앞으로 모모카는 두 팔을 쭉 뻗어 상자를 내밀며 달려온다. 열심히, 서둘러서.

"언니, 언니, 방금──."

"모모카, 그거 어디서 났어?"

다마키는 숨을 헐떡이며 다가온 동생, 그녀가 두 팔에 품 은 상자를 멍하니 바라봤다. 믿을 수가 없었다. 하이츠 오브 오 즈. 그 이름은 다마키의 가슴속에서 특별한 의미를 지닌다. 보 통은 아무도 신경 쓰지 않을 것이다. 어쩌면 이 근처 반경 수 킬로미터 이내에 이것이 얼마나 굉장한지 아는 사람은 전무할 수도 있다. 그러나 다마키는 아니다.

"방금, 저기서, 남은 거, 받았어."

숨을 고를 새도 없이 모모카가 입김을 토하는 동시에 말했 다. 띄엄띄엄 말한다. 코끝이 빨갛고 눈이 촉촉이 젖어 있었다.

"저기, 편의점 앞에. 산타 옷 입은, 점원이, 이거, 떨어뜨린 거라면서, 어차피 몇 시간만 지나면, 크리스마스이브도 끝나고, 할인해서 팔아야 한다며, 줬어."

어떻게 해야 할지 모르겠다는 듯 모모카가 어금니를 악물고 서 있었다. 이내 다마키에게 상자를 내밀며 콧물을 훌쩍인다.

"점장한테, 떨어뜨린 거 들키면, 혼난다면서. 나더러 가져가 라고."

모모카의 말이 끝나기도 전에 다마키는 상자를 열었다.

초콜릿 홀 케이크. 케이크 둘레에는 장미꽃 모양 크림이 예쁘게 장식되어 있다. 케이크 한가운데에는 초콜릿 집과 '메리 크리스마스' 플레이트가 장식되어 있는데, 떨어뜨려서인지 위치가 조금 밀려나 있었다.

다마키는 고개를 들고 모모카를 붙잡고 물었다.

"그 점원, 아직 있을까?"

"있을걸."

모모카가 고개를 끄덕했다. 생각보다 먼저 몸이 움직였다. 다마키는 "여기서 기다려" 하고 외치며 냅다 뛰었다. "언니!" 뒤에서 들려오는 목소리를 들으며 정신없이 내달렸다.

이 근처 편의점이라면 아마 그곳일 것이다. 역 앞 도로변, 주차장이 넓은 그곳. 달리면서 손목시계를 봤다. 21시 30분. 앞으로 몇 시간만 있으면 이브가 끝난다. 고급스러운 케이크에는 보존료를 쓰지 않을 테니 유통기한은 딱 하루일 것이다.

편의점 간판이 보였다. 바짝바짝 애가 탄다. 저 편의점 앞을 지날 때 모모카는 고개를 푹 숙이고 있었을 것이다. 언니, 그리고 어머니와 한 집에서 살지 못하는 것, 오늘 밤을 셋이 함께 보내지 못하는 것을 속상해하며 고개를 숙이고 어떻게든 견뎠을 것이다. 그 모습이 점원의 눈에 띄었을지도 모른다. 그래서 떨어진 케이크를 나눠 주었을지도 모른다. 그렇게 생각하자 모모카가 안쓰러워 견딜 수가 없었다.

모퉁이를 돌자 편의점의 눈부신 불빛이 시야에 들어왔다. 입구에서 조금 떨어져 있는 주차장 끝에 모모카가 말한 대로 산타클로스가 있었다.

더 이상 팔리지 않는다고 판단했을까. 그는 방금 다마키가 보고 온 보라색 바탕에 에메랄드빛 로고가 들어간 하이츠 오브 오즈 상자를 정리하고 있었다.

"저기요!"

다마키는 가까이 가서 큰 소리로 말했다. 조금 전 자신에게 달려온 모모카처럼 숨이 차서 쉰 목소리가 나왔다.

산타가 천천히 돌아봤다. 의아해하는 눈초리로 다마키를 보더니 눈을 두 번 깜빡였다. 붉은 모자 끝의 흰 방울 술. 그것과 똑같은 색의 솜으로 만들어진 수염에 얼굴의 반이 가려져 있었다. 잠시 머뭇거린 뒤 그가 말했다.

"……무슨?"

산타 수염 때문에 말하기 불편한 듯했다. 어쩌면 추운 날씨 탓에 감기에 걸렸는지 말하기 힘들다는 목소리였다.

"실례합니다."

대답하는 다마키의 목소리는 흥분과 감격으로 떨리고 있었다. 그야말로 자신이 한심스러울 만큼. 이 떨림을 억누르지 못하는 스스로가 놀라울 만큼.

"방금 제 동생이, 이 케이크를, 받았는데요. 떨어뜨린, 거요."

말하면서 만약 이 사람이 그 사람이 아니면 어쩌나 하는 불

안한 생각이 머리를 스쳤다. 떨어뜨렸다는 것을 들키지 않기 위
해 모모카에게 주었건만, 괜히 찾아와서 은혜를 원수로 갚게 되
면 어떡하지? 그렇게 걱정하고 있는데, 그가 "아아" 하고 고개
를 끄덕였다. 수염 위의 눈을 가늘게 뜨고 고개를 숙인다.

"아아, 아까 그."

다마키를 흘끗 본다.

"저기."

그의 입장에서 이 어색함은 아무것도 아니리라. 그가 다시
케이크 판매대 철수 작업을 하기 시작했다. 이것은 내 문제일
뿐, 눈앞의 이 사람에게는 우스꽝스러워 보이기 짝이 없을 것이
다. 그렇게 생각하면서도 도저히 가만히 있을 수가 없었다. 다
마키는 코가 땅에 닿도록 머리를 숙이고 단숨에 말했다.

"고맙습니다. 제가——, 제가, 여기 케이크를, 정말 좋아합니
다."

그가 작업하던 손을 멈추고 다마키를 돌아봤다. 그가 당황하
는 것이 눈에 보였지만 그래도 꼭 말하고 싶었다. 평생 이 케이
크와는 인연이 없을 줄 알았다. 기쁨과 흥분, 지금 그에게 감사
의 말을 전하는 의미, 소리쳐 말하는 의미. 비록 그가 전혀 이
해하지 못하더라도 다마키는 필사적이었다. 당장에라도 울음이
터져 나올 것만 같았다.

"굉장히, 기뻤어요. 고맙습니다."

한 번으로는 부족할지도 모른다. 최대한 정확히 감사의 뜻을

전하고 싶어서 거듭 말했다. 아니나 다를까 그가 주변을 의식한 듯 허둥대기 시작했다.

"괜찮다는데도 그러네."

목구멍이 몹시 뜨거웠다. 계속 서 있는 다마키를 보며 그가 미간을 찌푸렸다. 점장에게 들킬까 봐 걱정되는 것이리라. 편의점 입구가 신경 쓰이는지 그가 연신 그곳을 흘깃거렸다.

"그보다 곧 유통기한 지날 테니 빨리 먹어."

"네."

아직 다 말하지 못했다. 들어 주길 바랐다. 아무런 관심도 없고, 그것이 무엇인지 어떤 의미가 있는지 모를 이 사람이라도 좋으니 다마키는 자기 안에 있는 이 의미와 스토리를 알아주기를 바랐다.

나에게는 이렇게 기쁜 일이 있다. 나에게는 그만큼 좋아하는 것이, 좋아하는 사람이, 있다.

그 충동을 억누르고 다시 한번 최대한 냉정한 목소리로 감사 인사를 했다. 산타는 별 관심 없다는 듯 턱을 당겨 가볍게 끄덕일 뿐이었다.

역으로 돌아가자 모모카가 대합실에서 케이크 상자를 옆에 놓고 앉아 있었다. "감사 인사를 하고 왔어" 하고 말하자 그녀는 응, 하고 고개를 끄덕였다. "나도 인사했는데." 서로 마주 보고 소리 없이 웃었다. 우리는 정말 우스워. 바보 같아.

패밀리레스토랑은 가지 않기로 했다. 곧장 역 매점에서 플라

스틱 포크와 캔 커피를 샀다. 완전한 밤의 시간대에 접어든 역에 오는 사람은 거의 없었다. 역 플랫폼과 로터리에서 불어오는 찬바람을 맞아, 캔 커피를 마시는 입이 순식간에 금속의 온도로 식어 간다. 하지만 다마키와 모모카는 그곳을 떠나고 싶지 않았다.

정신없이 케이크를 먹었다.

정말 맛있는 크림은 먹고 또 먹어도 질리지 않겠구나 하고 생각했다. 촉촉한 스펀지 생지는 다마키가 이제껏 먹어 온 디저트와 달리 입에서 살살 녹을 만큼 부드러운 것이 마치 차원이 다른 음식 같았다. 한 입 먹을 때마다 놀라움을 자아냈다. 이 케이크를 가장 좋아한다는 지요다 브랜드의 그 캐릭터. 그리고 작가 지요다 고키.

역 앞의 파출소에서 자전거를 타고 나온 경찰관이 다마키 자매를 보고 기겁을 하며 눈을 휘둥그렇게 떴다. 그러고는 뭘 하느냐고 물었다.

"밤늦게 뭐 하는 거니? 위험하니 집에 가려무나."

"이거 다 먹으면 갈게요. 죄송합니다. 정말 다 먹기만 하면 집에 갈 거예요."

이것만으로 만족스럽거든요, 하고 속으로 덧붙이자 그는 수상쩍은 눈길로 다마키 자매를 본 뒤 "다음 순찰을 돌 때까지는 집에 가야 한다" 하고 눈감아 주었다.

맛있다, 하고 감탄하며 먹었다. 이상하게 보여도 상관없다는 마음으로 둘이서 정신없이 포크질을 했다. 달콤한 크림을 삼키면서 문득 결정적인 순간이 찾아왔다. 닭똥 같은 눈물을 뚝뚝 흘리며 다마키가 울기 시작한 것이다.

맛있다.

이렇게 맛있는 것을 평소에 즐겨 먹는 지요다 고키라는 작가는 나와는 참 다른 사람이겠구나. 먼 존재이겠구나. 그것을 통감하고 스스로가 창피해서 다마키는 울음을 터뜨렸다. 괴로운 나머지 숨이 막혔다. 더는 참을 수가 없었다.

코가 막혀 숨을 쉴 수 없게 되고 케이크도 입속에서 눈물과 섞여 따뜻하게 뭉개진다. 그런데도 다마키는 케이크를 떠먹는 손을 멈추지 않았다. 기쁜지 슬픈지도 알지 못했다. 정말 자신의 마음을 알 수 없었다.

돌연 격하게 오열하기 시작한 다마키 앞에서 모모카는 아무 말도 하지 않았다. 그저 똑같이 울고 싶은 얼굴을 하고 언니 옆에서 케이크를 먹었다.

왜 이렇게 다를까. 어떻게 하면 이 창피함과 한심함을 없앨 수 있을까.

그리고 둘이서 케이크 하나를 남김없이 먹어 치운 그때 다마키는 결심했다. 평생을 걸어서라도 이루고 싶은 확고한 목표가 생겼다.

그를 따라잡고 싶다.

그리고 갑작스러운 번뜩임처럼, 고 쨩을 둘러싼 그 참혹한 사건이 있었을 때 폭풍을 가라앉힌 것이 무엇이었는지를 떠올린 것이다.

처참하고 잔혹하고 선정적인 그 참극의 보도를 지워 없애고 세간의 뜨거운 관심을 받은 사상 최초의 쾌거. 일본인 배우가 미국 아카데미상 남우 주연상을 수상한 일. 그 배우도 스캔들이 많았음에도 불구하고 세간의 시선은 그 일을 찬사로 맞이했다. 애국심 넘치고 그것에 집착하는 마음이 그렇게 시킨 것이 틀림없다. 같은 일본인이 해외에서 공적을 올린 일인 것이다.

영화 각본을 써서 아카데미상을 받자.

단순히 그런 생각이 들었다.

버팀목이 없었더라면 오늘날까지 살아오지 못했을 것이다. 그런 것이 버팀목이라니 한심하게 여기는 사람도 있으리라. 하지만 그것이 있다는 것이 얼마나 행복한 일인지를 다마키는 안다.

그렇게 '지요다 고키의 소설 때문에 사람이 죽은 비극'을 개탄하고 비난한 사람들을 나는 절대 잊지 않겠다. 그 사람들 앞에서 오스카상을 거머쥐면서 말할 것이다.

"나는 지요다 고키를 읽고 그것을 버팀목으로 살아왔습니다" 하고.

돌이켜 생각하면 너무 단순하고 충동적이라 실소가 나오는 결심이다. 하지만 그것은 지금도 아카바네 다마키를 뒷받침하고 있다. 아무리 무모해도, 그것이 정말 무모하다고 생각한 순간 자신은 지고 만다. 절대 양보해서는 안 되는 스스로에 대한 쐐기인 것이다.

그렇게 케이크를 먹은 몇 년 뒤 고등학교를 졸업함과 동시에 다마키는 외할머니가, 외할아버지가 일하던 도쿄의 여관을 다마키와 모모카에게 물려주었다는 것을 알게 되었다. 어머니가 한 일 때문에 한때는 처분 직전까지 갔다고 하지만, "다마 짱이 살고 싶어 할 수도 있잖니" 하고 버텨 주었다. "그 애는 할아버지를 닮아서 글 쓰는 것을 좋아하니 언젠가 도쿄에서 일하게 될지도 모르겠구나" 하고. 법률상으로도 빈틈없이 다마키의 집으로 해 주었다.

약속 장소로 향하는 전철 안에서 다마키는 천천히 눈을 떴다.

겨울의 희미한 햇살이 이마를 가만히 어루만진다. 따뜻했다. 금속 기둥에서 머리를 떼고 눈을 깜빡였다. 역 이름을 알려 주는 안내 방송 목소리에 숨을 들이마시고 일어섰다.

약속한 가게 안쪽 자리에서는 그가 벌써 혼자 커피를 마시고 있었다.

두꺼운 서류 다발을 손에 들고, 테이블 위에는 그것을 고정하기 위한 집게와 빨간 펜, 노란색 형광펜. 폴더를 펼쳐 놓은 휴대폰 윗부분이 뭔가 데이터를 수신하는지 빛이 깜빡이고 있다.

겨우 몇십 분 기다리는 시간이 아까운 것이리라. 어떤 때라도 그는 일하는 데 필요한 도구를 잊지 않고 챙겨 다닌다. 그 모습이 자신과 닮아 보여 다마키는 이따금 섬뜩한 공감을 느낀다.

"오래 기다리게 해서 미안. 구로키 씨."

그가 고개를 들었다. 안경 속 눈을 가늘게 뜨고 "아니, 나도 방금 왔네" 하고 빤히 들여다보이는 거짓말을 한다. 그는 말 한 마디를 해도 결코 허투루 하는 법이 없다. 바쁜 나를 기다리게 했지만 너그럽게 용서한다는 자세. 말로는 아니라면서 다마키가 오자 기다렸다는 듯이 대놓고 압박을 가하고 있다.

"사과의 뜻이라기엔 좀 그렇지만 여기는 내가 낼게. 불러내서 미안해."

"상관없어. 다마키는 뭘로 주문하겠나?"

"구로키 씨랑 똑같이 따뜻한 커피."

다마키는 코트를 벗어 의자 등받이에 걸었다. 물을 가져온 종업원에게 주문을 하자마자 그가 "그래서?" 하고 물었다. 미소 띤 얼굴로.

"용건은?"

"의논하고 싶어. 의제는 최근 지요다 고키의 소설을 판매하는 방식에 관해."

다마키가 미소를 보이며 대답하자 구로키가 한층 더 우아하게 생긋 미소를 지었다. 그러고는 말했다. "매우 흥미롭군." 그가 자세를 가다듬고 읽고 있던 서류를 정리했다. 이 사람은 언제까지 공격 태세를 풀지 않으려는 걸까. 테이블 한쪽으로 치워진 종이 위에 '다크웰'과 '미키나가 마이' 이름이 보였다. 최신호 원고를 체크 중이었던 모양이다.

"그럼 묻겠는데, 뭘 원하지?"

"제안할 게 있어. 작작 좀 하고 이쯤에서 끝내. 오늘은 교환 조건을 가져왔어. 구로키 씨한테도 손해 볼 것 없는 이야기야."

"한데 득 될 것도 없지. 아닌가?"

미소 짓는 구로키에게 다마키도 웃어 보였다.

"조건을 받아들이지 않으면 죄다 까발릴 거야. 경쟁사에도, 저속한 서브컬처 잡지에도, 당신이 예뻐하는 다른 작가들한테도 몽땅 다."

몇 달 전 리서치 회사에서 받은 조사표. 그 결과를 가방에서 꺼내 테이블 위로 툭 던졌다. 구로키가 그것을 흘끗 본 뒤 얼굴색 하나 변하지 않고 다마키를 올려다봤다.

"무슨 권리로 나한테 그런 제안을 하나?"

그의 눈에는 웃음기가 없었다.

"권리야 있지."

다마키는 또박또박 대답했다.

"나는 지요다 고키의 팬이거든."

제11장

구로키 사토시는
창작한다

(1)

아시자와에게 전화해 제안을 거절하겠다고 전하자, 그녀는 아쉽다는 듯 "그렇군요" 하고 숨을 토했다. 휴대폰을 쥔 스미레의 손가락이 어색하게 굳어 있었다.

"모리나가 씨의 그림을 받을 수 있을 줄 알고 기대했는데 아쉽군요."

"죄송하지만."

자신이 포기하려는 것의 크기를 생각하면 몸이 덜덜 떨릴 것 같다. 이번 기회를 놓치면 다시는 오지 않는다. 그런 것쯤은 안다. 진저리 칠 만큼 누구보다 잘 안다.

"제 힘으로는 아시자와 씨의 기대에 못 미칠 거예요. 모처럼 제안해 주셨는데 정말 죄송합니다."

사과한 뒤 아시자와의 대답을 기다렸다가 전화를 끊었다. 제 입으로 거절했으면서 한 번은 붙잡아 주었으면 하는 마음이 들었다. 염치없는 기대를 하는 자신이 한심했다.

전화를 끊고 휴대폰을 책상에 내려놓았다. 이제 어떡하지? 시야 끝, 방 안쪽에 둔 그림 도구. 어쩌면 좋아. 저 짐을 혼자 꾸려 밖으로 나르려면 무척 힘들 것이다.

벽시계를 올려다봤다. 슬슬 아르바이트를 하러 갈 시간이다. 생각하면 이번에는 그쪽이 우울해진다. 아무것도 하고 싶지 않다. 일할 수가 없다. 이 얼굴을 보면 분명 들킬 것이다. 모두가 알아차릴 것이다.

——내가 없는 사이에 짐을 전부 정리해 뒀으면 해.

어젯밤 그의 목소리가 갑자기 되살아나 그 싸늘함에 몸이 얼어붙을 것 같다.

——그만 헤어져.

왜 그런 말을 했을까. 자신이 정말 그랬다니 믿기지 않는다.

여느 때와 다름없는 싸움. 여느 때와 다름없는 패턴. 그가 억지를 부리며 의심하고 독설을 퍼부으면 서운한 스미레는 눈물을 흘린다. 그 일련의 과정 중 일부를 스미레가 멈춘 것이다.

그는 믿을 수 없다는 듯 눈을 부릅떴다. 그러나 이내 여유를 부리듯 코웃음을 쳤다.

새 자극의 패턴. 매너리즘화된 싸움의 의식에 새로운 일부분이 추가되었을 뿐이라는 것. 그가 생각하는 그 여유가, 보고 싶지 않은데도 눈에 보인다.

그는 하룻밤 밖에 나가 있을 테니 그사이에 나가라고 했다.

눈물로 밤을 지새운 것도 모자라 아침이 되어서도 울었다. 이것이 그가 생각하는 새 패턴에 불과한지, 자신은 어떻게 하고 싶은지. 스미레는 알지 못했다.

여기서 나가도 갈 곳이 없다.

오늘 아르바이트 근무 시간은 저녁부터 밤에 문 닫을 때까지. 그는 오늘 쉬는 날이라 영화관에서는 얼굴을 마주하지 않아도 된다.

짐을 전부 정리하는 것은 도저히 불가능하다. 힘이 들어가지 않는 팔로 이런저런 물건을 그림 도구 주변과 방구석에 느릿느릿 쌓아 올리고 '나중에 가지러 올게' 하고 메모를 남겼다. 오늘 아르바이트가 끝나고 나면 자신은 또 이곳으로 돌아오겠지, 하고 둔한 감각으로 확신한다. 그렇게 생각하자 자조 섞인 웃음이 흘러나왔다.

나는, 엄청나게, 꼴사납다.

아시자와가 영화관을 찾아온 것은 그날 밤이었다.

마지막 회차 영화가 상영 중일 때 통로에 대걸레질을 하고 있자, 직원이 "모리나가 씨, 잠깐" 하고 불렀다. 오늘은 어떤 주의를 주려는 걸까 긴장하면서 "네" 하고 대답하며 서둘러 입구 쪽으로 갔다. 그러자 그곳에 아시자와가 서 있었다.

"안녕하세요."

무늬 없는 셔츠에 찢어진 부츠 컷 청바지. 얼마 전 그룹전에서 봤을 때보다 더 편안한 스타일이었다. 일을 마치고 집에 가는 길일까. 카메라 장비가 들어갈 만한 커다란 가방을 어깨에 메고 있다. 그녀가 스미레를 향해 명랑하게 웃는다.

"갑자기 찾아와서 죄송해요."

"아시자와 씨."

놀라서 어안이 벙벙한 목소리로 부르자, 그녀가 가볍게 머리를 숙였다.

"아카바네 씨한테 물었더니 집에 가는 것보다 근무지로 가는 편이 좋다고 하더군요. 그래서 여기로 찾아왔습니다. 만나서 다행이에요."

"저기, 저는……."

"마지막 회차가 끝난 뒤 영사기를 좀 쓰고 싶다고 하시네."

허둥대는 스미레 옆에서 직원이 끼어들었다. 언짢은 듯이 영사실 방향으로 턱짓을 한다.

"허락해 주셔서 감사합니다."

그의 거만한 태도에도 아시자와는 동요하지 않았다. 부드러운 미소를 머금고 스미레를 향해 돌아선다.

"모리나가 씨에게 보여 드릴 것이 있어요. 오래 걸리지는 않을 겁니다."

"모리나가 씨를 소개해 준 사람은 아카바네 씨인데, 정작 제가 일을 의뢰하러 가겠다고 했는데도 그녀가 자리를 세팅해 주지 않더군요. 그냥 연락처만 알려 주면서 받을 때까지 계속 걸어 달라고 했어요."

아시자와가 영사기를 세팅하며 스미레에게 설명했다.

"처음에는 깜짝 놀라게 하려고 그런 줄 알았어요. 자신을 통하지 않고 제가 직접 일 이야기를 하면 모리나가 씨의 기쁨이 두 배가 된다고 계산했을지도 모른다고요. 워낙 아카바네 씨가 그런 연출을 좋아하니까요."

아시자와가 가방을 열어 정사각형 케이스를 꺼냈다. 스미레는 케이스의 디자인을 본 순간 아, 하고 생각했다. 마사요시 방에서 여러 번 본 적이 있는 영화용 필름 케이스. 녹색과 검은색이 반씩 들어간 디자인은 그가 사용하던 것과 똑같은 브랜드의 것이다.

케이스 위에는 매직으로 '아카바네 다마키, 작가와 화가'라고 쓰여 있었다.

"괜한 일일지도 모릅니다. 그래도 꼭 봐 주셨으면 해요."

그녀가 상자를 뒤집었다. 그곳에 사진 한 장이 붙어 있었다. 컬러 복사를 했는지 입자가 거친 사진.

그것은 밤하늘을 찍은 사진이었다. 비행기의 항적일까, 붉고 하얀 줄이 사진 가운데에 자리한 달을 향해 좌우에서 똑바로 뻗어 간다. 달 위에서 겹칠까 말까 아슬아슬하게 끊어진 두 개의 선. 아시자와의 작품이리라.

그녀가 말했다.

"이건 얼마 전 말씀드린 제 사진전에 아카바네 씨의 각본으로 출품할 예정인 단편영화예요. 만약 아카바네 씨 작품의 패키지 디자인을 제 사진이 장식한다면. 그것을 출발점으로 찍은 영화입니다."

꼼짝 않고 서 있는 스미레의 얼굴을 들여다보며 아시자와가 다시 미소를 지었다.

"보시고 소감을 들려주세요. 그 후에 한 번만 더 부탁할 생각입니다. 모리나가 씨, 저와 함께 일해 주세요."

(2)

《볼트마우스 '작가'와 카시오페이아 '화가'의 이야기》.

어두운 화면에 제목이 떠오른다.

다마키로서는 첫 시도이리라. 그 영화는 두 소년이 주인공인 SF 단편영화였다.

주인공 볼트마우스 '작가'와 카시오페이아 '화가'는 절친한 친구로, 두 사람은 우주선 탑승자다. 화가는 도면 그리기가 특기인 정비공이며 장수거북을 키우고, 작가는 이론파 조종사이며 전기를 방출하는 미래 생쥐라는 가공의 생물을 키우고 있다.

화가는 남에게 상냥하고 온화한 성격이며 물건을 오래도록 소중히 사용하는 것을 좋아하는 반면 작가는 성미가 과격하다.

똑같은 양복을 입은 것을 아무도 본 적이 없을 만큼 옷이 많다.

영화 속 그들은 사이가 좋았다.

그들은 서로의 집 열쇠를 교환하고 밤늦게까지 꿈에 대한 이야기를 나누었다. 집에 서로를 언제든지 초대할 수 있도록 했다.

두 사람에게는 꿈이 있고 동경하는 우주선이 있다. 그러던 어느 날 작가는 그 우주선에 탑승해 일하게 된다. 한편 그의 주변 사람들은 그 성공을 비난하고 또 그의 과격한 성미에 질려 멀어진다.

작가는 화가와도 충돌을 거듭했다. 상냥하지만 적극성이 없는 그의 나약함을 욕하고 그의 방식에 트집을 잡는다. 자신의 미학에 어긋난다고 큰소리로 주장하여 그를 울렸다. "그런 방식으로는 평생토록 나와 같은 우주선에 타지 못할 거야" 하고.

그러나 작가는 화가의 재능 그 자체에는 경의를 표했다. 인맥을 써서 같은 우주선에서 일할 수 있도록 편의를 도모한다. 그러면서도 작가는 화가의 성격을 용서하지 않았고 화가도 그것을 알고 있다.

스토리 중반, 작가가 탑승한 우주선에 사고가 발생해 그는 조종석에서 우주로 내던져진다. 그것은 그가 용기와 무모를 착각함에 따른 결과로, 그가 데려온 미래 생쥐 또한 유리창에 충돌해 바닥에 내동댕이쳐진다.

화가를 비롯한 동료들은 작가의 행방을 필사적으로 찾지만 발견되지 않는다. 작가는 죽은 것으로 간주되고 모두가 그를 잊어 간다. 그런데도 우주선은 효율적으로 항해하고 개중에는 대놓고 기뻐하는 자도 있었다. 대신 우주선에 탑승하게 된 새 조종사는 작가를 "잘난 척하더니 꼴좋다" 하고 비웃고 헐뜯었다.

1년 뒤 한 행성에 표류한 작가가 발견되어 그는 다시 고향 별로 돌아가게 되었다. 그러나 돌아온 그를 반기는 곳은 없었다. 사람들은 기다렸다는 듯이 그의 낭패에 환호했다. 과거 그의 거만함에 대한 반발심은 여전히 강했다. 사람들은 작가가 지나갈 때면 집 문을 닫았다. 일부러 집 안의 불을 끄고 그를 안으로 들이지 않았다.

모든 사람들에게 거부당한 작가는 마지막으로 화가의 집을 찾아간다.

그 집은 다른 집과 달리 아직 불이 켜져 있어 환했다. 그는 낡고 녹슨 열쇠를 꺼냈다.

그것은 옛날에 서로의 집을 왕래하던 때에 그가 화가와 교환한 열쇠다. 열쇠를 돌리는 작가의 손이 떨린다. 그가 못 견디도록 두려워하고 있다는 것, 그래서 마지막에야 이 집을 찾아온 것이 화면에서 아프도록 전해진다.

과격한 성미 때문에 자신이 아끼던 미래 생쥐마저 전기에 타죽게 한 그를 용서할 자가 과연 있을까. 그의 갈등이 느껴졌다.

열쇠를 돌린다. 맥없는 소리와 함께 변함없이 문이 열렸다.

작가를 맞이하러 문으로 달려온 화가에게 작가는 아무 말도 못하고 눈물을 머금고 고개를 숙였다.

두 사람은 함께 밥을 먹기 시작했다. 장수거북은 책상 위에서 느긋하게 잠자고 있다. 아직 살아 있었던 것이다. 책상 밑에는 작은 침대 안에서 미래 생쥐가 웅크리고 있다. 작가의 얼굴을 보자 짧은 다리를 부지런히 움직여 다가왔다. 작가는 소리를 지른 뒤 엎드려 엉엉 울었다. 미래 생쥐가 살아 있었다. 화가가 살린 것이다.

작가는 이때도 여전히 화가의 나약함을 용서하지 않았고 화가도 그것을 알고 있었다. 그런데도 화가는 그를 용서했다. 그 모습이 공들여 그려져 있다.

식사를 마치고 두 사람은 테이블 위에 모조지를 펼친다. 이상론을 쏟아 내며 꿈에 대해 말하는 작가, 그 옆에서 도면에 선을 그리는 화가.

담담한 목소리로 내레이션이 흐른다.

인간은 '상냥함' 혹은 '강인함', 그 둘 중 하나를 가지고 있지 않으면 살아갈 수 없다. 대부분 그중 한쪽에만 눈길이 가기 마련이다. 그러나 인간은 의외로 그 두 가지를 모두 겸비하고 있다. 특히 화가는.

영화가 끝나고 스미레는 한동안 자리에서 일어날 수가 없었다.

스크린 앞에 소리 없이 불이 켜져도, 마음이 아직 어디를 향해야 할지 정하지 못해 움직일 수 없었다. 한창 보고 있는 동안 무의식중에 그렇게 했으리라. 스미레는 무릎을 세우고 두 팔로 감싸 안고 있었다. 당장은 그 자세를 풀 수 없었다.

"어떠신가요?" 하는 목소리가 들린 것은 필름이 끝나고 시간이 꽤 지났을 무렵이었다. 스미레의 뒤에서 아시자와가 물었다.

"어떠신가요? 아카바네 씨의 최신작."

뒤돌아보자 그녀가 아까 그 필름 케이스를 들고 있는 것이 보였다. 그 밤하늘 사진이 붙어 있는. 붉고 하얀 비행기의 항적. 겹치지 않는 두 개의 선.

"괜히 참견해서 죄송합니다."

어둠 속에서 눈물에 젖었던 뺨이 지금은 차갑게 식었다. 스미레의 우는 얼굴을 향해 아시자와가 미소를 짓는다.

"모리나가 씨. 저와 함께 일하지 않으시겠어요?"

아시자와와 헤어지고 영화관을 뒤로 한 스미레는 곧장 택시를 잡았다.

이가라시의 집 문을 열자 싸늘한 표정의 그가 스미레를 기다리고 있었다. 미간에 주름을 잡고 "짐 정리하라고 했잖아" 하고 퉁명스럽게 말한다. 그 목소리는 아무리 들어도 적응되지 않았다. 지금도 몸서리가 쳐진다.

얼굴을 봐서는 안 된다.

그렇게 결심했다.

"미안. 가지고 갈 수 있는 건 전부 가져갈게."

목소리가 떨리지 않고 울고 있지도 않다. 눈물이 나올 기미가 없다는 것을 스미레는 그제야 깨달았다. 방으로 들어가 그림 도구와 물건을 두 팔 한가득 안았다. 다소 놀란 이가라시가 주춤거리는 기색이 느껴졌다.

택시는 밖에서 기다리게 했다. 스미레는 재빨리 말했다.

"나머지는 나중에 가지러 오긴 할 건데 거슬리면 버려. 난 그래도 상관없으니."

"──야, 기다려."

이가라시가 이를 가는 기척, 혀를 차고 스미레를 노려보는 기척. 가슴의 심지가 차갑게 식어 간다.

"미안. 이가라시 군. 전부 버려 줘."

더 이상 이곳에 머물다가는 또 약한 마음이 들어 그를 원하게 된다. 스미레는 유채화 세트와 이젤을 들고 방을 뛰쳐나왔다. 배 속 깊은 곳에서 짜내는 듯한 성난 목소리가 자신을 불러 세웠다.

"기다리라고 했잖아!"

그가 팔을 붙잡았다. 팔에 닿은 손바닥 체온이 익숙하다. 그의 손길이 얼마나 편안한지 안다. 떨어지고 싶지 않았다. 가까이 다가와 머리를 쓰다듬어 줬으면 했다. 오래가지 않는 행복이라도 오늘 밤 그에게 안겨 잠들고 싶었다.

"놔. 미안해."

반대쪽 손을 휘둘러 그에게 저항하자 유채화 세트가 스미레의 얼굴 바로 옆을 스쳤다. 그 상자에서 물감 냄새가 난다. 몸이 단박에 기억해 냈다. 붓의 감각, 캔버스지의 촉감.

눈을 감고 "미안해" 하고 사과했다. 억지로 손을 뗐다.

"어쩌려고 그래?"

신발을 아무렇게나 신고 가슴에 짐을 안고 "몰라" 하고 대답했다. 그가 목소리 톤을 낮추었다.

"기다려. 다시 시작하자. ……일단 하룻밤 동안 생각하자."

담쟁이덩굴처럼 가냘프고 부드럽게 스미레의 발목을 휘감는 목소리. 택시가 시동을 끄지 않은 채 엎어지면 코 닿을 데인 겨우 10미터 앞에서 라이트를 켜고 기다리고 있다.

이가라시의 목소리는 다정했다.

"지금 갑자기 나가면 갈아입을 옷도 없잖아. 헤어져도 좋아. 나가도 좋은데, 나한테도 차분하게 생각할 시간을 줘. 가능하면."

다시 시작하자.

그렇게 말한 그의 머리가 목덜미를 덮고 있었다. 그것을 본 스미레는 아아, 하고 깨달았다. 사귀기 시작했을 무렵, 길게 뻗은 그의 머리를 스미레는 직접 자르고 싶다고 말했다. 그가 뭐라고 대답했는지가 지금 느닷없이 떠올랐다. "아마추어 이발? 좀 봐줘."

스미레는 숨을 들이마셨다. 고개를 들고 내저었다. 그의 말에 넘어가 발을 멈추면 지금 손에 넣은 이 감각을 잊어버린다. 물감 냄새를 잊어버린다.

"미안, 안 되겠어."

그가 눈을 휘둥그렇게 떴다. 현관 앞 어둠 속에 동요하고 놀라워하는 표정이 뚜렷이 떠올랐다. 그 표정을 머릿속에 새기고 짊어지고 갈 테니까 용서해 줘.

"갈아입을 옷도 괜찮아. 옷 많은 친구한테 전부 빌려 입으면 돼."

그 애의 옷은 내게 어울리지 않겠지만.

"스미레……!"

쫓아오는 그를 뿌리치고 택시에 올라탔다. 신기하게도 눈물은 아직 한 방울도 흐르지 않았다. 괜찮아. 나는 강인함도 갖고 있어. 그렇지? 그렇지? 그렇지?

자신에게 그렇게 말하고 눈을 감은 채 운전기사에게 말했다. 도시마 구 시나마치 역, 역 앞 상점가를 빠져나가면 나오는 오래된 집까지. 슬로하이츠까지.

(3)

가노가 거실에서 늦은 저녁을 먹고 있는데, 밖에서 누군가 고함지르는 소리가 들려왔다. 잘 아는 목소리였다.

"다마키, 집에 있지?! 다마키!"

그리 놀랍지는 않았다.

스미레가 나간 뒤 가노의 저녁밥 단골 메뉴가 된 인스턴트 라면을 후루룩 먹었다. 오늘은 구로키를 제외한 모두가 집에 있다.

3층 창문에 켜진 불빛을 확인했을 것이다. 현관 초인종을 눌러도 되고 제대로 문을 열어도 되는데 스미레는 그렇게 하지 않았다. 밖에서 계속 목소리가 들려온다. 그녀가 위로, 하늘을 향해 고개를 들고 있는 모습이 상상된다.

"할 이야기가 있으니 창문 좀 열어 줄래? 다마키, 내 목소리 들려?!"

그 목소리가 울고 있지 않다는 것이 전해진다.

잠시 후 리리아가 거실로 내려왔다. "이게 무슨 소란이에요?" 하고 말하면서.

"이거, 스미레 씨 목소리예요?"

"그런 것 같네."

가노가 고개를 끄덕이자 리리아가 이상하다는 듯 현관문을 쳐다봤다. 현관문이 잠겨 있지 않다는 것을 확인하고 고개를 갸우뚱한다.

"······멍청하긴. 그냥 들어오면 되는데."

무심코 말해 버렸다는 듯 가노를 향해 "아" 소리를 냈다. 그러고는 수습하기는 틀렸다는 듯 조용히 한숨을 내쉬었다.

"아카바네 씨는 분명 용서하겠죠? 용서라는 사고방식이 애초에 친구 사이에서는 불건전하고 잘못된 생각이지만요."

"글쎄."

가노가 얼버무리듯 대답하자 리리아는 곧장 가노의 맞은편에 앉았다. 문을 노려보며 말했다.

"아카바네 씨가 스미레 씨한테 일거리를 마련해 줬다는 이야기 들었어요."

"그래?"

"그런 건 그냥 기만이잖아요."

리리아가 정곡을 찌르는 말투로 중얼거렸다.

"그렇게 해서 기껏 데뷔시켰는데, 결국 스미레 씨는 아카바네 씨보다 남자친구를 선택할 가능성이 높잖아요. 그럴 경우 아카바네 씨가 자신의 무너진 자존심을 회복하는 데 필요한 거죠? '너는 내가 아닌 남자를 선택했지만 그림을 그리는 건 네가 버린 내 덕분이다. 평생 그 죄책감을 짊어지고 살아라', 뭐 그런 저주를 걸기 위해서잖아요."

차갑고 억양 없는 목소리였다. 윤곽이 뚜렷한 동그란 눈. 그것이 가노를 본다.

"아카바네 씨는 결국 죄다 자신을 위해서 그러는 거예요. 그게 과연 옳은 건지 잘 모르겠네요."

"리리아, 왜 그래?"

가노는 쓸쓸히 웃으며 고개를 젓고 최대한 부드러운 목소리로 물었다. 딱히 그녀가 한 말에 반발심을 느낀 것은 아니었다. 인간 행동의 진의는 어차피 받아들이는 쪽이 어떻게 생각하느냐에 달렸다. 그것이 어떤 진의이든 간에 분명 양쪽에게 다 옳은 것이다.

따라서 리리아가 방금 말한 것도 사실임에 틀림없었다.

다만 가노가 위화감을 느낀 것은.

"뭐가요?"

"리리아라면 나한테 그 이야기를 더 좋게 말했을 텐데?"

그 순간 리리아는 퍼뜩 정신을 차린 듯 눈을 깜빡이고 고개를 숙였다.

이것도 예상 밖이었다. 우아하게 웃거나 새침하게 구는 등 가가미 리리아 특유의 그 동작도 오늘은 나오지 않았다.

스미레는 밖에서 아직도 고함을 지르고 있었다. 고키의 방문과 마사요시의 방문이 열린 것은 거의 동시였다.

마사요시가 "와, 장난 아닌데?" 하고 씁쓸히 웃으며 거실로 왔다. 진심으로 재미있다는 듯 가노에게 웃어 보인다.

"다마키, 역시 굉장한 여자야. 친구가 얼마 없어서인가? 한번 찾아낸 사람은 쉽게 놔주지 않네."

그러고는 중얼거렸다. "무섭다, 나도 조심해야지" 하고.

"뭐, 내 전 여친이 워낙 좋은 여자라 당연하지만."

쿵쾅쿵쾅 요란하게 계단을 뛰어 내려온 고키는 얼굴에 기쁨이 가득했다. 가노 일행을 보고 씨익 웃으며 "이거, 스— 목소리지요?" 하고 확인했다.

"내 귀에 들렸을 정도이니 다마키한테도 들렸겠지요?"

그렇게 말하고 걱정스러운 듯 계단을 돌아본다. 다마키를 부르는 스미레가 더 목청껏 소리친다.

"다마키!!"

잠시 침묵이 흘렀다. 모두가 말없이 닫힌 현관문을 바라보며 그 순간을 기다렸다.

드르륵 드르륵.

겨울밤의 얼어붙을 듯한 냉기를 가르고 3층 창문이 열리는 소리가 울렸다. 마사요시가 입술을 실룩이며 쿡 하고 웃는다.

"저 녀석들, 남자친구는 안중에도 없이 자기들끼리 난리 났네."

"불렀어? 스—."

높은 곳에서 낮은 곳으로. 다마키의 목소리가 서서히 땅에 빨려 들어간다.

스미레가 말했다.

나는——.

"나는, 불행하지 않아!!"

그녀들은 지금 어떤 얼굴을 하고 말하고 있을까.

잠시 후 "알겠어. 어서 와" 하는 다마키의 목소리가 들려왔다.

(4)

계절이 겨울에서 봄으로 넘어갈 무렵 슬로하이츠의 주민들은 저마다 바빠지기 시작했다.

인기 작가인 고키와 실력파 편집자인 구로키가 바쁜 것은 말할 것도 없다. 작년 여름에 개봉한 《매디》 영화의 속편 제작이 결정되어 그 소식이 《블랑》 지면에 발표되었다.

'이번에는 《다크웰》 없이 한 편만?', '혹은 화제의 그 작품과 동시 상영?!'

지면에서 활자가 요동친다.

"내년 《매디》의 동시 상영작은 뭐야?"

집필 중 틈을 내 거실에서 스미레가 만든 점심밥을 허겁지겁 먹고 있던 고키에게 가노가 물었다. 그러자 고키가 시원하게 대답했다.

"고도 씨의 《헬로 레이첼》이라고 하던데요."

"뭣엇?!"

"굉장하지 않은가요? 내 가짜라고 불리는 작가를 스카우트했다더군요."

"구로키 씨 정말 너무하네."

다마키가 또 노발대발하는 거 아닌가 하고 생각하고 있는데, 스미레가 앞치마에 손을 닦으며 이쪽으로 오는 것이 보였다.

영화관 아르바이트를 그만두고 나서 그녀는 그림에 전념하기로 단단히 결심한 듯하다. 아시자와의 사진전 일을 하는 한편 최근에는 자신의 그림을 조금씩 잡지사에 가지고 가고 있다.

"그런데 요즘 《플랫》의 고도 씨 연재 말이야, 흉내 내는 건 여전한데 그래도 조금씩 오리지널 느낌이 나고 있지 않아?"

스미레가 고개를 갸웃거리며 물었다.

"마사 군한테 들었어. 마사 군은 요 근래 고도 씨의 연재소설을 계속 읽어 왔나 보더라. 다음에는 뭘 표절할까, 그걸 관찰하는 재미가 있대."

"마사요시는 그런 악취미가 있더라."

마사요시도 이제 곧 단편영화 촬영이 끝날 것이다. 그 밖에 다른 영화 기획서도 작성 중이다.

얼마 전에는 "지금은 일하는 게 너무 재미있어서 스—, 너랑 재결합 못 해주겠어. 미안" 하고 태연히 말하다 스미레에게 "뭐래? 그런 말 들으면 괜히 어색해지는 거 몰라?" 하고 혼났다. 그리고 본인들은 어떨지 몰라도 가노는 그들의 그런 모습을 보면 기분이 좋다.

"그럼 고도 씨의 작풍이 바뀐 거야?"

"뭐, 그것도 하나의 전략일지 모르지. 그런데 확실히 지난 몇 달간은 좀 다르더라. 『매디』하고 비슷한 건 여전한데, 스토리 전개를 앞서서 대놓고 모방하는 수준은 아니야. 표절이라기보다 지금은 리스펙트나 오마주랄까……. 솔직히 그것도 꺼림칙하고 무섭기는 하지만."

모두의 시간이 조금씩, 그러나 확실히 움직이기 시작한 가운데 가노 자신은 아직 한 걸음도 앞으로 나아가지 못하고 있었다. 동경하는 《게라케라코믹》 편집부에 원고를 가져갈 때마다 편집자의 반응이 좋아진다는 것이 분명히 느껴졌다. 그러나 반응만 좋을 뿐 "그럼 채택해서 잡지에 싣도록 하죠" 하는 말은 결코 하지 않았다.

편집부에서는 그 대신 수련도 할 겸 다른 만화가의 어시스턴트를 해 보지 않겠느냐고 제안했다. 지금이 한창 시즌인 초등학생용 장난감을 모티브로 하는 만화를 그리는 저명한 만화가의 어시스턴트. 그러나 가노는 지금껏 고집해 온 이상 끝까지 자신의 만화만 그리고 싶은 마음도 있었다.

엔야에게서 그 후 메일이 한 번 왔었다.

전에 만화 공모전에서 상을 받은 뒤에도 계속 만화를 그리고 있지만 더 높이 올라가기가 힘들다고 한다. 엔야답지 않게 그런 약한 소리를 하다니. 보스를 쓰러뜨리기 위한 레벨 업에 난항을 겪고 있는 듯했다.

리리아도 오랫동안 쉬었던 소설 집필을 다시 시작한 모양이다. "실은 지요다 선생님 곁에 계속 있고 싶은데요" 하고 경직된 얼굴로 억지로 웃더니 요즘에는 혼자 방에 틀어박히는 날이 많다.

다마키가 어떤 바람을 불어넣었음을 가노는 직감으로 알아차렸다. 다마키가 리리아에게 할 이야기가 있다고 한 것을 전에 들었기 때문이다.

다마키에게 넌지시 물어보자 그녀는 떫게 웃으며 "좋은 남자랑 어울리고 싶으면 제 힘으로 노력하는 게 우선이라고 설교해 줬어" 하고 대답했다. "정체는 좋지 않아" 하고.

"정체."

다마키가 무심코 사용한 그 단어를 듣고 한숨이 나왔다. 가노는 아직 그녀가 말한 곳의 한복판에 있다.

이 집 안에 있을지도 모를 국민적 대히트 만화 『다크웰』의 원작자.

가노 일행은 모두 그 존재를 신경 쓰지 않는 '척하는' 것이 몸에 배기 시작했다. 그 일은 착오로 인한 것이 아니었을까, 애초에 그런 일은 일어나지 않았던 것이 아닐까 하고. 아마도 딱 한 명을 제외한 모두가 그렇게 생각하기로 했을 것이다.

그날 고민 끝에 주민들을 소집하여 정체를 밝히려 한 이곳의 집주인 아카바네 다마키를 제외하고는.

요즘 그녀가 일을 수락하는 모습이 심상치 않다.

도대체 몇 편의 일을 맡아 병행하고 있는 걸까. 알기가 두려워 차마 묻지 못할 정도이다. 집 밖에 외출하는 일이 줄고 취재나 행사 같은 대외적인 일도 거의 거절하는 듯했다. 오직 방에 틀어박혀 각본과 씨름하고 있다.

──나는 궁상맞은 사람이라, 일하지 않으면 불안해.

오래전 그녀가 농담조로 한 말을 떠올리자 괜히 답답한 기분이 들었다.

최근 다마키가 일에 파묻힌 분위기였기 때문에 휴식 시간을 제대로 가지고 있는지 걱정되었다. 업무적이 아니라 순수하게 숨 돌리기 위해 영화를 보고 있는지, 소설을 읽고 있는지, 잠을 잘 자고 있는지. 가장 마음에 걸리는 것은 그녀가 연인과 제대로 만나고 있는지 여부였다.

어느 날 밤 가노가 자전거로 집 앞에 도착하자 하이지마의 뒷모습이 보였다. 비앙키 자전거를 정면에 세우고 집에서 새어 나오는 빛을 온몸으로 받으며 서 있었다.

그를 부를까 잠시 망설였다. 고개를 위로 젖힌 그의 시선이 3층에 못 박혀 있었다. 달력상으로 봄이기는 하나 4월의 밤은 아직 쌀쌀하다. 그는 꽤 오랫동안 그러고 있는 것처럼 보였다.

하이지마가 숨을 크게 들이마셨다가 천천히 내뱉는 것이 뒷모습으로도 알 수 있었다. 가노는 자전거 방향을 바꿔 상점가 쪽으로 되돌아갔다.

요즘 들어 부쩍 밤늦게까지 환하게 불이 켜져 있는 다마키의 방. 방 안이 환할수록 그녀는 바깥 어둠 속에 있는 존재를 알아차리지 못할 것이다.

가노는 역 앞 카페에서 카페오레를 두 잔 사서 슬로하이츠 앞으로 돌아왔다.

"퇴근길인가 봐요?"

하이지마는 아직도 그곳에 있었다. 가노가 온 것을 알고 나서야 창문에서 고개를 거두었다. 그러고는 "네" 하고 고개를 끄덕이고 쓸쓸히 웃었다.

"불쑥 찾아와 죄송합니다."

"왜 안 들어가시고? 여기 춥잖아요."

불쑥이고 뭐고 이곳은 집 안도 아니다. 그렇게 생각하고 권했건만 그에게서 모순된 대답이 돌아왔다.

"방해하고 싶지 않으니 그냥 여기 있겠습니다."

변명하려는 것이 아니라는 듯 그가 덧붙였다.

"그리고 저는 이 집의 외관마저 정말 좋아하거든요. 보고 있으면 전혀 심심하지 않아요."

가노는 자전거 바구니에서 봉투를 꺼내 커피 하나를 그에게 건넨다. 하이지마는 잠시 가노의 얼굴을 쳐다보다 이내 온화한 목소리로 "고맙습니다" 하고 말했다.

"잘 먹을게요."

"저도 같이 있어도 되나요?"

"고맙습니다."

가노와 하이지마는 땅바닥에 엉덩이를 깔고 나란히 앉아 다마키의 방 창문을 올려다봤다. 언젠가 여기서 그의 자전거를 스케치하던 때가 떠올랐다.

바로 옆에 세워진 그의 자전거는 그때와 비교해도 거의 낡아 보이지 않았다. 아끼며 조심스럽게 탔을 것이다. 하지만 가노의 눈에 그렇게 보일 뿐 사실은 그렇지 않을지도 모른다. 그런 생각이 들었다. 때를 벗기고 흠집이 난 곳을 매만져 가며 조심스럽게 다루어도 결코 지워지지 않는 것이 있다. 남에게는 보이지 않는 곳에서 그것은 소리 없이 축적되고 새겨진다.

"글을 쓰지 않으면."

하이지마가 불쑥 입을 열었다.

"이야기를 만들지 않으면, 알지 못하는 감정일까요?"

누구의 무엇을 가리키는 말인지 그는 일부러 언급하지 않았다.

그가 쥔 커피에서 흰 김이 피어오르는 것이 보인다. 그 김이 고개 숙인 하이지마의 앞머리 위로 끼쳐 왔다. 우유와 커피 냄새가 났다.

그가 다시 창문을 올려다봤다.

"뭔가를 만든다는 건 어떤 걸까요? 저도 도면에 선을 그립니다. 또 물질을 만들어 내는 걸 좋아하지만, 아마 그런 것과는 다르겠지요."

"모든 사람이 같은 감정이나 동기로 창작에 임하는 건 아니라고 생각해요. 하이지마 씨라서 이해할 수 있었던 부분도 많을 겁니다. 다마키는 당신을 좋아해요."

말하면서 이 말이 아무 의미도 갖지 못하리라는 것을 가노는 깨달았다. 그런 것쯤은 하이지마도 진작 알아차렸을 것이다. 그가 방금 한 질문은 가노를 향한 것이 아니다.

가노는 하이지마가 좋다. 그러나 어쩌면 오늘을 끝으로 더는 만나지 못할지도 모른다. 그는 자신의 친구가 아닌, 친구의 남자친구다. 앞으로도 만날 수 있을지 없을지는 가노가 모르는 곳에서 일방적으로 결정된다.

"고맙습니다."

이런 상황에서도 그는 차분히 웃는 것을 잊지 않았다. 달빛과 창문 불빛이 두 사람을 이중으로 내리비추고 있다. 빛 속에서 그가 말했다.

"저도, 다마키를 좋아합니다."

그날의 싸움 이후 그는 다마키에게 한 번 더 사과를 했을까. 가노는 알지 못하며 물을 수도 없었다. 그리고 그 외에도 자잘한 충돌이 많았을 것이다.

가노는 그가 그중 어느 하나에서 원인을 찾지 않기를 바랐다. 단 한 번의 싸움. 그 일만 없었더라면, 하고 계속 후회하는 일만큼은 없기를 바랐다. 그보다 더 깊숙한 곳에 새겨진 상처와 한없이 가라앉은 곳. 그 때문이라고 체념하지 않으면 견딜 수가 없고, 무엇보다 몹시 괴롭다.

하이지마가 카페오레를 다 마신 뒤 "잘 먹었습니다" 하고 돌아갔다.

다마키의 방 불빛은 그사이 한 번도 꺼지지 않았으며 그녀가 창문을 열고 밖에 있는 자신들을 알아차리는 일도 없었다. 하이지마도 안으로 들어갔다 가겠다는 말은 결국 마지막까지 꺼내지 않았다.

그런 4월 중순의 일이었다.
슬로하이츠에 다마키의 배다른 남동생 가족이 찾아온 것은.

(5)

함께 나타난 모자를 맞이한 것은 스미레였다.
피곤한지 눈이 움푹 들어간 얼굴의 쉰 살쯤 되어 보이는 여성과, 고개를 숙이고 있는 고등학생쯤 되어 보이는 소년.
그들이 머뭇거리며 자신들의 이름을 소개했을 때 스미레는 가출 중인 리리아의 가족이 그녀를 데리러 왔다고만 생각했다. 그러나 다음 순간 여성이 이렇게 덧붙였다.
"여기가 아카바네 다마키 씨의 집인가요?"
겁먹은 듯한 긴장이 느껴지는 목소리였다.
"네, 그런데요."
스미레는 의아하게 여기며 대답했다. 리리아의 가족이 왜 다마키를?
그들은 안심한 듯 고개를 끄덕이더니 갑자기 찾아와 미안하다고 사과했다.
다마키는 하필 그날따라 외출 중이었다. 저녁에 나가 밤늦게야 돌아온다고 들었다. 스미레가 연락을 해 볼 테니 들어와서 기다리라고 하자, 여성이 정중히 거절했다.

"지금 집에 없으면 나중에 다시 오겠습니다. 저희는 다마키 씨 아버지의 가족입니다."

그 말에 소스라치게 놀란 스미레는 자리에 우뚝 멈춰 섰다.

다마키의 아버지. 그녀에게 몇 번인가 들었으며 그 각본도 읽었다. 다마키의 아버지라면 요컨대——.

자신들을 보는 스미레의 시선을 알아차리고 그제야 아들 쪽이 입을 열었다.

"다마키 씨는 집에 몇 시쯤 와요?"

키는 크지도 작지도 않지만 자세가 바르다. 아카바네 자매는 둘 다 외탁했다고 들었는데 그 말이 사실인 듯하다. 눈앞에 있는 남학생의 얼굴에는 다마키와 닮은 부분이 거의 없다.

얼른 대답이 나오지 않아 두 사람의 얼굴을 빤히 쳐다보고 말았다. 아내에게서 도망치고 딸들을 버린 아버지. 이들은 그때 그가 사귄 여자와 그로 인해 태어난 아들이다.

다마키는 그 후 아버지를 한 번도 만나지 않았다고 한다. 어머니의 장례식에도 참석하지 않은 그 사람은 이제 남이나 마찬가지라고 했다.

"아버지가 돌아가실 것 같아요."

그가 말했다.

"죽기 전에 한 번이라도 좋으니 다마키 씨와 모모카 씨를 만나고 싶다고 하셨어요."

여성이 가방에서 수첩을 꺼냈다. 자신의 이름과 휴대폰 번호를 적고 그 페이지를 찢어 스미레에게 내밀었다.

"이걸 전해 주시겠어요? 오늘내일은 도쿄에 머무를 예정이니 그사이에 연락을 주셨으면 합니다."

"잠깐 기다리세요. 지금 다마키한테 전화해 볼게요."

스미레는 막 건네받은 메모를 봤다. 거기에 적힌 한자 이름은 스미레가 본 적 없는 것이었다. 조금 전 여성이 밝힌 성을 다시 머릿속에 떠올리며 발음과 한자를 연결해 봤다. 이 한자를 그렇게 읽기도 한다는 것을 스미레는 처음 알았다.

사양하는 그들을 거실에 들이고 다마키의 휴대폰에 연락했다.

전화기 너머의 그녀에게 사정을 설명하자 다마키는 잠시 말문이 막힌 듯 잠자코 있었다. 잠시 후 "당장 집으로 갈게" 하는 대답이 돌아왔다. 감정의 동요가 거의 느껴지지 않는 목소리였다.

집에 돌아온 다마키는 씩씩해 보였다. 현관 앞에서 기다리고 있던 스미레에게 의연한 말투로 "고마워" 하고 인사했다.

정말 괜찮을까. 복잡한 심경을 품은 채 스미레가 자리를 비켜 주려 하자 갑자기 다마키가 불러 세웠다.

"오늘 계속 집에 있을 거야?"

"아마도. 방에서 그림 그리려고."

"무슨 일 생기면 불러도 돼?"

다마키가 조심스럽고 작은 목소리로 물었다. 스미레는 자신의 얼굴을 들여다보는 그녀의 눈빛에 어린아이 같은 앳됨과 불안 가득한 그늘이 서려 있음을 그제야 알아차렸다. 그녀가 당황해하고 있다는 것, 두려워하고 있다는 것을 알 수 있었다.

"그래. 이 집에는 지금 나도 있고, 고 쨩도 있으니까 안심해."

스미레가 힘주어 대답했다.

2층을 가리키자 다마키는 마음이 놓인 듯 "응" 하고 끄덕였다. 이내 똑바로 걸어갔다. 당황한 표정을 싹 지우고 앞을 보고 천천히 걸어갔다. 그러고는 조금의 빈틈도 없이 당당하고 점잖게 말했다.

"오래 기다리시게 해서 죄송합니다. 처음 뵙겠습니다. 제가 아카바네입니다."

그들이 돌아간 뒤 다 같이 거실에서 저녁을 먹던 중 다마키가 일의 경위를 설명했다. 그 사람은 나름 행복하게 살았나 봐, 하고 운을 뗐다.

"우리하고 헤어진 뒤 새로운 곳에서 이번에야말로 상냥한 아내와 아들을 위해 열심히 일한 모양이야. 그런데 암에 걸렸다네."

"너희 자매한테 사과하고 싶다는 건가?"

가노의 질문에 다마키가 "그런가 봐" 하고 쓸쓸히 웃었다.

"자신이 죽을 때가 되고 보니 나름 생각하는 바가 있겠지. 그 심정은 왠지 알 것 같아."

"어떻게 할 거야?"

"어떻게 할까."

그 목소리는 딱히 가볍지는 않았다. 다마키는 생각했던 것보
다 차분했다.

"아까 왔던 부인과 아들이 나한테 과할 정도로 사과하더라.
부탁할 처지가 못 된다는 걸 알지만 그래도 꼭 부탁을 들어줬
으면 좋겠다면서."

"그런데 아카바네 씨는 어머니를 용서하지 않았잖아요."

중간에 끼어든 당돌한 목소리에 다마키가 하던 말을 멈추었
다. 리리아였다. 거실 테이블의 끝과 끝에서 두 사람이 서로를
쳐다본다. 다마키는 대답하지 않았다. 리리아가 거듭 말했다.

"어머니는 그렇게 모질게 대했으면서 아버지는 홀랑 용서하는
거네요? 또다시 후회하기 싫어서인가요? 만나지 않겠다고 고집
부리는 사이에 어머니가 돌아가셨으니까?"

"가가미 씨."

고키가 곤란한 듯이 그녀를 불렀다. 그러나 리리아는 아랑곳
하지 않았다. 좋아해 마지않는 지요다 선생님 앞에서 자신의 이
미지가 깎일지도 모르는데도 그만두지 않았다.

"아니면 각본가의 꿈을 이뤘으니 돈도 좀 있고 그럭저럭 행복
하니까 용서해 주는 건가요? 결국 그 성공도 어머니의 희생 위
에 세워진 거잖아요. 앞으로 아무리 행복해져도 줄곧 따라다닐

246

거예요. 지금의 아카바네 씨가 있는 건 어머니의 죽음 덕분이라는 사실이——."

"리리아, 말이 지나치잖아."

마사요시가 고키의 목소리보다 다소 강한 어조로 그녀를 말렸다.

"괜찮아. 전에 나도 말한 적 있잖아. 어머니는 어차피 죽은 존재야. 현실과 경험을 팔아먹는 건 나쁜 게 아니라고 생각해. ……시시한 거짓말이나 해서 사기꾼이 되는 것보다야 훨씬 낫지."

다마키가 말했다. 리리아를 쳐다보며 흔들림 없는 강인한 목소리로. 다마키가 한숨을 내쉬며 그녀에게서 시선을 거두고 계속했다.

"아무튼 모모카는 만나지 않게 하기로 했어. 나 혼자 다녀올게."

"만나러 가려고?"

스미레가 경악한 듯 묻자 다마키가 고개를 끄덕였다.

"오래전에 내 안에서 죽인 유령이 날 찾는다잖아. 동요하기만 해서는 아무것도 시작되지 않아. 죽어 간다는 이유만으로 용서하겠다는 건 결코 아니지만, 만나서 이제는 유령이 아닌 존재로 제대로 마무리하고 싶어. 그러니 다녀올게."

"굳이 만나러 갈 필요는 없다고 생각해. 너도 잘 알겠지만."

마사요시가 말했다.

"네 아버지는 왠지 비겁해. 다마키, 아버지를 만나서 비난하지 않을 자신 있어?"

"없어. 아무리 그 사람이라도 그쯤은 알지 않을까? 어머니를 닮았다는 이유로 딸들을 거부한 사람이니까 지금의 내 기질에 관해서도 어느 정도 예상은 하겠지. 비난받고 싶은 거야, 자신이 버린 여자 대신."

따라서 결코 원하는 대로는 해 주지 않을 작정이다.

그렇게 말하고 다마키가 웃었다.

"모모카한테 전화하고 올게. 지금쯤 수업 끝나고 기숙사에 왔을지도 몰라."

식사 도중이었지만 다마키가 자리에서 일어났다. 그녀가 가고 난 뒤 리리아가 불쑥 입을 열었다. 기어 들어갈 듯 힘없는 목소리로 옆에 앉은 고키에게 말했다.

"죄송해요."

모두의 시선이 리리아에게 집중되었다. 그녀는 고개를 들지 않고 고키의 얼굴도 보지 않은 채 사과했다.

"저답지 않은 말을 하고 말았어요. 그래도 미워하지 말아 주세요. 부탁이에요."

어딘지 모르게 될 대로 되라는 식의 억양 없는 목소리였다. 놀란 듯이 눈을 동그랗게 뜬 고키가 "미워할 리가 없잖습니까" 하고 허둥지둥 대답했다.

다마키가 아버지를 만나러 간 날, 모모카가 슬로하이츠에 찾아왔다.

그녀는 이 집에서 언니가 돌아오기를 기다리기로 한 모양이다. 실은 자신도 함께 가겠다고 했지만 다마키가 말렸다고 한다.

"나한테는 유령인 채로 남아도 좋지 않겠느냐고 하더라고요. 나는 마음이 약하고 상냥하니까 용서할 게 뻔하다면서요."

모모카가 씁쓸히 웃으며 계속 말했다.

"아닌데, 용서하지 않을 건데. 아빠가 엄마를 버렸다는 사실을 마음에 담아 두고 있거든요. 그렇게 대꾸했더니 언니가 그럼 더더욱 지금 그 심정을 간직하라고. 내가 어머니의 임종을 지켰으니 이번에는 언니가 아버지를 만날 차례라고 하더라."

"더 강하게 주장하지 않았다는 건 모모카, 너도 아버지가 못 견디도록 만나고 싶은 건 아니구나."

가노가 묻자 모모카는 "그렇지" 하고 의젓하게 대답했다.

"오히려 나는 언니가 걱정돼. 아빠를 혼자 만나러 가도 괜찮을까. 언니가 강한 사람인 건 맞는데 남한테 화내고 난 뒤에는 늘 침울해하거든."

모모카가 가노의 얼굴을 보며 말했다.

"가노 씨랑 친구들한테 화낸 뒤에도 늘 그랬어. 말이 지나쳤던 건 아닌가 신경 쓰고 불안해하며 상황을 살피지. 나도 옛날에는 많이 혼났는데. 그런데 굳이 신경 쓰지 않아도 정말 괜찮거든. 나도 그렇고 가노 씨랑 친구들도 제법 강하고 만만치 않은 사람들이잖아."

그 말투가 재미있어서 가노는 그만 웃음을 터뜨렸다. "그렇지" 하고 동조하면서.

다마키가 아버지를 만나러 병원에 간 것은 평일 낮이었다. 우연히 집에 있던 스미레와 고키가 저녁 6시가 넘었을 무렵부터 안절부절못하며 거실로 나왔다. 가노는 다마키가 사랑받고 있구나 하고 생각했다.

"다마키는 지금쯤 아픈 사람을 상대로 화내고 있으려나. 아니면 벌써 면회가 끝났으려나?"

스미레가 저녁에 먹을 옥수수크림 스튜를 만들면서 말했다.

"화내고 비난하고. 그럼 부인과 아들은 그 험한 기세에 눌려 쩔쩔매고 있겠네."

"글쎄요, 잘 모르겠군요."

고키가 말했다.

"분노가 동기일 때는 의외로 분노만으로는 그 상태가 오래가지 않게 마련이거든요. 다마키의 경우 창작 의욕은 분노에서 기인한 것이 맞겠지만 그뿐만이 아닐 겁니다. 지속시키기 위해서는 분노 이상의 다른 것을 섞어야 하거든요. 유머나 사랑 같은."

"사랑?"

스미레가 쿡쿡 웃었다. 반면 고키는 매우 진지했다. 얼렁뚱땅 넘어가려 하지 않고 고개를 절레절레 흔들며 덧붙였다.

"우리가, 그것에 익숙한 거였으면 좋겠습니다."

다마키는 그로부터 한 시간쯤 뒤에 왔다. 전철역에서 걸어왔다고 한다. 도중에 울었는지, 그래서 지워진 화장을 고쳤는지 여부는 알 수 없었다. 하지만 얼굴을 봤을 때 그녀는 평정을 유지한 것처럼 보였다.

가노 일행이 모모카를 둘러싸고 자신을 기다렸다는 것을 알고 조금 놀란 표정을 보인 뒤 곧바로 부드럽게 미소 지었다.

"냄새 좋다. 스—, 나 배 많이 고파."

다마키가 집 안에 가득한 스튜 냄새를 맡고 말했다.

"어땠어?"

모모카의 질문에 그녀가 밝게 대답했다. 지극히 자연스럽게 웃으면서.

"대머리 아니더라."

그뿐이었다. 모두가 어이없어하는 가운데 다마키가 코트를 벗어 소파에 걸었다.

"다행이지 뭐야, 모모카. 장차 우리가 결혼해서 아들을 낳아도 조금은 안심하고 그 아이한테 걱정 말라고 말해 줄 수 있잖아. 대머리는 한 세대 걸러서 유전된다고 하니까."

가노는 그 말을 듣고 생각했다.

유령이 아니게 된 아버지를 다마키는 받아들인 것이다. 그녀는 아버지를 비난하지 않았다.

분노만으로는 지속되지 않는다. 유머나 사랑으로 버텨야 한다. 우리는 그것에 익숙해진 걸까. 왠지 기습 공격을 받은 느낌이었다. 가슴이 복받쳐 얼른 말이 나오지 않았다. 옆의 모모카도 마찬가지이리라. 모모카가 울음을 터뜨릴 듯한 얼굴로 언니에게 미소를 보이기까지 조금 시간이 걸렸다.

"언니, 수고했어."

"응" 하고 다마키가 고개를 끄덕였다.

저녁을 다 먹은 뒤 다마키와 가노가 설거지를 했다.

손님인 모모카와 그녀의 이야기 상대인 고키가 거실에 남았고, 스미레는 디저트를 사러 동네 편의점에 갔다.

"모두한테 말하긴 할 건데."

"응."

다마키가 손에 세제 거품을 잔뜩 묻힌 채 갑자기 운을 뗐다.

거실에서 이야기하는 모모카와 고키를 흘끗 살피더니 그들이 이쪽을 보고 있지 않다는 것을 확인하고는 계속했다.

"나, 내년 가을에 미국에 가."

가노는 깜짝 놀라서 눈을 휘둥그렇게 떴다. 농담인가 싶어 다마키의 다음 말을 기다리고 있는데 그녀는 조용히 미소를 짓고만 있다. "미안해" 하고 장난기 하나 없이 평소와 다름없는 태도로 말했다.

"가려면 아직 멀었으니까 실감이 잘 안 나는데, 집 문제도 있고 해서 미리 말해 두는 거야."

"언제부터."

계획한 것인지. 뒷말을 잇지 못하고 있자 다마키가 대답했다.

"아주 오래전부터. 국내에서 경력을 쌓으면서 미국의 영화 제
작사에 연줄이 생기기를 기다렸거든. 그렇게 큰 회사는 아닌데
최근 드디어 나를 받아들여 줄 회사가 나타났어. 한동안은 그곳
에 신세 지려고. 지금 작업 중인 일은 그 전까지 전부 정리하고
갈 거야."

"얼마나 가 있을 건데?"

"일단 5년 정도 생각하는데, 실컷 도전해 보고 더 이상 안 되
겠다 싶을 때까지는 있으려고."

다마키가 수도꼭지를 틀어 손에 묻은 거품을 씻어 냈다. 말
문이 막힌 가노의 얼굴을 바라본다.

"언젠가는 돌아올 거야. 영어 회화 배우러 다닌 지도 한참 되
었는데 내 어학력으로는 영어로 각본을 쓸 만한 실력까지는 도
저히 안 되겠더라. 결국 일본에서 더 좋은 각본을 쓰기 위한 준
비로 미국에서 공부하는 셈이 되겠지."

다마키의 눈빛에는 유달리 강한 결의의 빛도, 애써 강한 척
무리하는 기색도 없었다. 오히려 그런 눈빛이야말로 이 말이 사
실이라는 것을 나타냈다. 그녀는 정말 떠날 작정인 것이다.

"이 집은 이대로 남기고 갈 테니 편할 대로 해. 관리의 의미
도 있고 계속 살아 주면 나야 고마운데 나가도 상관없어. 생각

해 보고 내년 가을까지 결정해 줄래?"

"······알겠어."

달리 어떻게 대답해야 할지 몰라 알겠다고 대답하자 다마키가 문득 거실 쪽을 살폈다. 과장된 몸짓으로 뭔가를 설명하고 있는 고키와, 그것을 "그렇군요" 하고 순순히 듣고 있는 모모카. 눈부신 것을 바라보듯 눈을 가늘게 뜨고 다마키가 말했다.

"가노한테는 부탁할 게 있어."

"뭔데?"

"모모카랑 고 짱을 잘 부탁해. 내가 없어도 계속 사이좋게 지내 줘."

다마키의 목소리는 진지했다. 쓴웃음을 짓고 두 사람에게 시선을 보낸 채 계속했다.

"내가 이런 말할 입장이 못 된다는 거 알아. ──요즘 그런 생각이 들더라. 나는 지금껏 많은 것을 지켜야 한다는 생각으로 살아왔는데 실은 내가 보호받고 응원을 받았다는 걸 깨달았어. 특히 모모카한테 말이야. 저 아이가 없었더라면 나는 아마 오늘까지 이렇게 살아오지 못했을 거야."

가노는 가슴이 철렁했다.

다마키가 혹시 자신과 모모카 사이를 알고 있는 것이 아닐까, 문득 그런 생각이 들었다. 실제로는 어떨지 알지 못한다. 그러나 알았다고 한들 그녀가 전혀 내색할 리 없다는 데까지 생각이 미쳤다. 물론 그것은 가노의 착각에 불과할지도 모른다.

하지만 확실한 신뢰가 느껴져 가슴이 벅찼다.

"멋있는 척, 쿨한 척하고 싶다는 사고방식은 그 모습을 보는 누군가의 시선 없이는 성립하지 않아. 나는 지금껏 모모카 앞에서 언니 노릇을 하느라 이렇게 될 수 있었어. ⋯⋯저 두 사람은 지금의 나를 만들어 준 은인이야. 내가 걱정하지 않아도 두 사람 다 야무지고 의젓해서 아무렇지도 않겠지만. 그래도 역시 사람이 자신의 곁에서 멀어지면 쓸쓸하잖아."

어머니와 아버지. 그리고 엔야도 그럴지도 모른다. 다마키의 가슴을 스친 것을 상상한다. 그리고 이번에는 그녀 자신이 이곳에서 모습을 감추려 하고 있다.

"그러니까 가노, 저 두 사람과 계속 사이좋게 지내 줘. 모모카는 물론이고 고 쨩하고도."

다마키가 고키의 얼굴을 가만히 눈으로 좇는다.

"여기서 사귄 친구는 3년 주기로 자르지 않을 거라 믿어. 다음 7월이면 딱 3년이 지나. 그때까지는 고 쨩과 여기서 살고 싶었는데. 함께 지낼 수 있어서 다행이야."

"말하지 않아도 되겠어?"

다마키가 눈을 깜박이며 천천히 가노를 본다. 그리고 조용히 물었다.

"뭘?"

"고 쨩한테, 너를."

다마키는 대답 대신 입술을 굳게 다물고 고개를 내저었다.

눈을 지그시 감았다가 뜨고 깜빡인 다음 얼굴에 미소를 머금었다. 그녀는 아무런 망설임도 없었다.

"말할 게 아무것도 없는데?"

다마키가 물이 콸콸 나오도록 수도꼭지를 틀어 나머지 그릇을 단숨에 헹구기 시작했다.

"그래도, 고마워."

자신들의 그 모습을 2층 통로에서 빤히 내려다보는 그림자가 있었다.

인형처럼 꿈쩍도 하지 않고 꼿꼿하게 선 자세로 다마키를 지켜보고 있다. 가노가 문득 고개를 들자 그녀와 눈이 마주쳤다.

리리아는 무표정이었다. 미소를 보내지도 않거니와 눈을 피하지도 않았다. 노려보듯 시선을 보낸 뒤 갑자기 고개를 푹 숙였다. 그러고는 방으로 돌아갔다.

그리고 그날 밤이 가노가 리리아를 본 마지막 날이 되었다. 그녀는 이튿날 아침 일찍 슬로하이츠에서 나갔다.

그녀는 아무에게도 말하지 않고 사라졌다. 그토록 잘 따르던 고키에게조차 아무 말도 없었다고 한다.

도대체 방을 언제부터 치운 걸까. 화려한 의상과 액세서리가 하나도 남김없이 사라졌다. 그리고 그것과는 대조적으로 가구와 책은 일부러 버린 듯 고스란히 남아 있었다. 그녀가 무척 좋아한 지요다 브랜드도 손도 대지 않은 듯 남아 있었다. 가지러 올 것인지도 확실치 않았다.

침대 위에 편지지 한 장이 놓여 있었다.

『더는 못 참겠어. 위선자.』

모두 당연하다는 듯 집주인인 다마키를 쳐다봤다. 다마키가 리리아의 휴대폰에 계속 전화해 봤지만 받지 않는지 "안 되네" 하고 말한 뒤 쓴웃음으로 전화를 내려놨다.

"아마 우리 모두 수신 거부해 놨을걸."

시험 삼아 지요다 고키의 휴대폰으로 걸어 봤지만 결과는 마찬가지였다.

위선자.

마치 뭔가를 고발하듯 남겨 놓은 메시지에 관해 다마키는 아무런 변명도 하지 않았다. 대단할 것 없는 일이라는 듯 편지지를 접어 얌전히 챙겼다.

"며칠 있으면 돌아오겠지."

리리아는 고키에게 차였을지도 모른다. 가노는 직감적으로 그렇게 생각했지만 고키 본인에게 확인하기가 망설여졌다. 정말 그렇다고 한다면 리리아는 물론 고키에게도 잔인한 일처럼 느껴졌다.

지요다 브랜드의 세계에서 튀어나온 듯한 현실감 없는 미소녀. 이곳에 존재했다는 것 자체가 잘 지어낸 거짓말이었다는 듯이 그녀는 갑자기 사라지고 말았다.

(6)

"장난질을 아주 제대로 쳐 놨더라."

아카바네 다마키는 입을 열자마자 그렇게 말했다. 구로키 사토시 앞에 원고가 들어 있는 두꺼운 갈색 봉투를 내밀면서.

구로키는 잠자코 그것을 받아 들고는 안에 든 것을 모조리 꺼냈다. 원고 왼쪽 하단에 매겨진 일련번호. 그것이 의뢰한 매수와 일치한다는 것을 확인하고 원고를 도로 집어넣었다.

"그랬나."

얼마 전 다마키가 불러냈던 카페인 이곳은 슬로하이츠와 거리가 멀고 교통도 제법 불편한 곳에 있다. 신경 써서 고른 장소인 것이다. 구로키는 쓴웃음이 절로 났다.

"이제 두 달치 원고만 더 써 주면 약속대로 연재를 끝내도록 하지. 내년에 개봉할 극장용 애니메이션도 다른 작품으로 바꾸겠네."

"아시자와 씨의 사진은?"

구로키가 시선도 올리지 않고 대답했다.

"낮도 밤도 고키에게."

"이번만큼은 꼭 부탁할게."

다마키가 웃음기 하나 없이 말했다. 혀를 차면서 구로키를 쳐다본다.

"구로키 씨는 약속을 태연히 어기는 사람이잖아."

258

"어떤 약속이냐에 따라 다르지. 상대에게 성실하게 굴어야 앞으로가 편한 경우도 많으니."

"나 당신 좋아해. 당신의 그 본능에 가까울 만큼 계산적인 점이. 이 사람이 내가 좋아한 지요다 고키를 만들고 지탱해 온 어른이구나 생각하면 좋아서 소름이 돋을 지경이라니까."

"영광이군."

다마키가 미소를 지었다. 자신의 원고를 구로키가 가방에 넣은 것을 확인하고 눈앞의 커피를 천천히 마셨다. "이야기해도 되나?" 하고 다마키가 물었다.

"옛날에 지요다 브랜드를 둘러싼 그 폐병원 사건이 일어났을 때 고 짱은 혼자 집에서 소설을 쓰고 있었어."

"그래."

그녀의 입가에 희미한 미소가 번졌다.

"취재진이 몰려들어 취재에 열을 올렸지. 고 짱의 집은 카메라와 마이크를 든 수많은 취재진에 포위되었어. 구로키 씨는 전화를 받지 않는 그가 걱정되어 서둘러 택시를 탔지만 엄청난 교통 체증으로 도로에 갇히고 말았고. 결국 구로키 씨가 도착하기 전에 고 짱은 취재진을 통해 사건의 존재를 알게 되고, 그리고 말해 버리지."

다마키가 눈을 깜빡였다. 미소는 조각상에 새겨진 그것처럼 얼굴에 들러붙어 있을 뿐이었다. 그녀가 10년 전 그가 했던 말을 내뱉었다.

그날 택시 안에서 휴대용 TV로 들은 고키의 말을 구로키는 토씨 하나 빠뜨리지 않고 기억한다.

——만약 그게 사실이라면, 제가 쓴 것이 그렇게까지 사람에게 영향을 준 것을 어떤 의미에서는 영광으로 생각합니다. 인간의 가치관을 뒤흔들다니, 소설이란 제가 생각하는 것보다 훨씬 굉장하군요.

"작가로서 더할 나위 없이 행복합니다."

"옛날 생각 나는군."

구로키는 웃음을 지었다. 다마키가 계속했다.

"그날 택시 안에서 그 말을 들은 당신은 머리를 싸쥐었다고 했어. 담당 편집자의 일화로 여기저기에 소개된 글을 읽었거든."

"아, 그거 말이로군."

"그거, 말 그대로였지?"

다마키가 미소를 띤 채 고개를 절레절레 흔들었다. 속마음을 시원하게 까발립시다. 그렇게 권하는, 살얼음을 밟는 듯한 싸늘한 미소였다.

"비유적으로 '머리를 싸쥐다', '어찌할 바를 몰라 생각에 잠기다' 같은 말을 사용한 것이 결코 아니었어. 말 그대로 머리를 싸쥐고 그 팔 속에서 당신의 얼굴은 웃고 있었을걸. 잠시 후 당신은 쾌재를 불렀어. 아니야? 고 짱의 그 발언은 더할 나위 없이 완벽한 지요다 브랜드의 프로모션이 되었으니까. 변명하지

260

않은 그는 세간의 눈에 거만하게 비쳤고 언론에서는 그를 본격적으로 때리기 시작했어. 당신은 뛸 듯이 기뻐했겠지? 공격 받고 문제시되는 것보다 더 좋은 마케팅은 없으니까."

"말이 지나치군."

구로키는 조용히 그녀의 말을 받아들였다. 흘려듣지도, 적극적으로 변명하지도 않았다. 다마키가 말했다.

"그리고 지금은 이런 짓까지 하고."

"이 일이 독자를 배신하는 일이라고는 생각하지 않아."

구로키는 단호하게 말했다. 부드럽게 말하려고 유념하지만 신념을 꺾을 생각은 조금도 없었다. 구로키 사토시가 그리는 각본, 창작하는 계획은 언제나 옳다. 그것을 믿고, 의심한 적은 한 번도 없다.

"우선 읽지 않으면 아무것도 시작되지 않네. 좋은 이야기, 좋은 책이 있다면 그것을 읽도록 누군가 환경을 조성할 필요가 있어. 이용할 수 있는 것을 이용하는 것이 뭐가 나쁘지? 작가의 소설 때문에 사람이 죽었으니 그 현실 앞에 자성하고 비탄에 잠겨 상복이나 입으라, 이 말인가?"

"알아. 그래도 이 말은 해야겠어."

다마키가 구로키의 얼굴을 똑바로 쳐다보며 내뱉듯이 말했다.

"이 비열한 자식."

"——나머지 원고는 한 달 안에 써 줬으면 좋겠군. 그리 약속

해도 되겠지?"

"나를 누구라고 생각하는 거야? 제대로 완성해서 가져올게. 손해 보게 하지는 않아. 재미있는 이야기로 마무리할 거야."

"그 부분은 당연히 믿네. 5년 뒤에도 아카바네 다마키의 이름에 가치가 있다면 정식으로 《블랑》에 영입하고 싶을 정도야. 단 마지막 회가 기대를 저버리는 결과물일 경우 아까 한 약속을 깨겠네. 내년 애니메이션도 지금까지 계획된 대로 진행할 테니 그리 알아."

"얼씨구, 아주 당당하게 말하네?"

다마키가 쓰디쓰게 웃었다. 약 올라, 하고 작게 내뱉는다. 입가는 여전히 웃고 있지만 눈빛은 차가웠다. 그 눈빛으로 구로키를 노려본다.

"지지 않을 거야."

그녀가 코트와 가방을 들고 자리에서 일어나 계산서를 낚아채듯 쥐고 계산대로 걸어갔다. 부츠의 높은 굽에서 또각또각 소리가 난다. 그녀가 멀어지는 소리를 들으며 구로키는 다 식어버린 커피를 삼켰다.

수첩을 펼치고 다음 업무에 착수했다.

(7)

다마키는 구로키와 헤어지고 집에 가는 길이었다.

어쩔 수 없는 선택이었지만 집에서 멀리 떨어진 곳에서 약속을 잡은 탓에 집에 가는 데 시간이 꽤 걸렸다. 길에서 버리는 시간이 아까웠다. 전철로 30분 정도. 그 30분 동안 원고 몇 장은 쓸 수 있건만.

시간을 아까워하는 궁상맞은 성격이 요즘 들어 부쩍 심해지고 있다. 앞으로 이 감각에서 벗어날 수 있을지 없을지 불투명하다. 어쩌면 평생 이렇게 살아갈지도 모른다.

전철역으로 가는 도중 횡단보도 앞에 섰다. 건너편에 2, 3년 전에 이곳으로 이전해 왔다는 TV 방송국이 보인다. 높다란 건물 외벽 중앙에는 자사의 프로그램을 내보내기 위한 대형 스크린이 달려 있다.

신호등을 기다리면서 멍하니 바라보고 있자 여자 아나운서가 점잔 빼는 얼굴로 그곳에 모습을 드러냈다. '안녕하십니까. 정오 뉴스를 보내드립니다' 하는 큰 목소리에 공기가 둔하게 떨린다.

신호가 파란색으로 바뀌었다.

그 뉴스는 돌연 횡단보도를 건너던 다마키의 머리 위로 쏟아져 내렸다.

『오늘 새벽 도쿄 도 시부야 구의 육교에서 도내에 사는 초등학교 6학년생 여자아이가 추락해 육교 밑을 주행하던 차량 여러 대에 몸을 세게 부딪쳐 사망했습니다. 육교 위에는 이 여자아이의 것으로 보이는 책가방이 놓여 있었고 그 안에 든 문고본 일부에 유서 같은 글이 쓰여 있는 점으로 보아 경찰에서는 자살로 보고 수사하고 있습니다.』

다마키는 튕겨지듯 고개를 들었다. 아직 횡단보도를 다 건너지도 않았는데 걸음을 멈추고 말았다.

뉴스는 계속되었다. 아무런 억양도 감정도 싣지 않고, 진지한 표정만이 예의라는 듯 아나운서가 뉴스를 보도했다.

머릿속이 새하얘졌다.

머리에서 얼굴로, 얼굴에서 가슴으로, 그리고 발 언저리로. 차례로 핏기가 가시고 체온이 떨어져 간다. 몸 안쪽에서 쏴아 하는 소리가 난다.

스크린에 그 현장인 육교가 비쳤다. 책가방이 놓였던 곳인지 흰 분필로 엑스 표시가 되어 있다. 육교 밑으로 쌩쌩 달리는 차량들. 오늘 아침 무렵 이곳에서 생명이 집어삼켜졌다는 사실 같은 건 모른다는 듯 평소 일상과 다름없이 오가는 차량들.

'자살로 보고 수사하고'.

가슴이 덜컥 내려앉았다.

이어서 누군가 심장을 움켜쥐는 듯한 기분이었다. 뉴스가 바뀌고 새로운 화면이 나왔다. 도쿄 증권 거래소, 종가, 엔화 약세. 그런 소식을 흘려들으면서 다마키는 냅다 달렸다. 스쳐 지나가는 인파에 부딪힐 뻔했다. 그래도 계속 달렸다. 미안합니다, 좀 지나갈게요, 하고 목청껏 소리쳤다.

'문고본 일부에', '유서 같은 글'.

그 여자아이가 갖고 있던 책이 만약 지요다 고키의 책이라면?

자살한 여자아이의 붉은 책가방. 그 안의 책에 남겨진 유서. 그 책의 저자가 누구인지 알아내기까지 시간이 얼마나 남았을까. 저자를 알아내고 의미를 찾아내기까지 시간이 얼마나 걸릴까.

집에 어떻게 가는 것이 가장 빠를까. 늦지 않게 도착할까. 역 앞에 가면 택시를 잡을 수 있다. 그렇게 생각하다 이내 고개를 내저었다. 거짓인지 사실인지는 모르지만 택시를 탄 구로키는 교통 체증에 휘말려 늦고 말았다. 그 사건이 일어난 날, 고키의 집으로 급히 달려갔지만 늦고 말았다.

다마키는 휴대폰을 꺼내 고키에게 전화를 걸었다. 신호만 갈 뿐 그는 전화를 받지 않았다. 집에 있어 달라고 부탁하려고 스미레에게 전화를 걸고 이어서 가노에게 걸었다. 혹시 몰라 마사요시에게도 걸었다. 그러나 아무도 전화를 받지 않았다.

전속력으로 역까지 달려 미끄러지듯 개찰구를 통과했다. 계단을 뛰어올라 때마침 도착한 열차에 올라타자 다마키는 그제야 이를 악물고 천장을 올려다봤다. 제발 늦지 않기를, 하고 빌었다. 어깨로 숨을 쉬면서 울음소리처럼 새어 나가는 가쁜 숨을 부지런히 골랐다. 그러나 기침이 나서 쉽지 않았다.

제발, 하고 또다시 빌었다. 그렇게라도 하지 않으면 서서 버틸 수가 없을 것 같았다. 손끝이 파르르 떨리고 무릎이 덜덜 떨린다. 자신 안에 이토록 어린아이 같은 노골적인 충동이 남아 있다는 것이 다마키는 놀라웠다. 그에게 가려면 이 열차를 타는 것 말고는 방법이 없다. 이것이 가장 빠른 길일 터인데 조급한 마음을 억누를 수가 없었다. 정차역에서 문이 열릴 때마다 비명을 참아야 했다. 멈추지 마. 서둘러.

——지요다 고키 씨, 책임을 느끼십니까?

10년 전 그 집의 문이 열린다. 지요다 고키가 얼굴을 내민다. 그의 모습이 강한 빛을 받으며 나타난다. 그의 눈동자에는 오직 경악스러움만이 가득하다. 그는 그날도 하루 종일 방에서 소설을 쓰고 있었다. 그 탓에 무슨 일이 일어났는지 모르는 상태였다.

그때 일을 떠올리자 가슴을 옥죄는 아픔이 밀려왔다. 당신들 무슨 짓들이야, 하고 분하고 억울해서 눈물이 나올 것 같았다. 나의 소중한 것을 감히, 그것에 가치를 부여하지 않는 당신들은 분석할 자격이 없다. 나는 저 사람이 좋다. 이해를 표하지 않는, 공감하지 못하는 사람들이 억지로 그의 작품을 읽고 조각조각 쪼개서 해석하는 것. 전혀 다른 세계의 문맥으로 그에 대해 이야기하는 것. 그것은 놀랄 만큼 불공평한 도식이다.

지요다 고키의 작품은 언젠가, 빠져나오게 되어 있다.

그의 작품은 청춘의 어느 한 부분에만 울리는 이야기이기 때문에 사람들은 모두 자신의 그 시대가 끝나면 고키의 작품을 졸업한다. 현대 사회의 다양한 문제를 다루어 오늘날을 도려내는 작가라고 불리지만 그의 이야기는 결국 사람을 가까이서 사귄 경험이 없는, 완전한 한 개인의 머릿속 산물일 뿐 그 이상도 이하도 아니다. 경험을 쌓을수록 소설이나 만화보다 현실이 즐거워서 점점 현실에 이끌려 가는 인간을 고키의 작품으로 붙잡아 두는 것은 불가능하다.

사람들이 고 짱의 작품에 대해 그렇게 말하는 것을 다마키는 알고 있다. 다마키는 그렇게 생각하지 않지만 그렇게 말하는 사람들이 있다는 것을 안다.

그의 작품에서 현대 사회의 문제를 다루고 있다 해도 결국 신문이나 뉴스를 통해 체현했을 뿐인 허황된 이야기가 모티브이다. 그는 한 사람의 우리(檻) 안에서 방대한 자료에 둘러싸인 채 애니메이션이나 만화에서 이어받은 논리를 조립할 뿐이다. 살아 있는 인간이 나오지 않는 한 사람의 성(城) 이야기는 어린아이가 읽는 것이지 어른의 가슴에는 아무런 울림도 주지 못한다.

지요다 고키의 작품은 언젠가 졸업하게 되어 있다며, 모두가 그렇게 잊어버린다.

그게 뭐 어때서! 다마키는 입술을 꽉 깨물고 차창 너머로 펼쳐지는 대낮의 거리를 노려봤다.

그럼 잊어버리라지. 나는 반드시 기억할 것이다. 절대로 잊지 않을 것이다. 그 마음에 와닿는 느낌에 감동과 자극을 받아 여기까지 달려왔다. 앞으로도 분명히 잘해 나갈 수 있을 것이다.

다마키는 전철역에서 내린 뒤 집까지 한달음에 달려갔다.

주문을 외듯 쉴 새 없이 중얼거렸다. 제때에 도착하기를, 제발 늦지 않기를. 역 앞 대로변의 가게 쇼윈도에 자신의 얼굴이 비쳤다. 헝클어진 머리에 붉게 달아오른 뺨, 부르튼 입술. 못 봐주겠는 꼴을 하고 있다.

제때에 도착하기를. 고 짱.

슬로하이츠가 보인다. 집 주변은 조용했다. 취재진은 물론 구경꾼 하나 보이지 않는다. 봄의 오후의 밝음과 따뜻함이 깃든, 맥이 빠지도록 여느 때와 다름없는 풍경이었다.

"고 짱!!"

현관문을 열고 이름을 부름과 동시에 다마키의 가슴속 불안함이 최고조에 달했다. 부탁이야, 대답해. 얼굴을 일그러뜨리며 그의 이름을 불렀다.

"고 짱!!"

"다마키, 무슨 일이에요?"

2층 방문이 열리고 그의 느릿느릿한 목소리가 들려와 다마키의 어깨에서 힘이 쭉 빠졌다. 숨을 크게 내뱉고 계단을 뛰어올라 고키의 손을 잡았다. 다른 손으로 팔을 잡아당기며 말했다.

"도망가자."

어째서 그의 일이라면 자신이 이토록 냉정함을 잃는지 알 수가 없었다. 숨을 쉬는데도 공기가 들어오지 않는 느낌이다. 목구멍이 뜨겁고 떨리더니 숨이 잘 쉬어지지 않았다. 고키가 놀란 듯이 다마키를 들여다봤다.

"다마키?"

"도망가자. 이제 곧 여기로, 사람들이 몰려올지도 몰라. 오늘 아침에, 초등학생 여자아이가, 육교에서 뛰어내렸대. 책가방 속에서, 유서가 나왔는데, 어떤 문고본에, 쓴 거였대."

그 말에 고키가 눈을 휘둥그렇게 떴다. 붙잡은 그의 팔은 체온이 따뜻하지도 차갑지도 않았다. 그 미지근한 팔을 붙잡고 있으니 마음이 편안했다. 그를 만지고 있다는 것, 그와 가까이 있다는 것이 믿기지 않을 만큼 편안했다. 이런 상황에서 그런 생각을 하다니 제정신이 아니다. 그러나 계속 그렇게 있고 싶었다.

"무슨 책인지는, 아직 밝혀지지 않았나 봐. 그런데 고 짱의 책일, 가능성이, 충분히 있다고 생각해. 도망가자, 고 짱. 또 그 일이 시작될 거야. 사람들이 이 집을 둘러싸고, 고 짱을 비난할 거야. 지요다 브랜드가, 배척당하고, 그 후에 또다시——."

말하는 도중에 목이 메어 말을 채 마치지 못했다.

——그것이 나쁜 일이라고는 생각하지 않아.

구로키가 그렇게 말한 것을 들은 지 얼마 되지도 않았다.

——그 현실 앞에 자성하고 비탄에 잠겨 상복이나 입으라,
이 말인가?

알 게 뭐야.

다마키는 이를 악물었다. 그 전에 홀로 남겨져 규탄받고 쓰
는 즐거움을 빼앗기는 것. 지요다 고키가 무너지는 것. 지금 그
것이 싫을 뿐이다. 그것만으로는 안 되는 걸까. 이 집 안에 있
건만, 그런 일을 당하게 할 수는 없다. 내가 그를 이곳으로 불
러들였다.

그때였다.

그가 다마키의 손에서 팔을 천천히 뺐다. 다마키의 어깨를
고키가 단단히 붙잡았다.

"다마키. 잘 들어요."

그의 목소리는 냉정했다. 그리고 다음 순간 단호히 고개를
내저었다.

"그게 사실이라면 나는 도망가지 않을 겁니다."

"고 짱——."

이번에는 다마키가 눈을 휘둥그렇게 뜰 차례였다. 그가 다마
키를 똑바로 보면서 말했다.

"절대로 도망가지 않을 거예요. 그러면 소설을 쓰는 의미가
없어지잖아요. 그 일이 내 탓이라면 책임을 질 겁니다."

"나약한 사람이 죽는 건 지요다 고키의 탓이 아니야."

다마키의 목소리는 거의 비명에 가까웠다. 왜 그러는 걸까. 왜 알아주지 않는 걸까. 어째서 그런 짐을 떠맡으려는 걸까. 속상해서 눈을 감아 버리자 눈물이 맺혔다. 그것을 한 손으로 훔쳤다. 들키고 싶지 않았다.

'소설 때문에 사람이 죽은' 비극을 개탄하고 고키를 비난하는 사람들은 종잇장처럼 가벼운 마음으로 그러는 것이다. 누구 하나 진지하지 않다. 그것은 집단 괴롭힘이자 폭력이다. 왜 그 속에 정면으로 뛰어들려는 걸까. 이해할 수가 없었다.

"오늘 죽은 그 아이가 읽은 책이, 지요다 브랜드라면, 10년 전 그 일까지, 다시 파헤쳐질 거야. 『매디』 연재는 어쩌려고? 못 쓰게 될지도 모르잖아. 소설이라면 목숨처럼 아끼면서, 소설 쓸 기회를 일방적으로 빼앗겨도 괜찮겠어? 고 짱은 10년 전에도 그랬잖아."

"그때는 그렇지 않았습니다. 그 사건으로 인해 내가 쓴 소설의 책임을 스스로도 질 수 없다는 걸 뼈저리게 깨달았거든요."

다마키는 숨을 멈추고 말없이 고키를 바라봤다. 역에서부터 달려온 여파가 아직 다리에 남아 있었다. 무릎과 종아리가 욱신욱신 쑤셔 온다. 다마키의 어깨에 손을 얹은 채 고키가 계속했다.

"내 소설을 읽은 사람이 내 소설을 모르는 사람들을 끌어들여 서로 죽고 죽이기라는 참혹한 짓을 벌였어요. 그 사람들에게 죄스러웠고 어떻게든 속죄하고 싶었습니다. 그런데 결국 아무것도 못 했지요. 아무것도요."

그가 얼굴을 일그러뜨렸다.

"쓴다는 건 뭘까, 소설로 할 수 있는 일이란 뭘까에 대해 펜을 놓은 3년 내내 생각했습니다. 내가 쓴 것에 책임도 지지 못한다면 '내가 하는 일은 뭘까' 하고요. 사랑이니, 죽음에 대한 충동이니, 삶에 대한 상징이니 써 봤자 결국 가닿지 않는구나. ……전쟁과 테러, 일상의 어쩔 수 없는 악의를 멈추는 방법에 어차피 소설은 해당되지 않는구나 하는 생각도 했지요. 그리고 절망했습니다."

절망이라는 어감이 강한 말 앞에 다마키는 고개를 숙이고 싶어졌다. 자신이 쓴 각본에 관해서도 덩달아 생각하게 되었다. 고키의 목소리는 결코 크지 않았다. 그러나 다마키의 가슴에 스며들어 다마키를 붙들고 놔주지 않았다.

"절망하고 나서 10년이 지났지만 나는 아직 소설을 씁니다. 그 당시 내 소설을 읽는 즐거움으로 일상을 살아갈 수 있다고 말해 준 아이들이 있었거든요. 최소한 그 아이들에게서만큼은 도망치고 싶지 않았습니다. 설령 누군가 자살하고 그 아이의 방에 지요다 브랜드가 있다 해도 나는 그 사실을 받아들여야 합니다. 내가 쓴 것이 그 아이를 이 세계에 머물게 하기에는 부족했다는 것을 인정하고 책임을 져야 하지요. 언제고 그럴 각오로 소설을 써 왔습니다."

"그걸 알아주지 않는 사람들한테, 어떻게, 전하면 되는데?"

달려온 탓에 이마에 밴 땀이 이제야 식어 간다. 다마키는 자신의 목소리가 너무 가냘프고 어리게 들려 당황했다. 그를 지켜주고 싶었건만, 자신은 역시 지요다 고키의 손에 길러진 아이인 것이다. 그 앞에 서면 마음이 약해진다.

"그래도 제대로 이야기할 겁니다. 여기서 도망치면 나는 그야말로 평생 일의 의미를 잃어버리는 거예요. 쓰지 못하게 됩니다."

고키는 또박또박 말했다. 다마키를 바라보며 고개를 깊이 끄덕였다.

"내가 그 아이를 위해 반성해야 하고 속죄로 펜을 꺾어야 한다면 그렇게 할 겁니다. 후회하지 않을 거예요."

"어른이 알아줄지 그건 모르는 거야."

다마키는 비명 같은 목소리로 말하는 자신이 한심했다. 어린아이가 떼쓰는 것처럼 들렸기 때문이다. 그러나 어떻게 해야 할지 도무지 알 수가 없었다.

어른.

어른이라니 누구일까. 나는 내 입장이 어디에 있다고 생각하는 걸까. 지요다 고키의 작품은 언젠가 졸업한다. 현실을 받아들이고 살아가는 어른의 가슴에는 아무런 울림도 주지 못한다.

그것은 현실도피의 문학. 극도로 의존하면 현실과 허구가 뒤섞여 사람을 죽이는 문학.

10년 전 신문에서 읽은 기사의 기억. 그를 유린하는 폭력적인 말의 기억.

당시 그런 말을 듣고 있기가 무척 힘들었다. 슬픔과 분함과 굴욕감에 귓구멍을 틀어막고 싶었다. 다마키가 그 정도였는데 당사자인 고키의 마음은 오죽했으랴.

"다마키."

고키가 난처한 듯 웃으면서 다마키의 머리를 쓰다듬었다. 손에 긴장감이 느껴진다. 사람을 만지는 것이 어설프리만치 생소한 것이다. 그가 손가락과 목소리에 희미한 떨림을 품고 말했다.

"울지 말아요, 다마키."

그의 말을 듣고 그제야 알았다. 자신의 눈에서 눈물이 흘러내리고 있음을. 흘리지 않으려 꾹꾹 참아 왔건만 그의 목소리를 듣자마자 주룩주룩 흘러내렸다. 그렇게 되자 더는 참을 수가 없었다. 울음과 함께 숨을 내뱉으며 한 마디 내뱉었다. "고 짱!" 하고 소리 높여 울음을 터뜨렸다. 주먹을 쥐고 힘없이 그의 가슴을 때렸다. 한 번, 두 번, 세 번.

"어른이 되는 것을 뒷받침하는 문학. ……그걸로 상관없습니다."

다마키의 손을 막지 않고 가슴에 가해지는 충격을 받아내며 고키가 말했다. 그가 다마키의 머리에 얹은 손의 떨림은 멎을 줄을 몰랐다.

"그 시기가 지나면 그것에 의지하지 않고도 스스로 사랑이나 가족, 인생의 즐거움을 찾아내 살아갈 수 있습니다. 그렇게 되기까지 사이를 메워 주는, 현실도피의 문학이라고 평가받아도 상관없어요. 내 일에 자부심을 갖고 있거든요. 그러니 도망치지 않을 겁니다."

"그 탓에 소설을 쓰지 못하게 돼도?"

"네."

그의 손에 힘이 바짝 들어간 것이 느껴졌다.

"다마키."

고키의 눈에 신비로운 다정함이 깃들었다. 주저하면서도 얼굴을 내밀고 어린아이를 달래듯 다마키의 눈을 들여다본다.

"걱정해 줘서 고마워요."

다마키는 입술을 굳게 다물었다.

눈물로 뜨거워진 뺨이 뻣뻣하게 굳어 움직여지지 않는다. "응" 하고 고개를 끄덕였다. 그렇게 하는 것이 고작이었다.

입을 열면 말해 버릴 것 같았다. 고 짱, 고 짱, 고 짱. 가슴속으로, 다문 입술 속으로 몇 번이고 불렀다. 그의 이름을 부르짖고 싶은 충동이 목구멍까지 차오른다. 그 모든 말을 삼키고 다마키는 고개를 들었다. 아까 참지 못한 눈물 탓에 얼굴이 온통 눈물로 범벅이 되어 있음이 느껴졌다.

다마키는 엉망인 얼굴로 고키를 노려봤다.

"⋯⋯이 집이 취재진에 둘러싸이는 날에는 실컷 원망해 줄 거야."

"미안해요."

고키가 어깨를 움츠리고 웃었다. 미안하다는 듯 눈을 가늘게 뜬다. 그런데도 참으로 강인한 얼굴이라는 생각이 들었다. 다마키의 머리에서 손을 거둔 그가 코가 땅에 닿도록 머리를 숙였다.

육교에서 뛰어내린 여자아이가 가지고 있던 문고본.

그 제목이 보도된 것은 사흘 후였다. 그 책은 지요다 브랜드가 아닌, 쇼와시대(1926~1989) 초기에 자살한 어느 문호의 대표작이었다. 그리고 그 뉴스는 일부 언론이 보도했을 뿐, 전혀 언급하지 않은 신문사와 방송국도 있었다.

문고본 커버를 벗기면 드러나는 표지. 그곳에 빼곡히 적힌 아이의 유서에는 학교에서 집단 괴롭힘을 당하고 있다는 내용과 '살아 봤자 소용없다'며 체념과 절망을 호소하는 내용이 남겨져 있었다. '다들 내가 그렇게 싫은가? 눈에 보이는 이 좁은 교실 안의 세계가 나한테는 전부인데 의지할 사람 하나 없구나' 하고 불안함을 표했다. 교실 밖에 다른 세계가 펼쳐져 있다는 것이 한없이 멀게만 느껴져 도저히 실감할 수 없었다는 것이 절절히 적혀 있었다.

그것을 깨닫기까지의 한 시대를 살아가는 힘을 얻지 못했다. 도중에 다리 위에서 몸을 내던지고 말았다.

다마키의 과한 걱정은 기우였다.

그러나 지요다 고키는 이 아이의 방 책장에 자신의 책이 있는지를 계속 신경 쓸 것이 틀림없다. 지금까지도 줄곧 그렇게 해 왔다. 자기 자신을 소모시키면서.

"고 짱의 책이 아니었어."

괜히 소란 피워서 미안해.

다마키가 사과하자 고키는 가볍게 고개를 흔들며 "그렇군요" 하고 말했을 뿐이었다. 다마키를 탓하지도, 웃지도, 안도하지도 않았다. 더는 아무 말도 하지 않았다.

제12장

슬로하이츠,
해산하다

내년 가을에 미국에 간다는 소식을 전하자 고키는 눈을 동그랗게 떴다. 그러고는 이내 웃는 얼굴로 "잘되었군요" 하고 제일처럼 기뻐해 줬다.

가노 일행에게 말했듯이 방을 어떻게 할지 묻자 "모두가 나간다면 나도 다른 곳을 찾아볼게요" 하는 대답이 돌아왔다. 모두가 남는다면 나도 남을게요, 하는 가능성은 언급하지 않았다.

고키는 머지않아 이 집을 나갈 것이다.

(1)

마사요시가 다음 촬영 준비를 하느라 며칠씩 집에 들어오지 못하는 날이 이어졌다. 그러던 어느 날 밤 그가 웬일로 저녁 식사 시간 전에 집에 들어왔다. 물었더니 "고 짱이 호출했어" 하고 말했다.

"오랜만에 다 같이 모여서 저녁 먹자고 하던데. 오늘은 다마키랑 가노도 집에 있고 스―한테 요리도 부탁했다면서."

벌써 연락을 받았는지 그날 스미레가 준비한 메뉴는 마사요시가 좋아하는 새우튀김이었다. 다마키와 가노는 식탁에 마주 보고 앉았다.

식탁 가운데에 놓인 큰 접시에 가늘게 채 썬 양배추가 수북이 담겨 있고, 그 옆에 수십 마리의 새우가 가지런히 누워 있었다. 각자 새우를 몇 마리 먹었는지 앞접시에 꼬리로 증거를 남겨 갔다.

가노는 자신의 앞접시에 쌓여 가는 새우 꼬리를 바라보면서 다마키에게 "안 먹어?" 하고 물었다. 그녀의 앞접시에는 새우튀김이 딱 한 마리 놓여 있었다. 그것도 한 입 먹다 말고 방치되어 있다.

"요즘 일을 너무 많이 하는 거 아냐?"

그녀가 그런 지적을 싫어한다는 것은 충분히 알지만 말하지 않을 수가 없었다. 그러자 의외로 그녀는 씁쓸히 웃어 보였다.

"먹기 위해 일하는 건데, 일을 너무 많이 해서 입맛이 없다니 아이러니하네."

사실이겠지만 농담처럼 말하는 다마키. 그렇게 하는 것으로 문제가 심각해지는 것을 피하는 듯 보였다. 스미레가 마사요시의 밥을 두 공기째 퍼 담으면서 걱정스러운 표정으로 다마키의 얼굴을 들여다봤다.

"미안해, 다마키. 혹시 몸이 안 좋아? 기름진 음식 말고 다른 것으로 할걸."

"괜찮아. 나야말로 모처럼 만들어 줬는데 미안해."

다마키는 몹시 미안해하며 사과했지만 그런데도 무리해서 먹을 만큼 몸이 따라 주지는 않는 듯했다. 지금 맡고 있는 일을 하느라 애쓰는지 다마키는 최근 살이 빠진 것 같았다. 안색도 그리 좋지 않다.

그런 가운데 고키는 묵묵히 새우튀김을 먹고 있었다. 그는 꼬리까지 남김없이 먹어서 다마키와는 다른 의미로 접시가 비어 있었다.

마사요시는 요즘 일이 순조롭게 풀리고 있다고 한다. 영화 《집게벌레》가 좋은 평가를 받아 그때 기획에 참가한 감독 중한 명이 마사요시에게 차기작 조감독 자리를 권했다고 한다. 스미레는 아시자와 아키라의 전시회 포스터가 에비스 역에 걸리기 시작했다고 한다.

그런 대화를 나누면서 가노는 이런 자리가 앞으로 몇 번이나 더 있을까 생각했다. 다마키가 이곳을 떠나는 내년 가을은 아직 멀었지만 그때를 위한 준비는 벌써 시작했을 것이다. 다른 주민들도 앞으로 더 바빠질 것이다. 다 같이 모일 기회가 점점 줄어들리라는 것이 쉽게 짐작되었다.

"아차, 그러고 보니 오늘 모두에게 할 이야기가 있어요."

고키가 입을 연 것은 큰 접시 안의 새우튀김과 양배추가 없어지고 나서였다. 그의 말을 듣고 찻주전자로 차를 따르고 있던 스미레가 고개를 들었다.

"무슨 일이야? 고 짱, 새삼스럽게."

"사과해야 할 일이 있습니다. 정말 죄송했습니다."

모두의 시선을 한 몸에 받은 고키가 결론부터 말했다. 그러고는 천천히 말했다.

"얼마 전 『다크웰』의 미키나가 마이 씨 이야기가 나왔지요. 우리 집에 원작자용 원고가 도착했는데 그걸 다마키가 발견한 겁니다."

"어, 그랬지."

다마키가 대답했다. 어디까지 의도된 것인지는 몰라도 속이 빤히 들여다보일 만큼 건성인 목소리였다. 그녀는 설령 속속들이 아는 상대일지라도 그 선의 자존심이 무섭도록 강하다.

고키가 자리에서 일어났다. 모두의 얼굴을 죽 훑어보더니 머리를 푹 숙였다.

"그거, 나였습니다. 미안합니다."

"뭐?"

마사요시와 가노가 거의 동시에 소리를 냈다. 고키가 자세를 바로하고 고개를 들었다. 가노의 맞은편에서는 다마키가 기가 막힌다는 표정으로 눈을 크게 뜨고 있었다.

"『다크웰』의 원작자 미키나가 마이는 내 필명이에요. 내가 쓴 겁니다."

"왜."

가노의 질문은 '왜 지요다 고키라는 이름을 숨겼어?', 혹은 '왜 우리한테 말 안 했어?'여도 상관없었다. '왜 이제 와서 밝히기로 한 거야?'여도. 고키는 틀림없이 그 질문들에 대답할 수 있으리라.

그러나 가노가 이어서 질문하기 전에 고키가 먼저 설명했다.

"한 작가가 두 가지 소설을 연재하기보다 전혀 다른 사람이 쓰는 것처럼 보이는 편이 《블랑》이 잡지로서 안정되어 보인다는 이유였어요. 구로키 씨가 그렇게 권하더군요. 인기 작가가 지요다 고키밖에 없다고 여겨지는 게 영 심사가 뒤틀리는 데다 다행히 『다크웰』은 그동안의 내 작풍과는 좀 다르니까 가능하지 않겠냐고 말이에요."

"아니, 자기가 쓴 이야기를 그렇게 왕팬이라며 호들갑 떨었던 거야? 절대 이길 수 없다고 자기가 쓴 것보다 훨씬 재미있다고 그랬잖아."

일부러 비아냥대는 것이 아니라 마사요시는 정말 순수하게 궁금한 것이다. 고키는 씁쓸히 웃으며 멋쩍게 "네" 하고 대답했다.

"뭐랄까. 일종의 카무플라주, 즉 위장인 셈이지요."

"왜 이제 와서 밝히기로 한 거야?"

아까 미처 하지 못한 질문을 가노가 덧붙였다.

고키가 "아직 비공개입니다만" 하고 운을 떼고 나서 말했다.

"실은 『다크웰』의 마지막 회가 얼마 남지 않았거든요. 그런데 연재가 끝나도 원작자의 정체는 절대 공표하지 않을 예정입니다. 우리끼리만 알고 있어야 하니 비밀을 꼭 지켜 주세요."

"그야 뭐, 알겠는데."

스미레가 조심스럽게 고키와 다른 사람들의 얼굴을 번갈아 봤다. 그 시선이 이윽고 다마키 앞에서 멈췄다. 그러나 가노는 그쪽으로 고개를 향할 수가 없었다. 다마키의 얼굴을 차마 똑바로 볼 수가 없었다.

고키가 이어서 말했다.

"그동안 숨겨서 정말 미안합니다. 그걸 쓴 사람은 나예요. 원고를 분실했다는 건 알았습니다만——."

그의 눈이 입을 꾹 다물고 있는 다마키를 쳐다본다. 그녀는 고키가 고백하기 시작했을 때부터 단 한 마디도 하지 않았다.

"돌이킬 수 없는 일도 아니라 얼른 새로 복사해서 받았거든요. 그래서 깊이 신경 쓰지 않았던 겁니다. 설마 다마키가 보관하고 있을 줄은 생각도 못했습니다."

——이렇게 말하면 뭣하지만, 있을 리 없어. 그 『다크웰』이잖아.

다마키가 모두를 이곳에 집합시켜 원작자가 누구인지 밝히라고 했을 때 가노는 그렇게 말했다.

——한심한 이야기지만 이 집을 떠난 엔야를 포함해 이 중에 그걸 쓸 만한 사람이 있다고 쳐도——.

그때 다마키는 대답했다.

──나 아니면 고 쨩이라고 보는 게 타당하지. 다른 사람들은 실력적으로 그 대인기작에 못 미치니까. 무슨 말을 하려는지는 알아.

고키가 미키나가 마이가 아닌가 하는 소문은 처음부터 있었다. 그러면 모두가 납득할 수 있다.

그날 다마키가 자신을 평가한 '어릿광대'라는 말. 슬로하이츠의 이인자. 하지만 고키가 미키나가 마이가 맞는다면 다마키의 순위는 밀리지 않는다.

"어쨌든 모두에게 폐를 끼치고 혼란과 소란을 일으켜 죄송합니다. 구로키 씨의 허락이 떨어져 솔직히 말하는 겁니다."

모두를 보며 고키가 또박또박 말했다.

"내가 미키나가 마이입니다."

식사를 마치고 뒷정리를 한 뒤 모두 자신의 방으로 돌아갔다.

그제야 다마키가 고키를 불러 세웠다. 가노의 시선 끝에서 그녀가 불쑥 내뱉는 것이 들렸다.

"부탁받았구나?"

"무슨 말인가요?"

고키가 자연스럽게 되물었다. 그 태도를 보고 다마키는 깨끗이 물러났다. 그러고는 혼잣말처럼 흘렸다. "상냥함의 방향이 잘못되었어."

그는 미소를 지으며 서 있었다. 가노는 자신이 이 대화를 들을 자격이 없다는 것을 깨달았지만 이제 와서 자리를 피하면 분위기가 이상해질 터였다.

"방향은 맞습니다."

고키가 대답했다.

"잘못되지 않았습니다."

(2)

이튿날 잠에서 깨자 몸이 말을 듣지 않았다. 아카바네 다마키는 쓰러지고 말았다.

스스로의 몸 상태가 파악되지 않는 상황을 거의 처음 맞닥뜨려 혼란스러웠다. 지난 주말부터 열 기운이 있던 몸이 지금은 여기저기 안 아픈 데가 없었다. 일단 침대에 누우면 가슴 표면부터 그 속의 위장과 등의 순서로 통증이 깊이 스며들었다.

눈을 감으면 나쁜 꿈을 잔뜩 꿀 것 같아 두려웠다.

속이 좋지 않다. 언제쯤 몸이 개운해질지 짐작도 가지 않았다. 계속 이 상태일까. 한 번 그렇게 생각하자 무섭고 불안한 마음이 들어 견딜 수가 없었다. 감기일까, 빈혈일까, 아니면 피로가 쌓인 탓일까. 원인도 알 수 없었다.

책상으로 기어가듯 걸어가 노트북 전원을 켰다. 어제 잠든 시각은 새벽 3시. 6시에는 일어나서 이어서 작업을 하기로 결심했다. 그렇게 하지 않으면 마감을 맞추지 못한다. 어둑어둑한 방 안에서 모니터 불빛이 환하게 밝혀지고 기계의 작동음이 울리기 시작한다. 정전기로 공기 중의 먼지가 모였다가 흩어지는 이미지가 머리를 스친다. 일어서자 다리에 힘이 들어가지 않아 이내 무릎이 꺾였다.

왈칵 구역질이 솟아 가까스로 화장실까지 걸어갔지만 도중에 갑자기 고개가 뒤로 젖혀졌다. 현기증이 일고 있다는 것을 뒤늦게 깨달았다.

그동안 몸 상태가 나빠진 적이 많았지만 이런 감각은 처음이었다.

먹은 것이 없는데도 씁쓸한 위액과 침이 입을 다물고 있어도 위로 올라온다. 차라리 토하고 편해지는 게 낫겠다 싶어 목구멍에 손가락을 집어넣으면서 내 몸도 이제 예전만 못하구나 하고 생각했다. 방에서 노트북 옆면의 팬 돌아가는 소리가 들려온다. 일해야 하는데, 일해야 하는데, 일해야 하는데.

모모카, 나 무서워.

동생의 이름을 부르자 압박된 위장이 더 꽉 조이는 통증이 느껴졌다. 속이 메스껍다. 살이 찢어지거나 피가 나는 것도 아닌데 통증이 너무 가깝게 느껴진다. 뼈가 부러지면 이런 느낌일까.

입술을 깨물고 무거운 몸을 질질 끌며 책상 앞까지 걸어갔다. 키보드 문자가 눈앞에서 이리저리 흔들린다. 키보드를 누르자 손가락에 실은 힘의 충격이 고스란히 어깨로 돌아왔다.

의자에 앉으려 짚은 손이 기우뚱 기울었다. 넘어질 뻔하여 순간 책상 위에 있던 원고를 움켜쥐자 종이가 손가락 사이로 빠져나가 바닥에 팔랑팔랑 흩어진다. 잘 만들어진 영화의 한 장면 같네, 새의 깃털이 날아다니는 것 같아, 하고 거기까지 생각한 순간 다마키는 눈을 감았다.

머리가 바닥에 부딪쳤다. 아프다. 하지만 질 수야 없지. 일해야 하는데.

──더는 못 참겠어.

눈을 감자 가가미 리리아의 얼굴이 나타나 싸늘하게 내뱉는다. 타원형의 아름다운 눈동자를 일그러뜨리고 다마키를 노려본다.

──위선자. 아카바네 씨는 자기기만덩어리야.

그 말이 맞아, 리리아.

다마키는 소리 내지 않고 대답한다. 욕을 들어도 상관없었다. 그래야 마땅하다.

"다마키?"

위층에서 바닥에 뭔가가 떨어지는 소리가 들리는 듯하여 3층 방을 찾아온 스미레는 눈앞에 펼쳐진 광경을 보고 소스라치게 놀랐다. 걸음을 휘청거리며 곧장 방으로 뛰어들었다.

"다마키!!"

다마키가 책상 의자에서 떨어진 것 같다. 방바닥에 널려 있는 원고 더미. 그 속에 파묻히듯 그녀가 쓰러져 있었다. 눈을 꾹 감고 팔과 다리를 축 늘어뜨린 채. 스미레는 종이 다발을 밀어 헤치고 다마키의 머리를 안아 일으켰다. 작은 머리였다. 이마에는 굵은 땀방울이 송송 맺혀 있었다. 생기라고는 없는 파리한 얼굴을 하고 있는데 목과 가슴은 공기를 찾아 격하게 들썩였다.

"다마키, 다마키, 정신 차려."

"스―."

"갑자기 어떻게 된 거야? 과로 때문이지?"

울고 싶은 심정으로 다마키의 부름에 답하자 그녀가 떴던 눈을 다시 감았다. 고통스러워서 눈을 뜨고 있을 기운조차 없다는 듯이.

숨도 곧 끊어질 듯이 다마키가 말했다.

"어떡하면 좋아, 이러다간 지고 말 거야."

그 순간 스미레는 숨을 삼키고 그대로 "응" 하고 끄덕였다. 어이가 없어서 쓴웃음이 절로 났다. 하지만 다마키다웠다. 지기 싫어하는 데도 정도가 있건만.

낑낑대며 그녀를 침대로 옮겨 눕혔다. 옷을 갈아입히려 옷장 쪽으로 고개를 돌리던 스미레는 그제야 비로소 방 여기저기에 널려 있는 원고에 시선을 멈추었다. 쓰러지기 직전까지 다마키가 씨름하고 있었을 일. 스미레는 원고 한 장을 손에 들어 훑어보다 눈을 동그랗게 떴다.

퍼뜩 고개를 들어 옆에서 얼굴을 찡그린 채 잠든 다마키를 봤다.

"마사 군!"

오늘은 오랜만에 그가 쉬는 날이다. 근처에 있던 원고 몇 장을 손에 쥐고 스미레는 방을 뛰쳐나갔다.

(3)

지요다 고키의 가짜, 고도 지카라가 원조를 따돌리고 아시자와의 사진을 책 표지로 사용한다는 것. 그로 인해 고키가 원하는 사진을 얻지 못하게 된 것.

다마키는 2월 중순에 그 사실을 알게 되었다.

"너무하다니까요. 고도 지카라는 요즘 분명히 살판났을 거예요. 지요다 선생님 흉내나 내는 주제에."

리리아가 말했다.

"분명히 일부러 그러는 거라니까요."

리리아가 뺨을 부풀리며 반복했다. 억울하다는 듯 입술을 깨물고 눈물까지 글썽였다.

"아카바네 씨도 말 좀 해 줘요. 선생님은 더 분노해야 한다고요."

"괜찮아요."

리리아 옆에서 당사자인 고키는 지극히 평온했다. 난감한지 표정에 그늘이 졌다. 그의 쓴웃음을 본 순간 다마키는 가슴에 분노가 치밀어 올랐다.

아시자와의 사진. 그것을 고키가 표지로 희망했다는 것을 다마키는 오래전부터 알고 있었다. 아시자와의 사진 중 특별히 좋아하는 사진이 있고 그것을 표지에 넣고 싶다는 이야기를 전부터 들었던 것이다. 달을 에워싼 아름다운 구름 사진.

다마키가 아시자와와 함께 일하기로 결정되었을 때 고키는 몇 번이나 "정말 잘되었네요" 하고 부러워했다. "아시자와 씨와 함께 일하다니 다마키는 정말 대단하군요" 하고 웃어 주었다.

더 분노해야 한다, 억울해하고 울어야 한다. 고도 지카라를 제대로 적으로 받아들여야 한다. 반복해서 그렇게 주장하는 리리아를 노려본다.

"나를, 열 받게 했겠다?"

"네?"

그 말에 리리아가 다마키를 돌아봤다. 다마키는 그녀와 눈이 마주치기를 기다리지 않고 외출하는 것도 미루고 곧장 3층 방으로 올라갔다.

"잠깐 전화 좀 하고 올게. 아시자와 씨도, 그런 일은 수락하면 안 되는데 뭐 하는 거야."

방에 들어간 다마키는 두 군데에 전화를 걸었다. 우선 아시자와의 사무실. 다른 한 군데는 구로키 사토시의 휴대폰. 그가 전화를 받지 않아 부재중 메시지를 남겼다.

"나, 다마키인데 할 이야기가 있어."

숨을 들이마신다.

"장난질을 아주 제대로 쳐 놨더라. 제안할 게 있어. 손해 보게 하지는 않을 테니 한 번 만나. 나 벌써 다 알아."

전화를 끊고 리리아의 방을 찾아가 말했다.

"리리아, 잠깐 실례. 할 이야기가 있는데 다음 주에 시간 있어?"

그로부터 얼마 후 다마키는 리리아와 단둘이 대화할 기회를 얻었다. 대화할 장소로는 거실도, 자신의 방도 아닌, 그녀의 방을 지정했다.

"깜짝 놀랐어요. 내 방에서 아카바네 씨와 이야기를 하다니 왠지 신기하네요."

딱히 상관은 없지만요.

그렇게 말하면서 다마키의 얼굴을 정면에서 쳐다본다. 입가에는 우아하게 미소를 띤 채.

"할 이야기라니, 뭔데요?"

고키는 외출 중이었다. 구로키에게 미팅 자리에 불러내 달라고 미리 부탁해 두었다. 집에는 자신들 외에는 아무도 없었다.

리리아의 침대에 걸터앉은 다마키는 그 위치에서 그녀를 올려다보며 웃었다.

"지하라 도코."

이름 하나를 입 밖에 낸 순간 그녀의 표정이 얼어붙었다. 입가의 미소가 순식간에 사라지고 믿기지 않는 것을 보는 것처럼 눈빛이 돌변했다. 뺨이 긴장한 것이 한눈에 보였다.

다마키는 천천히 일어났다.

"좋은 이름이네. 전혀 본명 같지 않은 '가가미 리리아'보다 훨씬 낫다. 난 좋은데."

"아카바네 씨——."

그녀가 촉촉한 목소리로 교태를 섞어 불렀다. 상대의 비위를 맞추듯 한 걸음 접근해 오는 그녀에게 다마키는 조용히 고개를 내저었다.

"리리아. 가짜 지요다 고키, 고도 지카라가 당신이지?"

리리아가 눈을 동그랗게 떴다. 완전히 허를 찔린 듯 그렇게 한 뒤 황급히 "네?" 하고 되물었다. 표정을 다듬고 뒤집힌 목소리로 말했다.

"그럴 리 없잖아요. 아카바네 씨, 무슨 말을 하는——."

"미안하게 됐어. 그리 좋은 취미는 아니지만, 당신에 대해서는 꽤 오래전에 조사해서 알고 있었어. 지하라 도코. 이쪽 이름이 지요다 고키랑 발음이 비슷해서 좋았을 텐데."

침대 위에는 A4 용지 크기의 파일이 놓여 있다. 파일의 맨 위에 끼워진, 지금보다 앳되어 보이는 교복 차림의 얼굴 사진. 그녀 동창생의 졸업 앨범에서 빼 왔다는 그 사진 밑에 고딕체로 '지하라 도코'라고 쓰여 있다.

재수 없다고 생각해도 상관없다. 다마키는 눈을 가늘게 뜨고 최대한 여유로운 목소리로 말했다.

"리리아."

그 이름으로 불렀다.

"당신, '고키의 천사'인 척 꾸며 냈더라?"

그녀가 입을 딱 벌렸다. 그 틈을 타 다마키는 그녀에게 다가가 파일을 내밀었다. 리리아가 고개를 숙이고 치뜬 눈으로 다마키를 쳐다봤다. 눈앞에 내밀어진 파일에는 손도 대려 하지 않는다. 다마키 또한 그것을 도로 물리지 않았다.

"처음 이 집에 와서 자신이 '고키의 천사'임을 넌지시 비추었을 때부터 미안하지만 나는 당신한테서 못 견디도록 위화감이 느껴졌거든. 그래서 바로 지인 회사에 의뢰해서 조사했지."

"아카바네 씨가 무슨 말을 하는지 도통 모르겠는데요."

다마키는 리리아의 말을 무시했다.

"구로키 씨도 관련되어 있지?"

다마키가 파일을 침대 위에 놓고 한숨과 함께 말했다. 그 사람은 대체 머리가 어떻게 생겨 먹었길래 이런 짓을 벌이는 걸까.

인기와 화제성, 존재감 있는 빛 앞에는 그림자가 생기기 마련이다. 그림자가 짙고 어둠이 깊을수록 빛은 더욱 두드러진다.

"자신이 담당하는 잡지의 가짜 만들기라니. 화제를 불러일으키고 늘 존재를 과시하기 위한 홍보도 되긴 하는데, 정말 기가 막힌다. 도대체 어디까지 손을 뻗은 거야? 분노를 넘어서 그냥 어이가 없어."

《플랫》은 결국 《블랑》의 표절 잡지가 아닌가. 사람들에게 고도 지카라가 지요다를 이길지도 모른다는 생각을 심어 주는 것.

그것은 사람들이 《블랑》을 잊지 않게 하기 위한 새로운 수법에 지나지 않는다. 그리고 지요다 고키에게서 다음 스토리 전개를 알아내기 위해 구로키가 선택한 방법이 이것이다.

"고도와 지요다를 세트 판매하기 위해서는 작풍을 비슷하게 할 필요가 있었어. 구로키 씨는."

애증의 관계인 작가와 담당 편집자. 서로 진지하게 창작 활동과 영업 활동에 임해야 한다. 그런데 구로키는 도대체 고키를 뭐라고 생각한 걸까. 고키가 좋아할 만한 외모의 여자를 준비해 놓고 그의 마음을 이용하다니.

"그 사람은 고 쨩이 사랑하도록 만들고 그 마음을 이용하려 했어. 옛날에 고 쨩이 마음이 끌렸던 '고키의 천사'를 날조해 낸 거지."

지요다 선생님.

촉촉한 눈동자로 고키의 안색을 살피고 애교 띤 목소리로 신뢰를 얻어 그의 방에 들어앉는다. 이야기를 하면서 DVD를 보면서 그곳에 놓인 원고나 메모의 단편을 훔쳐본다. 어질러진 고키의 방에서 그런 자료들을 곁눈질하면서 천진하게 작품 이야기를 해 달라며 조르는 것이다. 그리고 그것을 따라 소설을 집필한다.

"고 쨩의 소설 전개는 그의 머릿속에 들어 있을 뿐 원고가 쓰이기 전에는 다른 곳 어디에도 정보가 나오지 않아. 기껏해야 플롯 노트가 있는 정도인데, 구로키 씨하고도 최근에는 사전 협의를 하지 않는다고 하더라. 요컨대 플롯 노트가 존재한다는 건데, 그걸 볼 수 있는 사람이 누구일까?"

리리아는 입을 꾹 다물고 대답하지 않았다.

"사실 당신에 대한 조사 결과를 받았을 때는 당신과 고도 지카라를 연관 지을 생각도 못 했어. 최근에 알아차린 거지. 그전까지는 단순히 구로키 씨가 고 쨩한테 애인감을 알선해 주었다고만 생각했거든. 그러다 고도 지카라의 작풍이 도를 넘으면서 알아차린 거야. 당신이 그가 맞는다면 모든 것이 납득이 가. 그동안 이 집을 아주 제멋대로 사용했더라? 솔직히 머리가 수그러질 정도야."

말도 안 되는 장난질을 쳐 놨더라. 다마키가 말했다.

"가르쳐 줘. 당신한테 글쟁이로서의 자존심은 없어? 고도 지카라."

"……이런 건 어차피 아르바이트잖아요."

이제 발뺌할 수 없다고 판단했으리라. 리리아가 체념한 듯하면서도 짐짓 험악한 목소리로 대답했다.

"그냥 홍보하는 데 지요다를 이용했을 뿐이에요. 글쟁이로서의 자존심이요? 아카바네 씨는 왜 항상 자기한테 유리한 말로 입지를 굳히려고 해요? 글쟁이는 직업의 하나일뿐더러 나한테는 단순히 돈을 벌기 위한 아르바이트라고요."

"지요다를 이용해? 아르바이트라는 걸 자각하면서도 모순된 말을 하네. 이용당하는 쪽은 고도 지카라야."

다마키가 코웃음을 치자 리리아가 매섭게 노려본다. 단단히 각오했다는 눈빛을 띠고 거칠게 소리쳤다.

"그게 당신이랑 무슨 상관인데?"

"당신들은 도를 넘었어. 작품 밖에서 사람의 마음을 농락하고 짓밟았지. 고 짱을 따돌리고 아시자와 아키라의 사진을 가로챘으면서 뻔뻔스럽게 화내다니, 얼마나 고소했을까? 명백히 도를 넘었어. 그리고 그런 방법으로 손에 넣은 재미를 나는 인정할 수 없어."

"그래서 뭐?"

리리아가 쉿소리를 냈다. 뭐가 나쁜데? 하고 정색하는 그녀의 목소리는 어떤 면에서는 칭찬할 만하다. 결코 만만치 않게 강인한 태도였다.

리리아가 코웃음을 쳤다.

"이왕 이렇게 된 거 다 까발리죠. 구로키 씨는 지요다 선생님에게 내가 '고키의 천사'라는 걸 밝히지 않아도 된다고 했어요. 주변에서 넌지시 비추는 것만으로 그 사람은 충분히 분위기를 감지할 수 있을뿐더러, 지요다 고키는 그런 생생함이 없는 동정 (童貞) 로맨티시즘을 더 좋아한다고요. 나더러 위험이 느껴지면 금방 도망가도 되고 신체 접촉은 아예 하지 않아도 된다고 하던데요? 정말 한 방에 하루 종일 같이 있기만 하면 그 사람이 나한테 빠지겠느냐고 물었더니, 고키는 그럴 배짱도 없다면서 쓴웃음을 짓더군요. 웃기고들 있어, 진짜."

"…………."

다마키는 잠자코 있었다. 그 이야기를 자랑스럽게 늘어놓는 그녀를 그저 똑바로 쳐다봤다. 리리아는 다마키의 그 모습을 보고 더 우스꽝스럽다는 듯이 웃었다.

"그리고 실제로 그 말대로더라. 그 사람 어디 하자 있는 거 아니야? 사람을 만족스럽게 사귀어 본 적도 없잖아. 돈은 있는데 그쪽으로는 관심이 없더라. 여자를 사귀지도, 안지도 못해."

리리아가 눈을 가늘게 떴다. 다마키에게 도전하듯 똑바로 섰다.

"그 나이 먹도록 고작 그런 사람의 글을 입이 닳도록 칭찬하다니, 이 집 사람들도 정상은 아닌 것 같아. 전부터 그런 생각이 들더라."

그녀가 고키의 글에 경의를 표하지 않는 것. 그것을 굳이 밝히는 것이 다마키의 신경을 거슬리게 한다는 것을 잘 알고 있다는 말투였다. 옹호하는 시선과 비난하는 시선은 언제나 후자쪽이 우위다. 너는 왜 그딴 걸 좋아하냐? 하고 깔보는 시선 앞에 그것을 비호하는 반론의 목소리는 너무나 무력하다.

"우리 솔직해지자고요."

리리아가 말했다. 속삭이는 듯한, 이상할 만큼 간드러진 목소리였다.

"그 사람 자체도 그 사람이 쓰는 글도 정말 소름 끼쳐. 왜 그런 기만에 찬 동료 놀이를 하는 거예요? 고 쨩은 굉장해, 고쨩은 훌륭해, 멋있어. 그런데 객관적으로 보면 실제로는 어떨지 알잖아요. 지요다 고키 따위는 못생기고 징그러——."

정신을 차려 보니 손이 먼저 나가 있었다. 찰싹, 하는 가벼운 소리. 손바닥에 가해지는 뜨거운 충격. 리리아의 뺨이 옆으로 휙 돌아가고 머리카락이 반 박자 늦게 찰랑거린다.

리리아가 놀란 듯이 손으로 뺨을 감쌌다. 다마키는 미동조차 하지 않았다. 리리아가 눈을 동그랗게 뜨고 다마키를 쳐다봤다. 그러나 다음 순간 다시 무표정으로 돌아가 뺨에서 손을 내렸다. 그러고는 킥킥 웃었다. 입술 끝을 당겨 비웃듯이.

"안타깝지만 그 사람이 좋아하는 건 나예요. 그쪽 말대로 구로키 씨와 내가 이상적인 천사인 '가가미 리리아'를 꾸며 냈거든요. 당신이 아니라고요."

좋아하죠?

리리아가 깔깔거리며 웃었다.

"아카바네 씨도 고생은 했는데 보람이 없네요. 왜 그렇게까지 해요? 그 사람은 정말 사람과 관계를 맺지 못하는 구제불능이라고요. 오랫동안 함께해 온 구로키 씨가 그런 판단을 내리고 관리하고 있는, 어쩔 수 없는 애어른이라고요. ──속상해요?"

그녀가 거듭 말했다.

"그 사람이 좋아하는 건 나예요."

"나는 고 짱의 친구야."

다마키가 대답했다. 리리아의 뺨을 때린 오른손이 아직 뜨겁다. 손을 쥐고 감정을 죽인 목소리로 말했다.

"그래서 당신이 한 짓을 용서할 수가 없어. 그뿐이야. 그의 친구로서, 사람으로서 진심으로 당신을 경멸해."

리리아가 싸늘하게 눈을 일그러뜨렸다. 잠시 뜸을 들인 뒤 다마키에게 물었다.

"──조사했으면 아카바네 씨는 내 고향이 어디인지도 알겠네요."

더는 도망가지 않기로 마음먹자마자 반기를 드는 리리아. 대단하다. "알아." 다마키는 그것을 정면에서 받아내기로 결심하고 대답했다. "나는" 하고 리리아가 말했다. 숨을 멈춘 듯한 목소리였다.

"나는, 센다이 출신이에요. 지요다 고키의, 그 사건으로 살해된 사카타 가즈마사 군과 같은 반이었죠."

지요다 브랜드의 광신자, 도쿄에 사는 대학생 소노미야의 제안으로 이루어진 자살 게임. 그 사건에 휘말려 죽은, 열다섯 살 소년부터 서른여덟 살에 이르는 참가자 열다섯 명. 인터넷 사이트에서 모집한 집단 자살 멤버 중 제 또래의 중학생이 있었던 것.

기억한다. 센다이 시에 살았던 15세 소년, 사카타 가즈마사.

"······알아."

"그럼."

그녀가 목소리를 쥐어짜 내며 호소했다.

"알잖아요. 나는, 지요다 고키를 원망해요. 가즈마사 군을 좋아했단 말이에요. 그 애가 그런 일에 휘말리다니, 당시 내 마음이 어땠을지 생각해 보세요. 창창한 나이에, 그런 사람의 하찮은 소설에 심취한 남자 때문에 가즈마사 군이 죽었다고요. 내 곁에서 가즈마사 군을——."

꼿꼿하게 앞을 향하고 다마키를 노려보던 리리아의 목소리가 서서히 쉬어 갔다.

"좋아했는데, 그 애를 좋아했는데, 많이 좋아했단 말이에요."

리리아가 비통하게 소리쳤다. 눈에는 순식간에 눈물이 고였다. 눈물은 마스카라로 진하게 칠한 그녀의 긴 속눈썹을 적시고 이내 방울져 뺨을 타고 흘러내렸다. 연출이 잘된 장면처럼 우는 것도 예쁘장한 얼굴과 아름다운 눈물이었다. 그녀가 눈물을 닦지 않은 채 말했다.

"나는, 지요다 고키를 원망해요. 경멸당해도 상관없어요. 이건 내 복수라고요."

"복수?"

다마키가 차분하게 말했다. 리리아는 "그래요" 하고 끄덕였다.

"내게서 가즈마사 군을 빼앗은 것에 대한 앙갚음이에요. 나는 결코 너무하다고 생각하지 않아요."

"그래?"

다마키는 입을 다물었다. 오열하며 본격적으로 울음을 터뜨린 리리아 앞에 선 채 그녀의 떨리는 어깨를 바라봤다. 리리아가 호소했다.

"그러니 내버려 둬요. 당신이 뭘 알아? 상관없잖아."

"그러게."

다마키는 고개를 끄덕였다. 그러고는 힘없이 웃었다.

"그러게, 정말 상관없네. 그럼 이참에 상관없는 이야기를 하나 더 해 볼까? 우리가 고등학교에 다닐 때 해외에서 과격파에 의한 동시 다발 테러가 발생했던 거 기억해?"

다마키는 자신의 목소리가 몹시 냉정하고 억양도 없다는 것을 말하면서 깨달았다. 다마키는 계속했다.

"비행기 여러 대가 납치되어 그 나라의 주요 건물에 돌진했어. 희생자가 수천 명에 달한 사상 최악의 테러 사건 말이야. 기억해?"

리리아가 다마키를 향해 천천히 고개를 돌렸다. 무슨 말을 하려느냐고 묻는 표정이었다. 그녀와 눈이 마주치기를 기다렸다가 다마키는 계속 말했다.

"그 무렵 우리는 사건과는 아주 먼 세상에 있는 평범한 일본 고등학생이었어. 그 참극을 뉴스로 보고 두려움에 몸서리치며 우리는 평화가 지속돼 둔감해진 나라의 청소년 나름대로 충격을 받았지. 나도 마찬가지였어. 마치 영화를 보는 것 같다며 현실감 없이 생각했지. 그런데 무너지는 건물에서 사람이 떨어지는 걸 보고 비로소 제정신이 들더라. 저기서 지금 사람이 목숨을 잃고 있구나 하고. 티끌도, 건물의 파편도 아닌 인간의 몸이 떨어지고 있었어. 지금 이 순간 사람이 죽고 있다는 끔찍한 상황에 숨이 막히는 한편 내가 우는 건 지나친 행위라는 것도 알고 있었어. TV 너머의 세상과 나는 압도적으로 무관했어."

"……무슨 말을 하고 싶은 거예요?"

리리아의 얼굴이 새파랗게 질렸다. 그것을 확인하고 다마키는 계속했다.

"그런데 말이야, 리리아. 당신 동창들이 알려 줬다고 하더라. 그날 당신은 친구한테 이렇게 말했지. '친척 아저씨가 그 타오르는 건물 속에서 일하고 계셔. 어떡하지? 내가 정말 좋아하는 분인데 너무 걱정돼. 친척이 그 테러에 휘말리고 말았어' 하고."

리리아가 숨을 멈추고 도망치듯 눈을 내리떴다. 긴장했는지 눈 밑 표정이 딱딱하다.

이 악의에 어떻게 이름을 붙이면 좋을까. 애초에 이것은 악의라고 부를 수조차 없을지도 모른다.

"그런데 당신 친척 중에 '그날 그 나라의 건물에서 일한 아저씨'는 없었어. TV에서 연일 계속되는 뉴스에 당신은 주변의 누구보다 깊이 마음을 쏟고 관여할 권리가 있다고 주장하며 친구들 앞에서 눈물로 지냈지. 사건의 주역이 되어 친구들의 동정심을 독차지한 거야. 그러고는 어느 날 '아저씨'가 무사했다는 소식을 웃는 얼굴로 알리고는 그걸로 끝. 그런데 한참 뒤에 한 친구가 그 아저씨는 지금 어떻게 지내고 있는지, 당시 그 건물에서 어떤 일을 했는지 물어봤더니 당신은 어리둥절해하며 친구가 뭘 묻는 건지조차 얼른 알아차리지 못했다고 하더라. 그렇게 말한 동창이 있다던데, 기억해?"

리리아의 안색이 창백해졌다. 그녀는 다마키를 보지 않았다. 조금 전까지만 해도 펑펑 쏟았던 눈물도 새로이 흘러내릴 기미가 보이지 않는다.

"있지, 리리아. 10년 전 지요다 브랜드를 둘러싼 그 사건에 휘말린 사카타 가즈마사 군에게는 친구가 없었어. 그 후쿠시마의 산으로 떠나기 전에 그는 유서를 남겨 놓았지. 같은 반 아이들 모두에게 존재를 무시당하고 동아리 선배들에게 폭력을 당하는 생활. 자신을 필요로 하는 사람이 아무도 없다는 절망과 외로움, 유서에는 그런 내용이 절절히 적혀 있었어. 자신을 감싸는 사람, 편들어 주는 사람이 단 한 명도 없었다고."

"무슨 말을 하고 싶은 거예요?"

리리아가 이를 악물고 거칠게 말했다.

"잘 기억해 봐, 리리아" 하고 다마키가 말했다.

"같은 반이었던 건 사실이겠지. 그런데 가즈마사 군을 정말 좋아했어? 당신처럼 예쁘장한 아이가 반의 모두가 껄끄러워하고 따돌리는 남학생한테 정말 마음을 품었다고? 당신은 그때 다른 학교의 학생회 임원인 남학생과 사귀었잖아. 그런데 마음속으로는 그를?"

"네, 좋아했어요."

리리아가 거의 끊어질 듯한 목소리로 그러면서도 단호히 말했다.

"안 되나요?"

"세상과 연결되고 싶으면 네 힘으로 실현해."

말하는 도중 지금껏 표정이 없었던 목소리에 힘이 실렸다. 목이 떨린다. 아아, 정말 그렇다. 다마키는 말하면서 깨달았다. 나는 그녀가 용서가 안 된다.

"이미 일어난 사건에 관여하려고 자신이 주역이 되기 위한 거짓말을 쉽게 꾸며 내다니. 자신이 특별하다는 주위와의 차별화, 즉 주목을 받기 위해서 말이야. 세상에 의지하고 싶고 사람들이 무시하지 않았으면 하는 그 마음은 이해가 돼. 하지만 그렇다면 그건 제 힘으로 손에 넣어야 해."

웃어넘길 수 없는 비극에까지 자신의 시시한 욕망을 끌어들이는 거짓말 회로. 그것은 리리아에게만 있는 특별한 충동은 아니리라.

거짓말을 통한 자기실현의 치킨 게임. 어디까지든 갈 수 있다며 절벽에서 몸을 내민다. 높이 뛰어올랐다가 너무 많이 가서는 추락한다. 리리아도, 그리고 다마키의 어머니도.

세상에는 그런 사람들이 있다.

"당신 눈에는 사소하게 보이겠지. 하찮다고 생각할지도 몰라. 그런데 내 친구들은 모두 필사적이야. 자신의 무기는 뭘까, 그걸 생각하며 소설을 쓰고 만화를 그리고 세상에 필사적으로 관여하려 해. 이것이 자신의 무기임을 깊이 생각하고 그것으로 호소하지 못한다면 정말 자기 인생은 어떻게 해야 할까 치열하게 노력하고 있어. 세상에 이름을 남기고 싶다는 꿈을 꿔 버린 이상 뭐라도 해야 한다는 마음가짐으로 오늘도 책상 앞에서 씨름하고 있다고."

그 때문에 지기 싫어하는 성질이 심해져 사람을 만나지 못하게 되고, 충돌하고, 스스로를 소모시킨다. 그렇게 하면서 살아간다. 이 방법으로 세상에 관여하길 소망했기 때문에.

소망이 이루어지는 경우도, 이루어지지 않는 경우도 있다. 하지만 그로 인해 좌절하고 체념하고 타협하는 것은 거짓말을 해서 손에 넣은 행복이나 즐거움보다 분명 가치가 있다.

이 말이 리리아의 가슴에 얼마나 가닿을지는 모른다. 어쩌면 아무런 울림도 주지 않을 수도 있다. 하지만 그래도 상관없었다. 인생에 적이 있으면 그 또한 즐거운 법이다. "오래가지 않을걸" 하고 다마키는 말했다.

"당신 같은 거짓말쟁이는 반드시 언젠가 따끔한 맛을 볼 거야. 거짓 울음을 짓는 여자의 말로는 처량한 법이거든."

"이게 다야."

《플랫》에서 연재 중인 고도 지카라의 『헬로 레이첼』. 그 소설의 그동안의 원고 데이터와 캐릭터 설정 등 기본 요강을 포함해 모든 것을 리리아의 방에서 압수했다. 다마키는 준비해 온 커다란 쇼핑백에 그것들을 꾹꾹 담았다.

"어쩔 작정이에요?"

여태껏 잠자코 있던 리리아가 그제야 입을 열었다. 다마키가 시키는 대로 모든 서류를 내놓았을지언정 그녀의 눈에는 아직 강한 비난과 적의의 빛이 남아 있다. 다마키의 얼굴을 뚫어져라 쳐다본다.

그 시선을 차분히 받아내며 다마키가 대답했다.

"구로키 씨하고는 이미 얘기가 다 됐어. 사후 승낙이 되어 미안하네. 나중에 구로키 씨한테서 연락이 갈 거야."

다마키가 리리아와 마주 보고 섰다. 못마땅하게 자신을 노려보는 눈. 그것을 똑바로 응시한다.

"그리고 하나 더, 당신한테 부탁할 게 있어."

"뭔데요? 설교는 이미 들을 만큼 들었는데, 여기서 뭘 더 바란다는 거예요?"

리리아가 쌀쌀맞고 퉁명스럽게 말했다. 프릴이 달린 퍼프소매 블라우스, 거기서 뻗어난 흰 팔로 팔짱을 낀 채 우뚝 서서 다마키와 대치했다.

그런 리리아를 향해 다마키가 머리를 숙였다.

"이 집에서 계속 살아 줬으면 좋겠어."

그 순간 그녀가 "뭐?" 하고 소리를 높였다. 다마키는 거듭 말했다.

"나는 고도 지카라의 정체를 폭로할 생각은 없어."

"아카바네 씨, 제정신이에요?"

정말이지 기가 막힌다는 말투로 말한 뒤 깔보듯 웃었다. 다마키가 고개를 들었다.

"그래. 제정신으로 부탁하는 거야."

"나한테 실컷 독설을 퍼부은 주제에 당신이랑 한 집에서 계속 아무 일도 없었다는 얼굴로 살라는 거야?"

리리아가 고개를 기울이고 의미심장하게 웃었다. "믿기지가 않네" 하고 말했다.

"그래."

물러설 생각이 없는 다마키는 분명하게 고개를 끄덕였다.

"다른 사람들 앞에서는 지금까지 해 왔던 대로 '가가미 리리아'로 있어 줘."

"말 같지도 않은 소리 마!"

리리아가 내뱉듯이 소리쳤다.

"이것도 지요다 고키를 위해서야? 하긴, 내가 실은 처음부터 그놈을 상대하지 않았다는 걸 알면 그 남자가 상처받겠지. 그게 싫어서?"

"네 말이 맞아. 자기 자신이 무슨 짓을 했는지 조금은 생각해 봐."

리리아가 입을 다물었다. 그대로 미간을 찌푸리고 "흥" 하고 다마키를 본다.

"자기기만에도 정도가 있지. 구역질 나."

리리아가 도발적인 미소를 머금고 교태 섞인 목소리로 말했다.

"그러네. 지요다 선생님은 지금쯤 자기도 누군가와 연애를 할 수 있다며 기뻐하고 있겠네. 그런 날은 평생 오지 않을 건데."

다마키는 잠자코 있었다. 리리아가 계속했다.

"하긴, 들통나면 인간 불신이 될지도 모르겠네."

"알겠으면 제발 부탁을 들어 줘. 절대 말하지 마. 당신의 정체도, 본명도, 그리고 이게 전부 구로키 씨의 각본이라는 것도. 당분간만이라도 좋으니 변함없이 여기서 살았으면 좋겠어. 고짱 앞에서 모습을 감출 때도 모쪼록 자연스러운 형태로 이 집을 나갔으면 해."

"그렇게 좋아해?"

진심으로 지긋지긋하다는 말투로 리리아가 물었다. "미친 거 아냐?" 하고 덧붙였다.

"좋아해."

다마키가 대답했다.

"그 사람이 없었다면 나는 지금 여기에 없어. 십 대의 나에게는 신이었고 이십 대인 지금은 내 친구야."

"조건이 있어."

리리아가 입술을 오므리고 말했다. 험악한 눈초리로 다마키를 쳐다본 뒤 이어서 방바닥에 시선을 떨어뜨렸다. 얇게 먼지를 뒤집어쓴 그곳을 가리킨다. 옥구슬 굴러가듯 발랄한 목소리로 다마키에게 명령했다.

"지금 당장 여기서 나한테 무릎 꿇고 빌어. 그럼 지요다 선생님한테 아무 말도 하지 않을게. 지금껏 했던 대로 그 사람한테 미움받지 않도록 노력하는 씩씩한 '리리아'로 있어 줄게."

"——알겠어."

다마키는 무릎을 꿇고 허리를 숙였다. 손바닥을 바닥에 대자, "어머, 웬일이야" 하고 리리아가 웃음을 터뜨렸다. 밝게 교성을 내지르며 다마키를 내려다본다.

"정말 하려고? 아카바네 씨는 자존심 없어요?"

"할 거야. 그런데 나는 당신을 절대 용서하지 않아."

한 마디 한 마디 힘주어 말했다. 리리아는 입을 다물었다. 물에 뛰어들기 전처럼 숨을 들이마시고 다마키는 두 팔을 바닥에 밀착시켰다. 몸을 앞으로 숙이고 이마를 손등에 붙였다.

"……바보 아냐?" 머리 위에서 리리아의 목소리가 들린다.

단숨에 말했다.

"제발 부탁합니다."

그대로 몇 초가 흘렀다.

다마키는 이마를 손등에서 떼고 느릿느릿 일어섰다. 다리와 팔이 바닥의 딱딱한 감촉 때문에 조금 알알하다. 고도 지카라의 원고를 담은 쇼핑백을 들고 말없이 방에서 나왔다.

리리아는 움직이지 않았다. 나가는 다마키의 뒷모습을 눈으로 좇을 뿐이었다. 문을 닫는 순간, "알겠습니다" 하고 그녀가 작게 말하는 것이 들렸다. "고마워" 하고 다마키는 대답했다.

(4)

다마키가 눈을 떴을 때 이마에 차가운 감촉이 느껴졌다. 골이 울린다. 뭘까. 뿌옇게 안개가 긴 듯한 시야에 천장이 들어와 천천히 숨을 들이쉬었다. 그러자 위와 목이 다시 아팠다.

등이 몹시 뻐근하다. 속이 메스껍다. 여기는 어디일까. 고개를 돌리자 자신의 방 의자가 보였다. 노트북이 켜져 있다. 저것은 누가 켰을까. 일해야 하는데, 일해야 하는데, 일해야 하는데. 그런데 어째서 여기서 자고 있었을까. 왜 몸이 움직이지 않는 걸까.

"깼어?"

목소리가 들린다. 눈을 뜨고 있을 수가 없어 눈을 감고 대답했다. 응, 깼어. 목소리는 마사요시의 것이었다. 그가 이마 위를 부드럽게 쓰다듬어 주었다. 다마키는 그런 그에게 사과했다. 지금 땀 냄새 나는데, 머리도 안 감았어. 미안해.

"다마키, 그동안 애 많이 썼어. 남은 건 우리가 할 테니 안심하고 푹 자."

"——어떻게 해."

목소리를 쥐어짜 간신히 한 마디 내뱉자 숨이 찼다.

"——끝나질 않아……."

"응."

이 꿈은 뭘까. 일어나야 한다, 일어나야 한다. 다음 아침이 오면 나는 지고 만다. 구로키가 약속을 깬다. 감은 눈에 한심하게도 얄팍한 눈물이 번질 것 같다. 머리가 아프다. 정신이 흐리멍덩하다.

어떻게 해, 구로키가 약속을 깰 거야. 고도 지카라가 끝나지 않아. 할 수 있을지 없을지 늘 아슬아슬한데도, 두려운데도, 말해 버린다. 나는 괜찮아, 할 수 있어. 그리고 이런 식으로 쓰러진다. 내가 한 말이 저주처럼 되돌아온다. 나를 누구라고 생각하는 거야? 제대로 완성할게.

그 말은 전부 거짓말이다. 나는, 리리아를 탓할 자격이 없다.

"잘 견뎠어, 다마키."

마사요시가 말했다.

"괜찮아, 나머지는 우리가 할게."

머리 밑에 있는 것은 수건으로 감싼 얼음베개다. 기분이 좋다.

"응" 하고 대답한 뒤 다마키는 의식의 끈을 놓았다. 머리를 쓰다듬는 마사요시의 손이 편안하고 기분 좋았다.

다마키의 방에서 가져온 원고를 거실 테이블에 늘어놓은 뒤 마사요시와 스미레는 그저 경악할 따름이었다.

엄청난 분량의 종이에 나열된 활자. 왼쪽 하단에 인쇄된 페이지 번호. 친숙하다고 할 정도는 아니지만 그럭저럭 알고 있는 캐릭터들의 이름.

그것은 누가 봐도 《플랫》에서 연재 중인 고도 지카라의 『헬로 레이첼』의 원고였다. 게다가 얼핏 보아하니 마지막 회에 가까운 클라이맥스 부분이었다. 지금 연재 중인 내용보다 3호쯤 앞선, 요컨대 최신 원고다.

"그렇게 된 거였구나."

마사요시가 말했다. 스미레도 말없이 고개를 끄덕였다. 지난 몇 달간 작풍이 바뀌었다는 고도 지카라. 그것은 지요다 고키의 표절이라기보다 리스펙트나 오마주에 가까운, 지금까지와는 사뭇 다른 느낌이었다.

"이거, 마감 언제일까? 다마키가 끝나지 않아, 지고 말 거야, 하고 똑같은 말을 계속했어."

"가노한테 전화해서 구로키 씨한테 물어보라고 하자. 지금 일 때문에 밖에 나가 있지? 얼른 오라고 해서 거들라고 해야겠어. 그나저나 다마키 녀석은 뭐가 됐든 제법 잘한다니까."

마사요시가 진절머리가 난다는 표정으로 원고를 팔랑팔랑 넘겼다.

"이거 텍스트 양이 장난 아닌데? 다마키는 이야기를 어떻게 수습하려고 한 거지? 캐릭터 수가 어마어마한 데다 이런 연재물은 보통 각 캐릭터별로 결말이 나야 독자가 납득해 주잖아."

"그렇지. 내가 만약 팬이라면 내가 좋아하는 캐릭터가 마무리 없이 끝나면 불만스러울 거야."

스미레가 고개를 끄덕였다.

"그럼 그 녀석을 부르자, 엔야. 분담해야 그나마 희망이 보이지, 안 그러면 도저히 안 끝날걸. 이 로리 같은 애랑 츤데레 캐릭터의 에피소드는 엔야한테 시켜야겠어. 녀석이 좋아할 만한 캐릭터거든."

마사요시가 상황을 즐기듯이 웃고는 계단을 올려다본다. 위에 있는 다마키의 방을 턱으로 가리키고 말했다.

"녀석의 최종 보스는 지금 몸이 약해져서 휴식 중이니까 절대로 만날 일 없다고 설득하면 와 줄 거야. 나는 감독 역할을 할게. 모두에게 일을 할당하고 마지막에 편집할게."

가노에게 전화해 상황을 알리자 그가 곧바로 집에 왔다.

"마감은 모레야. 방금 구로키 씨한테 들었어. 모레에 마지막 회까지 몽땅 받기로 되어 있대. 분량은 원고지 백 장, 플러스 백 장, 이렇게 2회분. 총 2백 장이지."

"사람 참, 심보 고약하네."

마사요시가 얼굴을 찌푸렸다.

"원래는 토막 원고로 받아도 되잖아. 뭐야, 그 무리한 기일 설정은. 일부러 괴롭히는 거야?"

"마지막까지 읽어 보고 안 되겠다 싶으면 재빨리 다른 방법을 강구하려는 걸 거야. 이 마지막 회가 납득이 가지 않으면 고도 지카라를 예전 형태로 지속시킬 작정인 것 같아."

도중에 서둘러 왔으리라. 숨을 헐떡이며 말하는 가노에게 마사요시가 "흐음" 하고 고개를 끄덕끄덕했다. 그러고는 말했다.

"역시 구로키 씨는 너한테 약하구나. 어떤 의미에서는 알아서 잘하는 고 짱 같은 포지션이니 예뻐 죽겠지, 뭐."

"무슨 뜻이야?"

"아까 밖에서 일 있다는 거, 구로키 씨하고 미팅한 거지?"

마사요시가 자연스럽게 묻자, 윗옷을 벗던 가노가 손을 멈추었다. 굳은 표정으로 말없이 이쪽을 쳐다본다. 마사요시가 샐쭉 웃었다. 내 이런 캐릭터는 정말 편리하다니까, 하는 생각에 신이 났다.

"can과 able, '간에이 부'잖아. 『다크웰』 원작자 미키나가 마이의 한자 이름(幹永舞)을 음독으로 발음하면 말이야. 가노네 한자 이름(狩野)이 '가능(可能)'이랑 발음이 똑같더라. 다음에 거하게 한 턱 쏴, 이 고액 납세자야. 너한테는 아주 시원하게 속았지 뭐냐."

"그건——."

"괜찮아. 아마 다들 알고 있을걸."

마사요시가 고도 지카라의 원고를 펼치고 기지개를 쭉 켰다. "이 집은 심심할 틈이 없어." 벌써 몇 번째인지 모를 대사를 내뱉고 절친의 얼굴을 들여다본다.

"네가 그렇게 어둠이 짙은 이야기만 쓰니까 그 반동으로 아동 만화 쪽에는 잔혹함과 어둠을 전혀 그리지 못하고 있잖아. 표면의 네가 싹이 트지 않는 건 틀림없이 그 탓이라니까. 아무도 상처받지 않는 깨끗한 세계도 좋지만 가끔은 중간의 악의도 필요한 법이거든."

"——올 가을에 끝낼 작정이야."

가노가 차분하게 대답했다. 쓸쓸히 웃으며 계속했다.

"그리고 이번에야말로 그쪽에 전념할 거야."

"다마키는 또 속이 뒤집어지겠군."

땅이 꺼지도록 한숨을 쉬고 마사요시가 표연히 말했다.

"무슨 일만 났다 하면 너한테 제일 먼저 설교를 늘어놓았는데. 어차피 투고용 말고 그냥 어쩌다 그린 콘티를 구로키 씨가 우연히 보고 눈독 들였다, 뭐 이런 어이없기 짝이 없는 이야기지? 그 사람이 순순히 놔줄 것 같아?"

"도망치면 돼."

가노가 희미한 미소로 대답했다.

"정말 괜찮아. 오기로라도 도망갈 거니까. 그리고 싶은 만화가 따로 있거든."

"그렇구나."

마사요시는 고도 지카라가 그동안 연재해 온 분량을 끊어 읽으며 내용을 파악해 갔다. 그 상태에서 다마키가 가져가려 한 착지점을 추측해 플롯을 짰다.

밤 11시가 넘었을 무렵 엔야가 왔다. 아르바이트가 끝나자마자 달려왔다며 늦어서 미안하다고 사과했다.

이 캐릭터와 저 캐릭터의 대화, 이 아이의 에피소드를 이 시점에 집어넣을 테니 앞뒤 맥락을 생각해 줬으면 한다 등등. 오랜만에 만났건만 마사요시가 급하게 지시하는 대로 그는 일을 거들었다. 그러다 한 인물의 설정 자료를 읽고 있을 때였다.

"나 결혼해."

엔야가 부지런히 손을 움직이면서 아무렇지도 않게 말했다. 말투와 달리 얼굴은 홍당무가 되어 있었다.

"오, 이게 웬 경사야. 진정한 어른이 된 느낌이네."

"고마워."

마사요시의 말에 엔야가 부드럽게 미소를 짓고는 시선을 떨구었다. 멋쩍고 쑥스러운 목소리로 말했다.

"만화를 계속 그리긴 할 건데, 일단 결혼에 앞서 취업 활동 중이야. 그래서 사실 오늘 여기 선뜻 오기가 힘들었어. 다마키

짱이 알면 화내겠지."

"아니, 다마키는 화 안 낼걸."

다 쓴 부분과 그렇지 않은 부분의 자료를 캐릭터별로 정리해 클립으로 묶으면서 스미레가 말했다. 쓸쓸히 웃으며 "엔야가 껄끄러워하는 것도 알 것 같아" 하고 덧붙였다.

"방법이야 어떻든 간에 행복해지는 사람한테 나쁜 소리는 절대 하지 않을 거야."

"정말?"

"응. ──엔야가 떠나고 난 뒤 나는 다마키한테 그림 때문에 실컷 혼났지만."

"만화는 계속 그리는 거지? 너 여기서 나간 뒤 엄청나게 그렸잖아. 영업도 부지런히 하고. 솔직히 너의 그런 점은 내 전 여친이 좀 본받았으면 했거든."

"어? 전 여친이라니? 누구?"

마사요시의 말에 엔야가 고개를 갸우뚱한다. 스미레가 웃음을 터뜨리며 "나야" 하고 가볍게 대답했다.

마사요시는 아카바네 다마키가 각본가라는 것을 작업 도중 거듭 깨달았다. 그녀가 남긴 줄거리의 골자는 거의 캐릭터의 대사로만 구성되어 있고 그 사이를 메워야 할 심리묘사, 즉 독백은 통째로 빠져 있었다. 십 대 독자의 마음을 사로잡기 위해 필수 불가결한 요소. 그것이 없으면 소설로서의 정합성이 맞지 않는다.

여태껏 그 때문에 꽤 고생해 왔을 것이다. 그 부분의 작업은 거의 다 뒤로 밀려나 있었다. 이틀간의 작업으로는 도저히 끝나지 않는다. 그녀는 작업 속도를 얼마까지 끌어올려 결과물을 내려 했을까. 명백한 과신이다. 원동력은 분함과 지기 싫어하는 성격, 오기와 자존심뿐. 어처구니가 없다.

밤 1시를 지나 2시가 넘어서까지 작업에 열중하던 그때였다. 모두의 얼굴에 지친 기색이 드러나 교대로 선잠을 자기 시작할 무렵 느닷없이 "저기" 하는 조심스러운 목소리가 거실에 울렸다.

정신없이 작업하던 면면이 고개를 들자 계단 앞에 고키가 서 있었다. 졸음이 밀려와 눈을 깜박이던 엔야에게 "오랜만입니다" 하고 미소로 인사하고 나서 어두운 표정으로 마사요시 일행을 쳐다본다.

"아까 복도에 나왔을 때 우연히 들었습니다만, 모두들 너무하는군요."

그가 기가 막힌다는 듯 내뱉었다.

"내 가짜의 원고 작업을 하면서 왜 아무도 나한테는 같이하자고 하지 않는 겁니까? 내가 그리 미덥지 못한가요?"

"아."

듣고 나서야 비로소 깨달았다. 멍청하게도 아무도 그 생각을 못 했다. 테이블 위에 산더미처럼 쌓인 원고, 각자의 방에서 있는 대로 가져온 노트북. 우와, 땡잡았다. 마사요시가 자리에서 일어나 소리를 높였다.

"그래, 맞아. 우리에게는 원조가 있잖아."

"고도 씨가 잡은 기본적인 설정과 지금까지의 진행 상황을 알려 주세요."

고키가 말했다.

"다마키와 여러분이 쓴 부분에 지시문과 독백을 전부 넣겠습니다."

고키는 손에 노트북을 들고 있었다. 테이블 앞에 앉아 노트북을 열고 전원을 켰다. 노트북이 위잉 하고 기동하는 희미한 소리를 들으며 그가 "괜찮습니다" 하고 과장되게 승리의 포즈를 취했다. 야윈 팔로 포즈를 취해 봤자 우스꽝스럽기만 할 뿐 멋이 없다. 그러나 그것은 마사요시 일행에게 맥이 탁 풀릴 만큼 안심감과 존재감을 주는 더할 나위 없이 멋진 자세였다.

"괜찮아요. 다 같이 하면 무조건 할 수 있습니다."

이것이 우리의 데즈카 오사무구나.

생각하니 괜히 뿌듯해져서 마사요시도 가노도, 스미레도 엔야도 다 함께 웃었다. "고마워, 고 짱" 하고 감사의 인사를 표했다.

(5)

고도 지카라의 마지막 회까지의 원고는 무사히 구로키의 손에 도착했다. 끝까지 다 읽은 뒤 "이 정도면 됐군" 하고 소감을 짧게 흘리며 그는 변함없이 하이퍼쿨한 면모를 보였다.

몇 주가 지나 다마키가 완전히 회복했을 무렵 주민들 모두가 내년 가을까지 슬로하이츠를 떠나겠다는 것을 그녀에게 알렸다. 이제 막 회복한 다마키는 조용히 미소 지으며 "그렇구나" 하고 말했다. "그동안 고마웠어" 하고 머리를 숙였다.

이듬해 가장 먼저 이사를 하겠다고 한 사람은 고키였다. 동시에 여태껏 짐 보관 창고처럼 쓰이던 구로키의 방도 본격적으로 철수하기로 결정되었다.

계절은 여름. 다마키가 미국에 가기 석 달 전이었다.

"내가 아직 살고 있는데, 사람이 하나둘 빠져나가는 상태가 되는 것이 도무지 견디기 힘들어요."

고키가 쑥스럽게 말했다.

"말하자면 이런 거예요. 엔야가 나갔을 때도, 스―가 나갔을 때도 무척 서운하고 쓸쓸해서 힘들었거든요. 이번에 또 그 일이 시작된다고 생각하니 벌써부터 오싹해져서 맨 먼저 이사하는 겁니다."

그는 여기서 나가도 당분간은 호텔에서 지낸다고 했다.

"여기는 특별히 고집해서 고른 집이라 무척 만족스러웠거든요. 다음 집도 시간을 두고 천천히 생각하며 찾으려고요."

"고집이고 뭐고 내가 권해서 왔을 뿐이잖아."

다마키가 말했다. 고키는 "그렇다고 할 수도 있지요" 하고 아무렇지도 않게 웃었다.

그가 떠나기 전날 밤, 마당에서 흐르는 물에 소면을 흘려보내 건져 먹는 소면 파티를 했다. 이번에는 처음부터 수박을 마련한 상태에서 헬로키티의 내공을 쌓은 '나가시소멘' 세트를 작동시켰다. 하이츠 오브 오즈의 케이크는 물론 맥주도 넉넉히 있었다. 다 먹은 뒤 불꽃놀이를 하며 다마키는 화약 냄새 탓에 눈을 가늘게 떴다.

그날만큼은 구로키도 함께 어울렸다. 누구의 불꽃이 가장 오래가는지 선향불꽃(종이를 꼬아 만든 지노 끝에 화약을 비벼 넣은 작은 꽃불)에 불을 붙여 시합을 시작하자마자 구로키의 화약 알갱이가 발치에 똑 떨어졌다. 서슬 퍼런 눈빛으로 처음부터 다시 해야 한다며 난리 치는 그의 모습에 "역시 이 사람은 고 짱의 절친이야" 하고 다 같이 얼굴을 마주 보며 고개를 끄덕였다.

다마키가 양손에 쥔 선향불꽃을 빙글빙글 돌리며 눈에 빛의 잔상을 새기고 있자 고키가 옆으로 다가와 똑같이 하기 시작했다. 둘이 나란히 서서 불꽃을 돌리는 사이 다마키는 문득 마지막이니 괜찮겠지 싶어 그 이야기를 털어놓기로 했다.

"있잖아, 고 짱. 이 집의 이름 말이야."

"네."

치이이익 하고 소리 내며 긴 꼬리 같은 불꽃이 타오른다. 다마키는 그것을 바라보며 말했다.

"슬로하이츠라는 이름은 실은 고 짱의 소설 『매디』에서 따온 거야."

그 말에 고키가 고개를 들었다. 신기하다는 듯 다마키를 쳐다본다. 손끝에 쥔 불꽃은 아직 타오르고 있었다. "단순한 건데" 하고 쓸쓸히 웃으며 다마키가 계속했다.

"고 짱의 고향인 후쿠시마 현에 '마데이(までい)'라는 사투리 있지? 나, 옛날에 드라마 관련해서 후쿠시마 현 이타테무라에 간 적이 있거든."

"아."

고키가 짧게 소리를 냈다. "아는 동네지?" 하는 다마키의 물음에 그가 고개를 끄덕인다. 손에 쥔 불꽃 하나가 완전히 타고, 나머지 하나도 불꽃이 점점 작아지더니 이내 꺼졌다.

"본가 근처입니다."

"고 짱의 『매디』는 거기에서 이름을 따오지는 않았다고 생각하는데, 이타테무라에서 말이야, 그때 마을의 캐치프레이즈가 '마데이 라이프'였어. 어딜 가도 그 말이 붙어 있길래 마을 사람한테 이게 뭐냐고 물었더니 가르쳐 주더라."

불이 꺼진 선향불꽃을 물 양동이에 담았다. 속에 작은 불씨가 남아 있는지 부지지 소리가 났다.

"'마데이 라이프'는 영어 '슬로 라이프'와 똑같은 말로 '천천히, 정성껏, 시간을 들여'라는 뜻이라고 하더라. 마음과 생활이 풍요로워졌으면 좋겠다는 바람을 담아 지은 말이래. 그리고 '마데이'의 어원은 일본어 '마테(眞手)'인데 사전을 찾으면 나온다고 하길래 집에 와서 얼른 찾아봤지."

"'마테'는 무슨 한자를 쓰나요?"

"진실의 '진'에, 손 '수'."

다마키는 자신의 손바닥을 내보였다.

"'마'는 두 개가 갖추어져야 완전하다는 뜻이야. 따라서 '마테'는 양손이나 좌우의 손, 쌍수라는 뜻이래. 그리고 같은 뜻으로 진실의 '진'에 몸 '체'를 쓰는 '마테이(眞体)'라는 말도 있나 봐. 후쿠시마에서는 이 말의 발음이 '마데이'로 굳어졌을지도 몰라. '마데이'는 두 손으로 정성껏 소중히, 그런 뜻이야."

두 손을 내밀어 포개자 고키도 덩달아 선향불꽃을 양동이에 버리고 다마키를 따라 했다.

"좋군요. '마데이 라이프', 참 좋은 말입니다."

고키가 말했다.

"고 짱은 기억 못 할지도 모르겠는데."

고키의 손바닥, 어색하게 움직이는 긴 손가락. 앙상한 손가락마디. 보고 있으면 만지고 싶어진다. 그가 이 손으로 자신의 머리를 쓰다듬어 준 적이 있다니 거짓말 같다. 다마키는 고개를 숙였다. 마지막에 와서도 여전히 울고 싶어지는 자신이 한심했다. 이제는 정말 그만둘 건데.

"옛날에 파티에서 처음 고 짱을 소개받았을 때, 악수하고 싶어서 내가 손을 내밀었더니 고 쨩이 두 손으로 내 손을 쥐었잖아. 쥐었다기보다는 깨지기 쉬운 물건을 감싸는 것처럼 닿을 듯 말 듯 쥐었다가 얼른 손을 놓는 악수였어."

그때가 벌써 4년 전이다. 마침내 그를 만났다는 기쁨에 집에 오자마자 모모카와 긴 통화를 한 것은 물론 그 당시 마음을 아직도 선명히 기억한다.

"고 쨩이 손을 떨어서 조금 웃겼어."

"아니, 그 이야기를 왜 꺼내는 건가요? 창피하군요."

그가 정말 쑥스럽다는 듯이 허둥댔다. 다마키는 다시 진지한 얼굴을 하고 천천히 말을 이었다.

"'마데이 라이프'의 뜻, 연재 중인 『매디』, 작가 본인과 한 악수. 하나같이 고 쨩과 어울린다고 생각했어. 고 쨩은 물론 우리한테도 정성스럽고 느긋한 시간이 흐르기를 바라며 지었어. 그게 바로 '슬로하이츠' 이름의 유래야."

다마키는 건물을 돌아봤다. 살아온 세월이 고스란히 스며들어 벽 색이 더 바랜 것 같다. 다마키가 미국에서 돌아올 무렵에는 어떻게 되어 있을까.

"실제로는 바쁘고 정신없어서 그리 편안한 집은 아니었지만."

"그렇지 않아요."

고키가 뜻밖에 강한 어조로 말했다.

"그래?"

"여태껏 살아오면서 가장 즐거운 시간이었습니다."

고키의 말에 다마키는 헉 하고 숨을 삼켰다. 왜인지는 모른다. 기쁘고 창피하고 쑥스럽고 그리고 당황스러웠다. 어떤 표정을 지어야 할지 몰랐다.

　가지 마, 하는 말이 목구멍까지 올라왔다. 정작 자신도 몇 달 뒤 이곳을 떠나는데도 불구하고 말하고 싶은 마음이 굴뚝같았다. 모순적인 충동이었다.

　"내 『매디』도, 다마키의 이름에서 따 왔어요."

　"내 이름?"

　"네."

　기왕 말이 나왔으니 털어놓는다는 식으로 고키가 운을 뗐다. '마데이 라이프' 이야기에 촉발되어 말하고 싶어졌는지도 모른다. 아마 자신을 작별하기 위해 다 같이 자리를 마련한 것이 미안해서라든가, 그런 가벼운 마음으로 팬 서비스를 하려는 것이리라.

　"매디는 왼손에 반지를 끼고 있는데, 그 반지에 기도를 바쳐 싸웁니다. 격투 게임에서도 '갑니다!' 하고 반지를 하늘 높이 치켜들고 위세 좋게 싸우지요."

　"그렇지."

　"다마키의 한자 이름은 고리 환(環)을 씁니다. 반지라고도 할 수 있지요. 다마키처럼 강인한 여자가 되었으면 좋겠다고 생각하면서 연재 중입니다."

　"고 쨩, 안타깝지만 나는 안 속아."

다마키는 한숨을 내쉬며 소리 없이 웃었다.

"『매디』는 내가 고등학생이었을 무렵부터 연재하던 거잖아. 우리가 알고 지내기 전이라고."

"아."

고키가 짧게 소리를 내고 나서 "으음" 하고 고개를 갸웃거렸다. 다마키가 "갖다 붙인 거야?" 하고 묻자 냉큼 인정했다.

"갖다 붙인 거지만 다마키와 알고 지낸 후부터는 그렇게 생각하며 쓰고 있습니다. 안 되나요?"

"안 되긴."

다마키는 웃으면서 고개를 가로저었다.

"굉장히 기뻐. 고마워."

"다마키, 몸 건강히 지내요."

고키가 말했다.

"고 짱도."

다마키도 대답했다.

고키가 양 손바닥을 가지런히 붙였다. 튤립 모양을 흉내 내는 듯한 그 손을 다마키에게 내밀었다. 다마키는 그가 악수를 청하는 것임을 대번에 알아차렸다.

가지 마. 그 말을 삼키고 자꾸만 복받쳐 오르는 충동을 꽁꽁 얼어붙게 만든 채 다마키는 웃으며 오른손을 그곳에 올려놓았다.

약지에 모모카가 준, 매디의 것과 비슷한 반지를 끼고 있는 것이 창피했다. 고키도 봤을 텐데 아무 말도 하지 않았다.

그의 두 손이 다마키의 손을 정성스럽게 감쌌다.

(6)

택시 문이 닫혔다. 모두가 손을 흔들어 배웅하고 고키도 손을 흔들어 답했다. 그러나 택시가 출발하고 나서 첫 모퉁이를 돌자 더 이상 집이 보이지 않았다.

"고키, 앞으로 어떻게 할 텐가?"

옆에 앉은 구로키가 물었다.

택시가 상점가를 빠져나간다. 프라모델을 만들기 위해 혼자 갔던 공원 앞도 지나간다. 붉은 미끄럼틀 옆에 물보라가 인 것 같은 파란색 스프레이 자국. 저것은 고키가 한 것이다. 나는 여기에 살아, 하는 표시. 남겨진 흔적.

"뭐가?"

고키는 좌석 등받이에 몸을 밀착시키며 되물었다. 구로키가 차창을 조금 내렸다.

"자네 수입이라면 어디든 웬만한 곳에서는 살 수 있네. 어차피 자네는 소설을 쓸 수만 있다면 어디든 상관없다고 할 테지만 주변 환경이 잘 갖추어진 곳이 가장 좋을 테지. 그 번화가에 생긴 방송국 신사옥 건물에 빈집이 여러 개 있다고 하더군. 건물 내 고급 초밥집에서 배달도 가능하다니 매력적이지 않나?"

330

"아, 그거 말인데 구로키 씨. 호텔에서 지내는 동안 지금 맡은 일은 대부분 마무리하고 싶은데, 괜찮겠지?"

"괜찮긴 한데."

창밖에 흐르는 풍경이 고층 건물이 늘어선 살풍경한 것으로 바뀌었다. 도쿄의 거리는 이렇듯 조금 멀어지기만 해도 풍경이 쉽게 바뀐다. 길 하나 건넜을 뿐인데 그 속에 든 것은 완전히 달라진다.

구로키가 물었다.

"여행이라도 가려는 건가?"

"응, 그런 셈이지."

"뭐, 좋군."

구로키가 심드렁한 말투로 동조했다.

"그 집에서 지내는 동안 자네가 너무 얌전하긴 했지. 해외에서 호화롭게 놀거나 실컷 쇼핑하는 것도 나쁘지 않네. 좁은 울타리에 정착해 행복해지자는 사고방식은 솔직히 지요다 고키에게는 어울리지 않으니 말이야."

구로키가 주저 없이 말했다. 입가에 미소를 띠고 고키를 어르고 달래듯이.

십 대 때 그를 처음 만난 뒤 수없이 들어 온 말이었다. 인간다운 센스, 일반인과 다를 바 없는 연애, 행복. 그것을 움켜쥔 순간 지요다 브랜드는 필시 골 때리도록 예리한 맛을 잃고 만다고.

자네는 남들과 다르다. 자네는 특별한 감성을 타고난, 이 세상에 하나뿐인 '지요다 고키'다.

그것은 그만의 독특한 칭찬의 말이었다.

그 말을 음미하고 그 말에 힘입어 소설을 써 온 것은 맞다. 하지만——.

"구로키 씨, 귀 좀 빌려줘."

"뭐?"

"귀 말이야, 귀."

고키는 구로키의 오른쪽 귀를 다짜고짜 힘껏 잡아당겼다. 자신의 입가로 바싹 끌어당겨 목청껏 소리쳤다.

"고작 행복해졌다고 해서 소설을 못 쓰게 될 줄 알아?!"

구로키가 "끄악!" 하고 소리 지르며 귀를 막았다. 황급히 물러나 문에 바싹 기대어 몸을 움츠린다. 하이퍼쿨한 그가 눈을 깜빡거리며 경악한 표정으로 자신을 보는 것은 나름 고소했다.

고키는 그런 구로키에게서 시선을 휙 돌려 창밖을 봤다. 아무리 애써도 이제는 그 집도, 그곳에서 사귄 친구들의 모습도 보이지 않는다고 생각하니 거리란 정말 순식간에 벌어지는 것임을 실감한다.

손바닥을 폈다. 두 손을 가지런히 모으자 하늘에서 내려오는 뭔가를 받는 모양이 되었다.

고키는 결심했다. 그 집에서 지낸 덕분에 결단을 내릴 수 있었다. 멈췄던 시간을 해동하고 똑바로 마주해야 한다. 그 아이가 그랬듯이.

고키는 천천히 12년 전을 회상했다.

이십 대의 지요다 고키는
죽고 싶었다

(1)

이십 대의 지요다 고키의 이야기를 하자. 22세의 지요다 고키는 죽고 싶었다.

'지요다 고키의 소설 때문에 사람이 죽은 비극'의 전과 후로 그의 세계관은 완전히 바뀌었다.

그날은 도쿄도, 참극의 무대가 된 후쿠시마 현도 날씨가 맑았다. 폭풍의 조짐이 전혀 없는 가운데 고키는 평소와 다름없이 소설을 쓰고 있었다. 멀리 떨어진 산속에서 가위와 식칼, 주머니칼을 손에 쥐고 사람들이 피투성이가 된지도 모른 채.

예를 들어 원치 않는 임신 때문에 죽음을 생각한 여고생이, 인생의 허무함을 느낀 남대생 손에 등을 마구 찔린다. 그 또한 빚에 허덕이는 직장인 손에 목이 그어진다. 얌전히 죽음을 맞이하려 했던 그들은 막상 자신의 가슴에 칼이 들어오자 미쳐 날

뛰었다. 오열하며 서로를 죽고 죽이고 피를 뒤집어쓴 채 이러려 던 건 아닌데, 하고 탄식한다. 돌아가고 싶어, 하고 탄식한다.

여고생의 시신과 옷에서 정액이 검출되는 등 현장은 참담하 기 이를 데 없었다고 한다. 그녀가 죽은 뒤 '죽음의 존엄을 침 해하는 행위가 있었던 것으로 짐작된다'라는 에둘러 표현한 동 시에 호기심을 노골적으로 드러낸 문맥의 기사가 난무했다.

'게임 동영상을 전부 고 쨩에게 바친다.'

사건의 발안자 소노미야 쇼고의 유언은 실현되지 못했다. 고 키는 그것을 보여 달라고 희망했지만 이루어지지 않았다. 결코 엽기적인 취미나 호기심이 아닌, 의무감으로 인한 요청이었지만 사건은 끝까지 고키를 무시했다. '지요다 고키 때문'에 일어난 사건이라고들 떠들어댔음에도 불구하고 세상은 정작 지요다 고 키와는 동떨어진 곳에 존재했다.

사건에 대한 고키의 소감은 첫 코멘트대로였다.

자신이 쓴 것이 그렇게까지 사람에게 영향을 준 것을 어떤 의미에서는 영광으로 생각한다. 그것은 소설이 현실을 이긴 순 간이라고 바꿔 말할 수 있으며 그렇다면 작가로서 더할 나위 없이 행복하다. 진심으로 그렇게 생각했다.

그리고 며칠 뒤 고키는 도쿄로 상경한 아버지에게 두들겨 맞 고 쓰러졌다.

성실하고 견실한 아버지. 고향 초등학교에서 교편을 잡는 한 편 휴일이면 할아버지가 남긴 밭을 일구는 아버지. "무슨 망측

한 소리를 하는 거냐!" 하고 아들에게 호통을 치고 "사람이 죽었단 말이다" 하고 눈물을 흘렸다.

"그런 식으로 살해당한 그들도 누군가의 자식이며 손주다. 누군가의 누이동생이자 형이고 제자다. 넌 그런 것도 모르냐!"

아버지가 밀쳐 내는 바람에 고키는 소설 자료로 가득한 책장에 머리를 세게 부딪쳤다. 그대로 끊임없이 퍼부어지는 주먹세례에 고개를 들지도 못한 채 고키는 가만히 그 충격을 받아낼 수밖에 없었다.

"이따위 글을 쓰는 동안에는 두 번 다시 집에 오지 말거라."

아버지가 떨리는 목소리로 말했다. "여보" 하고 옆에서 어머니가 말린다. 그러나 말투가 그리 강하지 않다. 어머니도 울먹이고 있었다. 서슬 퍼런 아버지의 행동을 말릴 수 있으리라는 생각은 하지 않는 듯했다.

수영복 같은 코스튬을 걸쳐 커다란 가슴이 반쯤 드러난 지요다 브랜드의 단골 여성 캐릭터. 벽 가운데에 걸린 그녀의 포스터를 쳐다보며 아버지가 마지막으로 말했다.

"이따위 것이나 쓰면서 일은 무슨 얼어 죽을!"

쉬고 싶으면 그렇게 해도 되네, 하고 구로키가 말했다. 이번 일로 지쳤을 테지, 하고 고키에게 웃어 보였다.

"뭐, 2년쯤이면 되려나. 그동안 이 혼란함 때문에 지요다 브랜드는 꾸준히 팔릴 테니 자네는 뒤에서 쓰면 되네. 자숙하는 모습을 보여 주는 것도 필요하니 말이야. 당분간은 아무 데도

339

나서지 않는 게 좋겠군. 할 수 있나?"

이어서 그는 단단히 못을 박았다.

"자네도 알 테지만 그 코멘트는 철회하지 말게. 참으로 훌륭하더군. 그거야말로 지요다 고키지. 그리고 더 이상은 절대 아무것도 해서는 안 되네. 과하게 속죄할 생각을 하면 이다음부터는 판이 깨지니 말이야."

구로키가 그렇게 말했어도 고키 자신이 마음만 먹었으면 움직일 수 있었다. 그러므로 변명은 하지 않겠다. 누군가의 아들이자 딸이며 손주, 누군가의 사랑스러운 존재. 그 '누군가'와 마주하고 사죄할 용기가 당시의 고키에게는 없었다.

그리고 지요다 고키는 소설을 쓰지 못하게 되었다.

초등학생 때부터 읽고 흉내 내면서 저절로 터득해 쓰기 시작한 이후 잠시도 쉰 적이 없었던 소설 집필을 그만두었다. 구로키가 새 환경을 마련해 주어 이사를 했지만 새집에서는 짐도 풀지 않고 노트북 선도 연결하지 않았다. 그저 빈껍데기처럼 창밖을 올려다보며 지냈다.

혼자서는 사태를 수습할 수 없는 지경에 이르렀고 지요다 브랜드가 완전히 자신의 손을 떠났다는 것을 깨달았다. 고키는 아무것도 할 수 없었다. 매일 소설이란 뭘까 하고 자문할 뿐이었다.

아무것도 먹지 못하고 잠도 자지 못했다. 자려고 눈을 감으면 그 폐허가 된 병원에서 게임에 참가하는 악몽에 시달렸다.

이따금 찾아오는 구로키가 어처구니없다는 듯 자신을 바라본 뒤 도발하는 듯한 시선을 보내 왔다.

"말은 그렇게 해도 언젠가는 돌아오겠지?"

공교롭게도 고키는 예전으로 돌아갈 수 있는 전망이 아예 보이지 않았다. 압도적인 세계의 존재에 주눅이 들고 겁에 질려 밖으로 나갈 수가 없었다. 그토록 사랑스러웠던 자신의 등장인물들의 뒷이야기에도 관심이 일지 않았다. 그들의 생명을 어디로 옮기고 어떻게 결론을 내릴지 미리 생각해 두었던 것조차 윤곽을 잃고 머릿속에서 녹아 없어져 갔다.

그런 때였다.

마이아사신문 문화면. 고키의 팬이라는 소녀의 투서로 인해 사건의 특집 기사가 마련된 것은.

"고키, 봤나?"

아무것도 하고 싶은 마음이 들지 않아 방에 누워 있기만 하는 고키의 곁에 구로키가 신문을 가지고 찾아왔다. 고키는 대답도 하지 않고 그를 무시했다.

하루 종일 CD를 마구잡이로 듣는 나날이었다. 이삿짐도 풀지 않으면서 방에는 겨우 CD 플레이어만 연결되어 있었다.

클래식부터 록, 펑크, 성우의 드라마 CD에 이르기까지 닥치는 대로 같은 마음, 같은 자세로 들었다. 그것이 끝나고 다시 음악을 틀기 위해 재생 버튼을 누를 때만이 유일하게 고키가 바닥에서 몸을 일으키는 순간이었다. 오른쪽에서 왼쪽으로, 소리가 몸을 통과하도록 내버려 두었다.

구로키가 가져온 신문은 한동안 바닥에 방치되었다. 그러던 어느 날 CD를 바꾸기 위해 일어선 고키가 우연히 발로 그 신문을 밟았다. 그동안 바닥에 녹아든 무늬나 도형처럼 인식되었던 그 신문에 인쇄된 글자가 비로소 눈에 들어왔다.

『나는 살아 있습니다』

고키는 제목 활자를 보면서 신문을 주워 들었다. 다음 줄에 부제목이 들어가 있었다.

『죽이지 않았습니다. 살아 있습니다』

그것은 일련의 보도 중에서 거의 처음 접하는 지요다 고키에 대한 진지한 옹호의 메시지였다.

『어디에 무엇을 어떻게 호소하면 좋을지 짐작도 가지 않아 일단 우리 집에서 보는 신문 앞으로 편지를 씁니다. 이런 편지가 도움이 될지 잘 모르지만 그래도 꼭 말하고 싶었습니다.

저는 작가 지요다 고키 씨의 팬입니다. 구할 수 있는 책은 전부 읽고 있습니다. 제가 초등학생이었을 때 지요다 브랜드를 만나 가슴을 꿰뚫는 충격을 맛보았던 것을 지금도 기억합니다. 푹 빠져서 읽었거든요. 저는 열렬한 팬이지만, 그런데도 살아 있습니다. 사건을 일으키려 하지도, 사람을 죽이려는 생각도 하지 않았습니다.』

『잠자는 시간도 아까울 만큼 재미있게 읽을 책이 있다는 건 좋은 겁니다. 제가 처음 밤새워 읽은 책은 지요다 선생님의 데뷔작인 『V.T.R.』입니다. 신간이 나오는 날은 한껏 기대감에 부풀어 학교에 가고 싶지도 않았지요. 그런데 최근 실은 그것이 아니란 걸 깨달았습니다. 그게 아니라, 아무리 학교가 싫어도 지요다 선생님의 책을 읽을 수 있다는 즐거움 덕분에 저는 학교에 갈 수 있는 겁니다.

부디 그런 제가 현실에서 도망친다고 생각하지 말아 주세요. 그런 식으로 한 마디로 치부하지 말아 주세요. 저는 허구와 현실을 혼동하지도 않고 제 현실을 정확히 파악한 상태에서 지요다 브랜드를 읽고 있으며 그 시간이 가장 행복합니다. 항상 다음 연재가 기다려져요. 읽는 동안에는 캐릭터들과 함께 울고 웃습니다. 다 읽은 뒤에는 조금만 방심하면 눈물이 날 정도로 감동합니다. 매번 그런 마음을 느끼게 해 주는 건 지요다 선생님의 지요다 브랜드뿐이에요.

저는 자살을 생각한 적이 있습니다. 그것도 몇 번씩이나 말이에요. 모든 것을 내팽개치고 싶었거든요. 죽어도 아쉬울 것 하나 없다고 생각한 뒤, 그런데 다음 달 지요다 선생님의 새 책을 읽을 수 있을지도 모르는데, 하고 생각하면 자살할 결심이 쉽게 무너졌습니다.

이제 지옥 같은 시간을 빠져나왔기 때문에 더 이상 자살할 생각은 하지 않습니다. 하지만 그때는 지금 생각해도 오싹할 만큼 궁지에 내몰려, 정말 실행했어도 이상할 것 없었다고 생각합니다. 그때 죽지 않아 다행입니다. 지요다 선생님의 책을 읽으며 살아 있어 다행이라고 생각합니다.』

사건이 처음 보도된 날의 사흘 후부터 매일, 거의 하루도 빠짐없이 마이아사신문사에 도착했다는 편지. 고키는 CD를 바꾸는 것도 잊고 신문에 매달렸다.

『요란한 사건을 일으켜 죽지 않는 한, 목소리에 귀를 기울여 주지 않는 건가요? 살아 있는 것만으로는 뉴스가 될 수 없나요? 문제가 생기지 않고 오늘도 학교에 갈 수 있는 것이 '평화'이고 '행복'이라면 저는 죽지 않은 채 문제없이 지내는 지금의 행복이 무척 기쁩니다. 아무 문제도 생기지 않고 평화롭게 지내는 것, 지요다 브랜드가 재미있다는 이유만으로 오늘도 저와 다른 팬들이 살아갈 수 있는 것은 지요다 선생님 덕분입니다. 하지만 지요다 선생님의 공죄 중에서 공은 표면에 드러나는 일이 거의 없더군요.

살인 이야기라고 말하지 말아 주세요. 읽지도 않고서 책을 나쁘게 말하는 사람도 있을 테고, 읽어도 마음에 울리지 않은 사람도 있을 겁니다. 하지만 제 마음에는 울렸습니다. 그 시기에 지요다 선생님의 책을 읽지 않았더라면 저는 지금 이곳에 없었습니다.

후쿠시마 현에서 죽은 사람들은 집단 자살 사이트에서 만났다고 들었습니다. 그럼 그 사람들은 죽고 싶었던 거잖아요. 지요다 선생님과 상관없이 죽을 예정이었던 거잖아요. 지금 살아가기 위해 노력하는 사람의 생명을 소중히 아끼고 더 관심을 가져 주세요. 외로워서 함께 죽길 원하는 나약한 마음보다 혼자라도 살아야겠다고 생각하는 쪽이 훨씬 낫습니다.

부탁합니다. 그러니 알아주세요. 고 짱의 책은 사람을 죽이지 않습니다.』

고키는 편지를 다 읽고 나서 숨을 들이마셨다. 신문에 실린 글을 눈으로 더듬고 또 더듬었다. 그러다 글자가 점점 일그러지고 흐릿해져 보이지 않게 되었다.

입술을 깨물고 신문을 움켜쥐면서 천장을 올려다봤다. 한 번도 생각한 적 없는 일이었다. 자신의 소설을 읽는 이가 어떤 사람인지, 어떤 식으로 읽고 있는지 아예 관심도 없었다. 고키가 예뻐하는 것은 오직 자신의 캐릭터들일 뿐, 그리고 그 이상도 이하도 아니다. 녀석들을 위해 지금껏 소설을 써 왔다.

이런 식으로 읽는 사람이 자신과 마찬가지로 이 세상 어딘가에 있다니.

예전 같았으면 개의치 않았을지도 모른다. 두 발을 땅에 딛고 서서 공기를 마시며 살아가던 예전의 자신이었다면. 그러나 시커먼 바다 한복판에 내던져져 허우적대며 그저 숨만이라도 쉴 수 있기를 바라는 지금의 고키 앞에 그 기사는 마침내 비쳐 온 등대 빛으로 보였다.

나아갈 길을 가느다랗게, 그러나 확실히 존재하는 것으로 가리키는 빛.

눈을 감자 눈꺼풀 밑으로 눈물이 주르륵 흘러내렸다. 기뻤다.

그토록 바라던 소설로 할 수 있는 일. 그 가능성. 그 파편을 본 듯한 느낌이었다. 여전히 소설을 쓸 기력은 나지 않는다. 지금껏 어떻게 써 왔는지 모르겠다. 오랫동안 묵혀 둔 노트북은 기능이 저하되었을 것이 틀림없다. 부팅해도 당장은 사용하지 못할 것이다.

그대로 녹슬게 내버려 둘 것인지, 아니면 다시 되살릴 수 있을지는 아직 미지수다. 하지만 한 가지, 살아갈 힘이, 활력이, 뭔가를 하고 싶다는 욕구가 끓어오르는 것이 뚜렷이 느껴졌다. 이 상태에서 벗어나고 싶었다. 어떻게든 똑바로 하고 싶었다. 똑바로가 뭘 가리키는지 몰라도 그것을 찾고 싶었다.

"넌 그런 것도 모르냐!" 하고 아버지가 호되게 꾸짖었던 말이 왠지 이제야 가슴에 복받쳤다. 자신을 후려갈기던 아버지의 그 손의 감촉을 아직 기억한다. 주름이 주글주글한 마른 손이었다.

용돈으로 우표를 사지 못하게 되었음에도 불구하고 신문사에 하루도 거르지 않고 편지를 계속 보낸 이 소녀. 소녀를 만나고 싶다고 생각했다. 이 아이를 이렇게 만든 내게 집착하게 하는 것은 무엇일까. 소녀의 눈에 무엇이 비치는지 알고 싶다고 순수하게 그렇게 생각했다.

　그렇게 말하자 구로키는 반색을 했다. 폐인처럼 아무것도 못하게 된 고키가 처음으로 관심을 보인 것이다. 구로키는 고키의 회복의 조짐을 환영하며 소녀에게 이름을 붙였다.

　'고키의 천사'.

　참으로 뻔하고 센스 없는 네이밍이라고 생각했다. 그러나 고키는 그의 타고난 운과 뛰어난 홍보 능력을 신뢰했다. 이런 상황에서 중요한 것은 우선 화제성과 이해의 용이성이다. 구로키는 그것을 알고 있었다. 《블랑》 지면에 대대적으로 『고키의 천사, 당신이 누구인지 밝혀 주세요』 하고 호소하며 그것을 지요다 고키 부활 계획에 교묘하게 엮어 넣었다.

　"그 편지는 황홀하더군. 마이아사신문에서 그런 멋진 일을 하다니 기특하군" 하고 웃으면서 구로키는 소녀가 편지를 보내 온 타이밍과 그 이후 지요다 브랜드에 대한 호의적인 풍조를 환영했다. 그가 '천사'를 꾸며 낸 것 같지는 않았다. 오랜 세월 함께 일하다 보니 고키도 그쯤은 간파할 수 있었다.

　그 아이는 실재한다. 이 세상 어딘가에서 자신의 소설을 읽고 그것을 낙으로 삼는다. 그동안 가벼운 마음으로 '팬'이나 '독자'라는 말을 사용해 왔지만, 그 말에 이토록 명확하게 얼굴과 체온을 느낀 것은 처음이었다.

　『우리의 고 쨩은 당신에게 감사하고 있습니다.』

그 메시지에 소녀는 응답하지 않았다. 아무리 기다려도 나타날 기미라고는 보이지 않았다. 막 사라지려 하는 소녀의 뒷모습을 쫓아 고키와 구로키는 마이아사신문사에서 소녀가 보내 온 엄청난 양의 편지를 전부 받아 왔다. 편지에 뭔가 힌트가 남아 있지 않을까 싶어 고키는 눈에 불을 켜고 편지를 샅샅이 읽었다.

편지에서 전해지는 것은 작은 세계의 잔혹함과 절망의 감각이었다. 그 세상에 유일하게 존재하는 긍정적인 힘이자 즐거움이 지요다 브랜드라고 쓰여 있었다. 손 글씨에는 신문에 인쇄된 글자보다 더 따뜻한 힘이 있었다. 깔끔하면서도 십 대 소녀 특유의 동글동글한 글씨체. 한자를 잘못 쓴 글자도 없었고 어휘도 풍부했다. 소녀는 정말 책을 좋아하는구나 싶었다.

그리고 마침내 도달한 '거울을 이용한 괴롭힘' 내용.

『반 아이들 모두가 동시에 그랬습니다. 선생님이 뒤도는 순간에는 거울을 엎어 놓고, 선생님이 다시 칠판을 향하면 이번에는 키득키득 웃더군요. 저한테 빛이 쏟아지는 모습을 반 아이들 모두가 본다는 사실, 제가 그걸 알고 있다는 사실이 어떤 것인지 상상이 가시나요? 얼굴과 등에 쏟아지는 그 열기와 빛을 떠올리면 저는 어떻게 해야 할지 몰라 머릿속이 하얘집니다. 그런 일을 한 번 겪은 사람이 마음을 단단히 먹으려면 어떻게 해야 할까요? 저한테는 마음을 단단히 하는 방법이 지요다 브랜드를 읽는 것이었습니다.』

이 대목에서 소녀의 이름이 거울(鏡)과 발음이 똑같은 '가가미'가 아닐까 유추하여 구로키에게 그것을 단서로 소녀를 찾아달라고 부탁했다. 니가타 현 전역의 중학교와 고등학교. 그러나 그곳에 '가가미'라는 이름의 소녀는 한 명도 없었다.

구로키는 이 일을 실력 있고 정확도가 높은 업자에게 의뢰했으니 만약 찾아내지 못하면 포기하자고 했다.

그러나 고키는 포기하지 않았다. 이것은 자신이 간신히 잡은 살아 있는 세상으로 돌아갈 수 있는 기회이지 않은가. 그렇게 막연하지만 강한 의지로 확신했다. 자신이 돌아가고 싶어 한다는 것을, 그것을 간절히 바란다는 것을 처음 깨달았다. 그 소녀가 깨닫게 해 준 것이다.

『편지를 실어 주셔서 감사했습니다』 하는 메시지를 끝으로 종적을 감춘 소심한 '고키의 천사'. 당사자인 지요다 고키가 직접 나섰음에도 불구하고 이에 반응하지 않은 겸손한 '천사'.

구로키는 그것을 핑계로 수색에서 손을 떼려 했다. 그뿐만 아니라 이 일을 미담으로 이용하기 위해서는 그녀를 찾지 못하는 편이 오히려 낫다.

"이만큼 했는데도 그녀를 찾아내지 못한 건 그녀가 나올 생각이 없기 때문이네. 이제 그만 소심한 천사의 뜻을 존중하고 자네는 본격적으로 신작에만 집중하게."

아직 일을 하기에는 마음이 내키지 않는 고키를 찾아와 그가 기획서를 산더미처럼 쌓아 놓고 갔다. 구로키는 일련의 비극과 그 이후의 브랜드 부흥을 완전히 이벤트로 여겼다. 가장 효과적인 부활 방법, 중단된 TV 애니메이션 방영 재개, 그에 맞춘 다른 작품의 영상화. 취재 스케줄을 차곡차곡 잡아 나가는 것.

그 모든 일에 고키는 동의하지 않았다. 구로키가 기막히다는 듯 고함을 지르고 질타해도 고키는 막무가내였다. 지금 소설을 쓰지 못하고 있는 것, 사람의 생명을 집어삼킨 현장에 간접적으로나마 관여한 것으로 인한 자성의 마음. 그것이 전부 없었던 일처럼 흘러가고 만다. 하얀 물보라를 일으키며 거칠게 흐르는 물속에, 여기서 휩쓸리면 두 번 다시 돌아올 수 없다는 것, 그것을 피부로 느꼈다. 겁나고 두려웠다.

『저는 자살을 생각한 적이 있습니다.』

색을 잃어 죽었는지 살았는지 알 수 없는 시야 속에서 그 한마디만이 현실감 있었다. 몇 번이고 되풀이하여 읽어 내용을 토씨 하나 안 틀리고 머리에 새겨 넣었을 무렵 퍼뜩 깨달았다. 거울의 빛 반사를 이용한 괴롭힘. 등에 느껴지는 물리적 피해가 없는 희미한 열. 그 편지의 한 문장에 주목했다.

『반 아이들 모두가 동시에 그랬습니다. 선생님이 뒤도는 순간에는 거울을 엎어 놓고, 선생님이 다시 칠판을 향하면 이번에는 키득키득 웃더군요.』

반 아이들 모두.

머리 한구석이 예민해지며 그 표현에 눈이 빨려 들어갔다.

'반 아이들 모두'.

요컨대 남학생도?

알아차린 순간 고키는 벌떡 일어나 아직도 쌓여 있는 이삿짐에서 노트북이 든 상자를 찾기 시작했다. 먼지가 수북이 쌓인 상자 속에서 얼른 노트북을 꺼냈다. CD 플레이어의 플러그만 꽂혀 있는 콘센트에 노트북을 연결했다.

오랫동안 사용하지 않은 탓이리라. 전원 버튼을 켰는데도 노트북은 좀처럼 부팅되지 않았다. 빨리, 빨리 좀. 고키는 성급한 마음에 손톱을 깨물었다.

구로키는 니가타 현 전역을 대상으로 '가가미'라는 성을 찾아봤다. 여학교를 포함해 남녀공학 중고등학교에 다니는 소녀를 찾아본 것이다. 반 아이들 모두가 거울로 괴롭힌 것은 단순히 여학교라서가 아니다.

남학생이 거울을 가지고 있다면, 반 아이들 모두가 거울을 가지고 있다면 무슨 연유에서일까. 찾아내지 못한 '고키의 천사'. 해당 범위 내에 존재하지 않는 '가가미'라는 성을 지닌 소녀.

죽음을 생각한 이유. 절망할 만큼 삶의 의욕을 잃고 마음이 뒤흔들리는 것은 어떤 상황일까. 학교에서의 괴롭힘, 실연. 자신이 살아갈 환경을 직접 정하지 못하는 그녀들 세대에서 또 하나의 절실한 문제는 가정불화다. 학대, 가정 폭력, 그리고 부모의 이혼, 또는 재혼. 고키는 전속력으로 두뇌 회전을 하기 시작했다. 소녀의 성이 바뀌었을 가능성이 있다. 환경이 바뀌고 사는 장소가 바뀌었을 가능성이 있다.

드디어 노트북 모니터가 켜졌다. 예전처럼 인터넷에 접속하려 하자 '이 페이지를 표시할 수 없습니다'라는 창이 떴다. 고키는 이사 온 뒤 아직 인터넷 개통을 하지 않았다는 것을 떠올렸다. 이내 혀를 끌끌 차며 방을 뛰쳐나갔다.

문을 열었다.

한낮의 밝은 햇살이 머리 위로 쏟아져 고키는 눈을 가늘게 떴다. 눈부셨다. 커튼 너머가 아닌 몸으로 바로 떨어지는 햇빛. 몸이 그 빛줄기를 믿기지 않을 만큼 뜨겁고 강렬한 것으로 받아들였다. 비유가 아닌 말 그대로 그곳에 색이 보였다. 빛이라는 것은 노랗구나. 그렇게 생각했다.

집 밖으로 나온 것은 2년 만이었다. 복도에 한 걸음 내딛자 다리가 꼬이고 심한 현기증이 엄습했다. 고개를 돌려 눈을 마구 비볐다. 그리고 달리기 시작했다.

이사 온 동네 지리에 대해 고키는 아는 바가 전혀 없었다. 우연히 발견한 작은 책방에 들어갔다. 조그맣게나마 초등학교용 참고서와 교과서가 진열된 코너도 마련되어 있었다. 고키는 생활과(과학과 사회를 합한 일본 초등학교용 교과목)와 이과 교과서를 1학년부터 6학년까지 학년별로 모조리 구입한 뒤 곧장 역 앞에 있는 만화카페로 들어갔다. 집이 아닌 곳에서 하나하나 해 나갈 때마다 손이 떨렸다.

고키에게 신경 쓰는 사람이 있을 리 없었다. 그 사건을 치렀어도 지요다 고키라는 작가는 보잘것없는 초라한 존재다. 그렇게 자신을 타이르는데도 겁나고 두려워서 견딜 수가 없었다.

고키의 얼굴은 전국 방송으로 공개되었다. 이렇게 볼품없고 초라한 남자가 우리의 고 짱이라니, 하고 팬들에게조차 환멸의 말을 들어야 했다. 누군가 자신을 알아봐 소란스러워지면. 비난을 하고, 책임지라며 항의한다면. 생각만 해도 오금이 저렸다. 고개도 들지 않고 발끝을 노려보며 가급적 사람과 마주치지 않도록 주의하며 걸었다.

안내받은 자리에서 컴퓨터로 인터넷에 접속하여 검색을 했다. 키워드는 '거울', '실험', '이과', '초등학교'. 그와 동시에 구입해 온 교과서 페이지를 넘겼다.

곧바로 한 단원명이 나왔다.

『음지에 빛을 통과시켜 보자.』

거울이 빛을 반사하는 것. 반사된 빛에 열이 생기는 것, 양지와 음지의 온도 차. 거기에서 파생되어 돋보기로 햇빛을 모아 검은 종이를 태우는 실험. 그것은 초등학교 3학년용 단원이었다. 검색해서 나온 페이지를 계속 살펴보는 과정에서 또 다른 것이 눈에 들어왔다.

『광전지.』

빛이 동력원인 미니카에 거울을 대서 움직이게 하는 빛에너지 실험. 교과서 페이지 구석에 방긋방긋 웃는 토끼 캐릭터가 그려져 있다. 말풍선에 '거울을 두 개로 늘리면 속도는 어떻게 될까?'라고 쓰여 있었다.

잔혹한 상상력이 만들어 낸 철없는 괴롭힘. 그것은 의외로 쉽게 떠오른 아이디어였을 것이다. 여학생뿐만 아니라 남학생도 함께 거울을 비추었다. 성별에 관계없이 모두가 거울을 지참할 기회. 수업 시간에 소형 거울을 갖고 있어도 교사에게 혼나지 않는 상황이란 언제일까. 내일 사용할 테니 집에서 거울을 가져오너라.

잔손이 많이 가는 괴롭힘이라는 생각은 했다. 그런데 그 괴롭힘에는 한 단계가 더 있었던 것이다. 수업 시간에 사용했기 때문에 쉽사리 결부시킬 수 있었던 거울과 '가가미'라는 성.

어리석었다. 그 괴롭힘은 자신들이 상상한 것보다 훨씬 과거의 일이다. 정서가 충분히 발달되기 전이라 충동적으로 그 방법을 생각했을 것이다. 이 아이가 처음에 벽에 부딪히고 죽음을 생각한 것은 아마 초등학교 때일 것이다. 이름이 곧 괴롭힘이나 별명의 원인이 되기 십상인 세대.

미술 시간에 자기 얼굴을 그리기 위해 거울을 지참했을 가능성도 있다. 그 경우에는 학년을 특정할 수가 없다. 혹은 고키가 한참 잘못 짚었을 가능성도 있다. 하지만 한 번만 더 이 가능성에 걸고 싶었다.

구로키가 의뢰했던 리서치 회사에 연락해 찾는 사람의 조건을 변경했다.

'고키의 천사'가 신문사에 투서한 기간에 니가타 현에 살았던 여중고생. 그 조건에 한 가지 더 추가했다. 그중 부모의 이혼 등으로 인해 그 지역으로 이사 온 소녀. 그 당시를 기준으로 9년에서 4년 전. 즉 '그때' 중고생이었던 아이가 초등학교 3학년부터 4학년이었을 무렵에는 바뀌기 전의 성을 사용했을 가능성이 높으며 그것이 어쩌면 '가가미'일지도 모른다는 것.

시기를 더 구체적으로 좁힌 사람 찾기는 성공이었다. 몇 주 뒤 고키 앞으로 이름 하나가 도착했다.

바로 가가미(各務) 다마키.

고키가 우려한 대로 지금은 부모의 이혼으로 인해 바뀐 성을 사용하는 아카바네(赤羽) 다마키였다.

(2)

거울로 광전지 실험을 하던 초등학교 4학년 때 어머니가 마을에서 사기 사건을 일으켰다. 그 일을 계기로 부모가 이혼하고 당시 살았던 이시카와 현에서 외할머니가 사는 니가타 시내로 이주해 살고 있다. 아카바네 다마키는 빙고였다.

어머니의 거짓말이 들통 나고 삶의 기반이 무너지기 시작하면서 다마키 또한 많은 것을 빼앗겼을 것이다. 친구들이 손바닥을 뒤집듯 냉담하게 돌아선 것이다. 거울을 꺼내 그녀에게 악의를 퍼부은 것이 그것을 상징한다.

리서치 회사에서 받은 조사표 상단에 붙여진 사진. 중학교 졸업 앨범 사진일까. 웃음기 없이 얌전을 빼며 정면을 시큰둥하게 노려보는 얼굴. 그 사나운 눈초리를 보고 고키는 확신했다.

이 아이가 바로 '고키의 천사'다.

아카바네 다마키가 신문사에 편지를 보낸 것은 어머니가 첫 번째 사기 사건을 일으켜 니가타로 이사 온 시점이었을 것이다. 정체를 밝히지 않은 천사는 남들이 모르는 사이 그 후에도 불행에 휩싸였다.

새로 머물게 된 니가타에서도 똑같은 사기를 반복해 체포된 어머니. 그 직후 외할머니가 돌아가신 것은 마음고생이 심해서였을까. 여동생과도 떨어져 살게 되고 그녀는 중학교 졸업과 동시에 니가타를 떠난다. 사이타마 현에 사는 먼 친척에게 거두어져 지금은 그곳에서 살고 있다고 한다.

고키는 조사표를 읽고 경악을 금치 못했다.

깨닫고 말았다. 확신하고 말았다. '고키의 천사'는 절대 정체를 밝히지 않을 것이다. 신문사에 보낸 수많은 편지, 그것을 읽은 고키는 깨달았다. 그녀가 자신이 누구인지 밝히지 않은 까닭은 성격이 소심하고 얌전해서가 아니다. 겸손해서가 아니다. 어머니가 사기죄 전과자이기 때문이다.

어느새 가슴이 짓눌리듯 숨이 잘 쉬어지지 않았다.

사기죄. 상대를 교묘한 말로 속여 자신을 연출한 다마키의 어머니. 사기꾼의 딸이 하는 말을 과연 사람들이 믿어 줄까. 그녀는 틀림없이 그것을 두려워한 것이다. 입을 다물고, 그리고 앞으로도 이런 사실이 있는 한 결코 정체를 밝히는 일은 없으리라.

고키는 어찌할 바를 몰랐다. 뭔가 감사의 표시를 할 만한 처지도 아니거니와 만나서 뭘 어쩌겠다는 생각도 없었다. 그저 그 아이가 실재한다는 것, 그것을 확인하고 싶었다. 앞으로는 구로키를 끌어들일 생각조차 없었다.

정신을 차리고 보니 고키는 어느새 전철을 타고 그녀가 사는 마을의 역에 내려 있었다.

세간에서는 이것을 스토킹이라 하지 않던가. 걱정하면서도 위해를 가하지 않으면 별문제 없으리라고 멋대로 자신을 납득시켰다.

충동적으로 오기는 했지만 이제 어떻게 해야 할까. 고키가 가져온 조사표에는 그녀의 주소와 학교명도 나와 있었다. 자신에게 그녀에게 아는 척할 권리가 있다는 생각은 하지 않지만 멀리서라도 좋으니 한 번쯤 모습을 보고 싶었다.

시계를 보니 3시 30분이 조금 넘었다. 오늘은 평일이니 그녀는 아직 학교에 있을까.

그런 생각을 하던 그때였다. 반대편 하행 승강장에 눈에 익은 세일러복을 입은 소녀가 나타났다. 흰 바탕에 남색 줄무늬가 들어간 교복. 그녀가 승강장 벤치에 걸터앉는다. 그 옆얼굴이 고키가 있는 곳에서도 보였다. 그리고 숨을 멈췄다.

사진으로 본 아카바네 다마키였다.

순간 손에 든 파일을 가슴에 안고 숨겼다. 모자를 더 깊숙이 눌러썼다. 틀림없다. 그 아이였다. 웃음기 없는 무표정. 늘 방심하는 일 없이 힘이 들어가 있는 듯한 뺨과 눈동자.

다마키는 벤치에 앉자마자 가방에서 책을 꺼내 읽기 시작했다. 그 책의 제목이, 표지가, 자신의 것인 듯하여 고키는 그쪽을 향해 걸음을 서둘렀다.

가까이 가는 동안 이상하리만치 가슴이 벌렁거렸다. 떨리는 발걸음으로 그녀의 근처에 가서 섰다. 책 표지가 보인다. 생각대로 고키의 책이었다.

그런데 어? 하고 의문이 들었다. 자신의 책이기에 잘 안다. 다마키가 들고 있는 책은 표면을 문질러 닦은 것처럼 반질반질 윤이 난다. 원래 이 책의 표지는 무광 타입의 일본 종이 같은 재질이지 저렇게 매끄러운 종이는 아닐 터였다.

잠시 생각하고 있자니, 책을 든 그녀의 손 위치가 살짝 달라져 뒤표지에 바코드 스티커가 붙어 있는 것이 보였다. 이제야 이해가 되었다. 이 책은 도서관에서 빌린 것이다.

아카바네 다마키는 몸집이 몹시 자그마한 소녀였다.

키는 고키의 목 언저리에 겨우 닿을 정도일 것이다. 책을 읽을 때 이따금 눈을 가늘게 뜨는 것으로 보아 그녀가 근시임을 알 수 있었다. 묵직해 보이는 검은 가죽 가방과 뒤축이 닳은 로퍼. 목덜미 부근에서 아무렇게나 묶은 머리. 가방과 머리에 액세서리 하나 달지 않아 그 나이 또래치고는 보기 드물게 멋 부린 태 없이 수수했다.

화난 듯이 미간에 주름을 살짝 잡고 있다. 그런 그녀 옆에서 긴장한 채 얼굴을 바라보고 있자 그녀가 갑자기 쿡 웃었다. 입술이 양 옆으로 씰룩 움직이고 광대뼈가 살짝 올라갔다. 참으로 엷은 미소였다.

고키는 하마터면 와 하고 소리를 지를 뻔했다.

그녀가 지금 펼치고 있는 페이지에 무슨 내용이 쓰여 있는지 알기 때문이다. 진지한 스토리에 섞어 넣은 코믹한 싸움 장면.

내 글이 이 아이를 웃게 만들었다.

어찌할 바를 모를 만큼 가슴이 뿌듯했다. 등허리가 근질근질 가렵다. 그 표정이 어찌나 귀엽던지 한 번 더 보고 싶었다. 그 생각에 상체를 앞으로 내민 순간 승강장에 하행 열차가 들어왔다.

다마키가 책을 덮고 자리에서 일어섰다. 전철에 올라타는 그녀를 고키도 얼른 뒤따랐다. 그러고는 다마키가 겨우 보이는 옆 칸으로 가서 그 모습을 계속 지켜봤다.

조사표에 따르면 다마키의 학교는 집에서 걸어서 갈 수 있는 거리에 있다고 한다. 그렇다면 지금은 어디로 가는 것일까.

이 노선은 이바라키 현까지 뻗어 있다. 그곳에는 다른 친척 집에 거두어진 다마키의 여동생이 산다. 고키는 손에 들고 있는 파일에서 동생의 집 주소를 슬쩍 확인했다. 여기서 아주 멀리 떨어진, 이바라키 끝에 있는 지명이 쓰여 있었다.

고키는 다마키가 알아채지 못하도록 고개를 숙이고 뒤돌아서 그녀와 같은 전철을 타고 있었다.

당연히 동생이 사는 곳까지 가는 줄 알았건만 다마키는 뜻밖의 역에서 내렸다. 사이타마 현과 이바라키 현의 경계 부근의 역. 동생이 사는 마을보다 다마키의 집에서 좀 더 가까운 위치였다. 딱히 뭐가 있을 것 같지도 않은 작은 역이었다.

다마키는 그곳에서 예상 밖의 행동을 했다. 승강장에 내려 곧장 개찰구와는 반대쪽으로 걸어간 것이다.

역 승강장에는 간소한 대기용 쉼터가 마련되어 있었다. 다마키는 그곳으로 들어가 의자에 앉더니 다시 책을 읽기 시작했다. 역 밖으로 나가려는 기미도 없이 오랜 시간을 꼼짝 않고 그러고 있었다.

환승하기 위해 접속 열차를 기다리는 걸까. 그런 생각도 들었지만 이 역은 노선이 하나뿐이다. 게다가 다마키는 들어오는 열차에 관심조차 없었다.

시간이 얼마나 흘렀을까.

괜히 의심받을까 걱정되어 고키는 쉼터 뒤편, 다마키 눈에 띄지 않는 곳에 몸을 기대어 웅크리고 있었다. 이용객이 거의 없는 쓸쓸한 역이었다. 대기용 쉼터 안에도 다마키 혼자 앉아 있을 뿐이다.

얼마 후 사방이 어둑어둑해졌을 무렵 쉼터 형광등에 번쩍번쩍 불이 들어왔다. 다마키는 여전히 아무런 반응이 없었다. 저녁이 되어도 한결같이 책에 집중했다.

그때 반대편 승강장에 열차 한 대가 들어왔다. 내리는 사람도 타는 사람도 거의 없던 역에 한 소녀가 내려섰다. 소녀가 맞은편 승강장을 향해 소리치며 손을 흔들었다.

"언니."

벽 뒤에서 몰래 상황을 살펴보니 그곳에 다마키와 얼굴이 똑 닮은 소녀가 서 있었다. 중학생이라고 들었는데 그보다 약간 앳되어 보인다. 연지색 세일러복에 마스코트가 달린 머리핀. 손에 든 가방에는 온갖 열쇠고리가 달랑달랑 달려 있다. 다마키의 여동생 모모카다.

"모모카."

동생이 나타나자 다마키의 얼굴에 미소가 번졌다. 그 전까지 긴장을 풀지 않았던 얼굴이 완전한 가족을 앞에 두고 이렇게 변하다니. 고키는 반쯤 놀라면서 그 모습을 지켜봤다.

"언니, 미안해. 너무 늦었지? 오늘 학교에서 동아리 활동이 길어졌거든."

"됐어. 그보다 괜찮아? 너무 늦어지면 외숙모랑 외삼촌이 걱정하시잖아."

"그렇긴 한데 한 시간만 있다 가면 문제없어."

"일주일 동안 별 다른 일 없었어?"

"아, 어제 동네 학원에 견학하러 갔다 왔어. 공부 따라갈 수 있겠느냐고 묻길래 실은 좀 어렵다고 말했더니 다음 주부터 다니라더라."

망했어, 하고 말하며 웃는다.

"그런데 에리카랑 유도 그 학원 다니니까 재미있을 것 같아. 벌써 기대돼."

"에리카가 너네 반 아이였나?"

"아니, 같은 동아리 소속이야. 나는 3반이고 에리카는 7반. 지난번에 알려 줬잖아. 언니, 벌써 잊었어?"

그렇게 대화하는 자매를 지켜보는 사이 고키는 깨달았다.

다마키와 모모카가 이곳에서 매주 만나고 있다는 것을.

"그랬나? 미안해, 내가 대충 들었나 봐."

"대충 들었다고? 너무하네."

"미안, 미안."

다마키는 사과하고 나서 다시 함박웃음을 지었다.

"이왕 학원에 다니기로 한 거 열심히 공부해야지. 두 분이 네 생각해서 다니게 해 주신 거잖아."

"알겠어."

모모카 또한 순순히 고개를 끄덕였다.

"그리고 이거 고마웠어" 하고 다마키가 읽고 있던 책을 동생에게 건넸다.

"미안해. 도서관에서 빌려 오기 번거롭지? 우리 동네 도서관은 전에 살던 곳이랑 달리 가난해."

"아냐, 괜찮아."

모모카가 고개를 내저었다. 그러고는 미안하다는 듯 어두운 표정을 지었다.

"나야말로 미안해. 오늘은 반납된 책이 한 권도 없어서 못 빌려 왔어."

고키는 자매의 대화 속 책이 지요다 브랜드를 가리킨다는 것을 알아차렸다. 자신이 단번에 알아차렸다는 것이 괜히 쑥스럽고 뻔뻔스럽다는 생각이 들어 고개를 들 수가 없었다. 자긍심과 부끄러움이 동시에 밀려와 쥐구멍에라도 숨고 싶었다.

자매의 대화는 서로의 근황이나 읽은 책 이야기가 중심이었다. 그리고 고키의 이름도 셀 수 없이 많이 등장했다. 자매가 '고 짱'이라는 애칭으로 고키를 불렀다.

'고 짱의 책은', '고 짱의 그 캐릭터가', '고 짱'.

오늘 처음 보는 그녀들이 자신을 마치 또래 친구처럼 이야기하는 것은 멋쩍고 낯간지러운 기분이 들었지만 결코 못마땅하지는 않았다.

대화 도중 다마키가 점점 안절부절못하는 것을 알 수 있었다.

승강장 벽시계를 보며 시간을 신경 쓰기 시작한 것이다. 두 사람 다 전철을 타고 이 지점에서 만나는 것은 조금이라도 오래 이야기하고 싶어서일 것이다. 서로를 배려해 기꺼이 전철을 타고 와 이곳에서 함께하는 시간.

"그럼 다음 주에 또 만나."

다마키가 말했다. 그날은 화요일이었다. 자매가 이곳에서 만나는 것은 매주 화요일인 모양이다.

다마키가 집에 가는 방향인 상행 열차가 먼저 들어왔지만 그녀는 그것을 타지 않고 그냥 보냈다. 동생이 전철에 올라타는 모습을 확인하고 배웅한 뒤 혼자 승강장에 남았다. 동생에게 책을 돌려준 탓인지 다마키는 심심해하며 하늘을 보고 있었다.

도시에서라면 거의 볼 수 없는 차가운 돌멩이를 뿌린 듯한 별이 총총한 하늘을, 고키도 덩달아 올려다본다. 이윽고 전철이 와 다마키가 올라탔다. 고키는 쉼터 뒤에 웅크린 채 그녀를 배웅했다. 다마키가 모모카에게 한 것처럼.

그럼 다음 주에 또.

다마키가 동생에게 한 말을 되새긴다.

위험해.

하고 마음이, 고키의 이성이나 양심이라 불리는 부분이 강력히 주장하며 경고를 울린다.

위험하다고. 한 번이라면 모를까 두 번, 세 번 반복하는 것은 변태나 스토커가 하는 짓이잖아. 경찰에 붙잡힌다니까.

그렇게 주장한 보람도 없이 고키는 거의 매주 자매가 만나는 역에 다니게 되었다. 말을 걸 생각도 정체를 밝힐 생각도 없다. 아무것도 하지 않지만 그래도 그 아이들을 보는 것만으로 흐뭇했다. 다마키의 얼굴을 보고 목소리를 들을 수 있어 기뻤다.

처음 봤을 때와 마찬가지로 고키는 쉼터 뒤에 숨는가 하면 역 개찰구를 나가면 있는 역구내 대합실에 앉아 승강장 모습을 살피기도 했다. 얼굴만 보고 곧바로 돌아가는 날도 있었다.

자신을 '고 쨩'이라 부르는 목소리가 거의 매번 들려왔다. 그 목소리는 말로 표현할 수 없을 만큼 귀와 가슴을 따뜻하게 해주었다. 그것을 들으면 괜스레 활력이 솟아올랐다.

뭔가를 간절히 기다리는 마음은 고키 안에서 이미 오래전에 잃어버린 감정이었다. 그 사건이 일어나기 전에도, 어쩌면 작가가 되기 전과 후에도 지금까지 이런 마음을 느낀 적은 없었을지도 모른다. 하지만 고키는 화요일 오후가 못 견디게 기다려졌다.

자매는 변함없이 역 밖으로 나가는 일 없이 쉼터 안에서만 이야기를 나누었다. 자판기가 가까이 있는데도 음료수를 뽑아먹은 적이 없다. 중고생 사이에서 그것이 일반적인 걸까. 왠지 모르게 그런 생각을 하던 어느 날 역 개찰구를 통과할 때 아, 하고 퍼뜩 떠오른 것이 있었다.

두 사람의 집 중간 지점 역에서 만나 개찰구 밖으로 나가지 않고 승강장에서 만나는 것. 조금이라도 더 오래 함께 있고 싶어서 서로 지혜를 짜낸 방법인 줄 알았다. 물론 그 이유도 있을 것이다. 그러나 분명 그뿐만이 아니다. 엄밀히 말하면 이 역은 다마키의 집에서 더 가깝다. 여기까지 오는 거리와 시간은 모모카가 더 오래 걸린다.

동생을 먼저 보내며 절대 동생 혼자 승강장에 남지 않도록 하는 다마키가 왜 동생 집에서 더 먼 이 역을 약속 장소로 선택했을까. 그때 깨달았다.

그녀들은 돈이 없는 것이다.

구입한 승차권으로 개찰구를 빠져나가면 이 역까지의 요금이 발생한다. 그녀들은 그것을 지불하지 못한다. 그래서 승강장 안에서만 만나는 것이다. 자매는 아마도 가장 저렴한 역 승차권을 매번 구입해 여기까지 오는 것이리라. 집에 갈 때도 그 승차권을 이용하여 처음 출발한 역 개찰구 밖으로 나가는 것이다.

아마 그 또한 부정 승차라 할 수 있을 것이다. 하지만 이렇게라도 하지 않으면 두 사람은 만날 수가 없다. 이 역을 약속 장소로 선택하기까지 어쩌면 이 주변 역 몇 군데에서도 내려봤을지도 모른다. 가장 시간 보내기 좋은 승강장이 어디인지, 장시간 앉을 수 있고 비바람을 막아 주는 장소. 어느 한 사람이 늦게 와도 형광등이 들어와 책을 읽으며 기다릴 수 있는 장소는 어디인가. 그리하여 승강장에 쉼터가 있는 이 역을 선택한 것이다. 아마 승차권에는 시간제한이 있을 것이다. 그러고 보니 자매는 짧은 시간밖에 못 만났음에도 불구하고 서둘러 집에 가는 날도 있었다.

언제부터 시작되었을까. 고키는 눈을 가늘게 뜨고, 승강장에서 이야기를 나누는 두 사람을 바라봤다. 저 쉼터는 다 해어지도록 낡은 다다미 의자가 있을 뿐, 출입문도 노후화되어 꼭 닫히지 않는다. 그 틈으로 바람이 새어 든다.

계절은 가을에서 겨울로 넘어가고 있었다. 본격적인 추위가 시작되면 앉아 있기조차 힘들어질 것이다. 지금도 모모카가 무릎 담요를 가져오곤 한다. 둘이서 함께 담요를 뒤집어쓰고 희미하게 하얀 입김을 뿜으며 시간을 아쉬워하며 이야기한다.

자매의 약속은 원시적이었다. 휴대폰도 없고 여기서 만나는 것을 양쪽 집에 비밀로 하기로 했는지 별다른 연락 수단이 없었다. 한쪽이 급한 일이 생겨 약속 장소로 나오지 못하게 되어도 오지 않는 상대를 몇 시간씩 기다린다. 책을 읽으면서. 그리고 그 책은 고키의 책인 경우가 많았다. 모든 책에 작은 바코드가 붙어 있었다. 표지는 비닐 코팅이 되어 반질반질하다.

작은 도서관에서 빌리는 책은 늘 같은 종류로, 자매는 그것을 서로 교환해서 읽었다.

기다리다 허탕을 치는 날도 있었지만 거의 대부분 다마키가 기다리는 쪽이었다. 모모카가 ‘오지 못하는 날 처음 몇 시간은 가만히 책을 읽고 있던 다마키가 시간이 갈수록 맞은편 승강장에 전철이 도착할 때마다 자리에서 일어나 상황을 살폈다. 한 시간만 더, 30분만 더. 다음 전철을 타고 분명히 올 것이라고,

애틋한 소망을 품고 목이 빠져라 동생을 기다렸다.

어느 날 그 시점에 비가 내려 승강장은 빗소리 어린 정적에 휩싸였다. 멍하니 창밖을 바라보던 다마키가 아예 책을 덮었다. 아무것도 하지 않고 그저 텅 빈 눈길로 쏟아지는 빗줄기를 보고 있었다. 선로에 깔린 자갈과 레일이 빗물에 젖어 똑같이 적갈색으로 물들어 간다. 그것을 고키도 반대쪽 승강장 구석에서 보고 있었다.

다마키는 하행 열차 여러 대를 그냥 보내고 나서 이윽고 체념한 듯 어깨를 축 늘어뜨리고 돌아갔다. 안타까운 심정으로 그녀를 배웅하자, 다음 상행 열차가 들어왔다. 그 안에서 모모카가 헐떡거리며 내렸다.

비 때문에 뿌예진 반대쪽 승강장, 그 대기용 쉼터에 언니의 모습을 찾다가 아무도 없다는 것을 확인하고 모모카의 얼굴이 점점 일그러졌다.

앗, 하고 생각했다. 어떡하지? 울지도 모른다. 하지만 고키가 할 수 있는 일은 무엇 하나 없었다. 언니는 조금 전까지만 해도 그곳에 있었단다. 정말로, 진짜로 조금 전까지 너를 기다리고 있었어. 그렇게 말해 주고 싶었지만 안 될 일이다. 이들 자매에게 절대로 접촉하지 않겠다고 굳게 맹세했다. 고키의 염치없는 감사와 속죄의 마음이 폐를 끼쳐도 되는 아이들이 아니다.

모모카는 고개를 숙이고 작게 중얼거렸다. 기분 탓이 아니라면 "언니" 하고 부른 것 같았다. 눈을 살짝 비비고 땅을 본 뒤 다시 고개를 들어 타달타달 걸었다. 이 역에서 전철이 오는 간격은 상행과 하행 모두 20분씩이다. 모모카는 집으로 가는 전철을 기다리기 위해 늘 이용하는 대기용 쉼터에 혼자 앉았다. 언니가 그랬듯이 눈앞의 빗줄기를 멍하니 바라보면서.

다음 주에 만났을 때 자매는 서로가 서로를 기다렸다는 것에 대해 입도 뻥긋하지 않았다. 왜 오지 않았느냐고 탓하는 기색도 전혀 없었다.

그렇게 서로를 위하고 배려하는 자세를 보고 있자니 가슴이 메어 왔다. 이 나이까지 자매가 무슨 일을 겪어 왔는지 여실히 말해 주고 있었다.

날씨가 쌀쌀해졌지만 자매는 무릎 담요 한 장 말고는 아무것도 갖고 있지 않았다. 한 번은 도저히 가만히 있을 수가 없어서 자매가 오기 직전에 자판기에서 따뜻한 캔 밀크티를 뽑아 쉼터에 놔두었지만, 손도 대지 않은 채 남아 있었다. 당연하다. 그런 정체 모를 음료는 분명 고키도 마시지 않았을 것이다.

차갑게 식은 밀크티를 자매 대신 두 개 다 마시고 있자니 문득 자신이 아무것도 하지 못한다는 사실, 그 무력감에 이를 악물고 싶은 충동을 느꼈다.

아무것도 하지 않는다. 자신은 그 무엇도 할 자격이 없다. 결국 이것밖에 안 되는가. 그 황폐한 방에서 빛이 비치는 바깥세상으로 이끌려 나와 겨우 이 꼴인가.

밀크티는 식었는데도 달콤하고 맛있었다. 이것도 마시지 않고 그녀들은 들뜬 목소리로 이야기하건만. '고 짱'과 '지요다 브랜드'에 관하여.

(3)

이대로 괜찮을까 의문이 들었다. 무엇보다 스스로 지겨울 정도로 자각하고 있었다. 이것은 핑계밖에 되지 않겠지만 그래도 부디 용서받고 싶었다.

자기 자신의 이성에 대해 온갖 말을 다 늘어놓고 변명한다.

아니, 뭐랄까, 그러려던 게 아니라. 그럼 어쩔 셈이냐고 물어도 할 말은 없지만.

사이타마 현 이리누마 시립 도서관은 시에서 운영하는 공원 한구석에 있었다.

수영장과 운동장, 육상경기장에 유도장까지. 스포츠 시설로 만들어진 공원에 어쩌다 우연히 지어진 것 같은 도서관은 다마키가 모모카에게 말한 대로 규모가 작았다. 사전과 자료가 대부분이고 그림책이나 소설류는 구색을 맞추는 정도만 비치되어 있었다. 들어가자마자 도서 검색용 컴퓨터가 놓여 있지만 그것을 사용할 것도 없이 거의 모든 책을 눈으로 훑어볼 수 있을 만큼 규모가 작은 도서관이었다.

양손에 쥔 쇼핑백과 등에 진 배낭 때문에 팔과 어깨가 묵직했다. 평소에는 의식하지 않지만 책이라는 것은, 종이라는 것은 의외로 무거운 것이다. 고키는 숨을 크게 들이마시고 배낭을 고쳐 멨다. 쇼핑백은 바닥이 빠지면 안 되기 때문에 두 장을 겹쳐 사용했지만 벌써 손잡이가 통째로 찢어질 듯한 상태였다.

"저기."

안내 데스크까지 걸어가 그곳에 앉아 있는 여성 사서에게 말을 걸자, 그녀가 "네?" 하고 고개를 들었다. 고키는 자신을 쳐다보는 그 얼굴을 마주하자 한심하게도 오금이 저려 다시 발길을 되돌리고 싶었다. 구로키를 제외한 다른 사람과 제대로 대화하는 것은 정말 오랜만이었다.

바닥에 배낭을 내려놓자 그 묵직함에 털썩 하는 둔탁한 소리가 났다. 사서가 의아해하는 얼굴로 배낭을 쳐다봤다. 고키가 쇼핑백을 들고 있는 손을 희미하게 떨기 시작했다.

"책을, 기증하고 싶습니다만."

"네?"

사서가 놀랐는지 고개를 들어 고키를 쳐다본다. 고키는 저도 모르게 도망치듯 눈을 얼른 내리깔았다. 이내 뒤집어진 목소리로 단숨에 말했다. 중간에 말을 멈추기라도 하면 끝까지 다 말하지 못할 것 같았다.

"도움이 됐으면 해서 몇 권 가져왔는데요. 저기, 집에 있어 봤자 방해만 되고 딱히 돈 주고 구입한 것도 아닌 데다 제가 원하면 또 몇 권쯤은 받을 수 있고, 박스에 담아 놓기만 했지요 몇 년 사이 제대로 꺼내 보지도 않았고, 그래서 제 것이기는 해도 아직 새것이나 다름없습니다. 그러니 쓸 만하겠다 싶으시면 여기에 비치해 주셨으면 좋겠습니다."

혀가 굳어 발음도 불분명했다. 사서의 눈을 볼 용기가 나지 않았다. 고개를 숙인 채 쇼핑백을 데스크에 올려놓았다. 쿵 하는 묵직한 소리가 울렸다. 배낭을 열어 안에 든 것을 전부 꺼내 늘어놓았다. 문고본, 노벨스, 양장본. 있는 대로 죄다 가져온 것이다.

다마키가 기뻐할 만한 다른 일을 해 주고 싶었다. 음료수를 사 주고 싶었고 좋아하는 음식이 있다면 대접하고 싶었다. 옷이나 액세서리를 갖고 있는 것 같지는 않았지만 만약 원한다면 어떻게든 구해다 주고 싶었다. 하지만 그녀가 가장 기뻐하는 일이 무엇일지, 아무리 겸손하려 해도, 제 입으로 제 칭찬을 하는 셈이라 민망한 짓이라며 스스로를 타일러도 고키는 이미 알고 있었다.

스스로도 뻔뻔스럽다고 생각한다.

갑자기 나타나 눈앞에 책을 쌓아올리는 고키를 보고 사서는 어안이 벙벙한지 눈을 크게 뜨고 끔벅거렸다.

'지요다 고키'.

책등마다 들어간 저자명이 고키의 시야 한쪽에 들어온다.

"이거——."

잠깐 사이를 두고 사서가 말했다.

그 순간이었다. 고키는 눈을 감고 입을 다물었다. 입술을 꽉 깨물고 그리고 결심했다. 사서가 미심쩍어하는 것은 당연하다.

다시 입을 열기까지의 짧은 시간에 고키의 손바닥과 등허리에 땀이 비 오듯 쏟아졌다. 관자놀이 언저리가 욱신욱신하다. 그 장면이 떠오른다. "지요다 씨, 책임을 느끼십니까?" 집 밖으로 나온 순간 터지던 강렬한 플래시, 코앞으로 다가온 마이크. "무슨 망측한 소리를 하는 거냐!" 아버지의 주름투성이 손. 누군가에게 무엇과도 바꿀 수 없는 존재. 그런 소중한 존재를 빼앗는 책. 누군가 나를 알아보면 어쩌지? 돌을 던지면 어쩌지? 구역질과 두통이 인다. 숨이 막힌다.

사람을 죽이는 문학, 사람을 죽이는 작가, 지요다 고키.

현기증이 났다.

"저는."

눈을 뜨고 사서의 얼굴을 보고 말했다.

"저는 이 책을 쓴 사람입니다."

말함과 동시에 본격적으로 몸이 바들바들 떨리기 시작했다.

두려웠다. 그 한 마디를 내뱉는 것이 너무나 두려워서 몸속 위장 밑에서부터 한기가 올라온다. 떨림과 땀이 멈출 줄을 몰랐다.

그 말을 듣고 사서가 순간 숨을 멈춘 것처럼 보였다. 사서가 안내 데스크에서 한 걸음 물러섰다.

사서의 눈길이 책 표지로 향했다. 그 사건 당시 "이 책들이 방아쇠가 되어" 하고 신문과 TV를 떠들썩하게 한 애니메이션

일러스트. 본 기억이 있을지도 모른다. 그렇다면 그날 보도된 고키의 얼굴도 낯이 익을 것이다.

"이걸, 기증하고 싶습니다. 부탁드립니다."

고키는 데스크에 손을 짚고 머리를 깊숙이 숙였다. 어깨가 뜨겁고 뺨이 경직되어 고개를 들 수가 없었다.

"사인도 부탁드리면 안 될까요?"

자신이 가져온 책에 사서가 꼼꼼히 바코드 라벨을 붙이고 표지에 비닐 씌우는 모습을 고키는 조금 떨어진 자리에서 멍하니 바라봤다.

"네?"

갑작스러운 말에 당황해 저도 모르게 되묻자 사서는 부드럽게 쿡쿡 웃었다.

"사인 말이에요. 우리 도서관에 작가님이 책을 기증해 주신 적이 없어서 잘 모르지만, 책을 기증할 때는 날짜와 사인을 넣는 것이 일반적이지 않나요?"

"아뇨, 됐습니다. 안 됩니다. 모쪼록 이번 일은 비밀로."

고키는 옆을 보고 입을 우물거리며 대답했다. 사서가 건네준 커피는 아직 가시지 않은 미미한 긴장과, 그 이상으로 밀려드는 안도감 탓에 맛도 모른 채 마셨다.

"우리 도서관에, 지요다, 작가님의 책을 무척 좋아하는 학생이 자주 오거든요."

사서가 고키의 이름을 발음할 때 책을 보면서 말끝을 살짝 올렸다. 이름을 눈으로 보기는 했어도 어설프게 기억했던 것이리라. 그녀가 계속했다.

"올 때마다 책을 입고할 예정이 없느냐고 꼭 묻거든요. 그 학생이 알면 얼마나 기뻐할지, 정말 고맙습니다."

"저야말로, 고맙습니다."

작은 목소리로 중얼거렸다. 책을 전부 기증해 빈 쇼핑백을 접어 배낭에 집어넣었다. 배낭을 메고 서둘러 도서관을 떠나려 하자, 사서가 말했다.

"누군가 처음 빌리는 모습을 지켜보시면 어떨까요?"

그 말에 걸음을 멈추고 사서를 내려다보자 그녀는 구김살 없이 생글생글 웃고 있었다.

"아까 말씀드린 그 학생이 거의 매일 오는데 이걸 보면 빌릴 것 같아서요. 실은 작가님 본인이 오셨다는 걸 알면 가장 기뻐하겠지만요."

"아니, 그건……."

"네, 알아요, 비밀이라고 하셨죠?"

다시 미소를 짓고 말했다.

"그런데 만약 알게 되면 놀라겠죠? 어쩌면 기뻐서 기절할지도 몰라요."

장난기 섞인 말로 그렇게 덧붙이는 사서에게 고키는 오래 망설이다 물었다.

"지켜봐도 되겠습니까?"

"그럼요, 당연하죠."

오히려 그러길 바란다는 말투로 대답했다.

"여기는 도서관이니 얼마든지 있으셔도 됩니다. 아, 혹시 책을 빌리실 거면 이리누마 시민이 아닌 분은 도서관 카드 발급비 5백 엔을 내셔야 하지만요."

도서관을 찾아온 다마키는 갑자기 책장에 마련된 지요다 브랜드 코너 앞에서 우뚝 서 있었다. 아무 말도 하지 않고 자리에 못 박힌 듯 꼼짝도 하지 않았다.

사전 코너 안쪽, 열람 공간 구석에 앉은 고키의 위치에서 다마키의 표정이 보였다. 다마키는 책 제목을 확인하는지 하나하나 주의 깊게 보고 있었다. 울음을 터뜨릴 것처럼 가늘어진 눈으로 한 권씩 손에 들었다.

곧바로 그 여성 사서가 다마키 곁으로 다가왔다.

"예산을 탈탈 털어 쓸 각오로 저질렀어. 아카바네 씨처럼 도서관에 열심히 다니는 학생은 없으니 앞으로는 가급적 신간도 구입해 줄게."

"정말이에요?"

다마키가 떨리는 목소리로 물었다.

"고맙습니다!"

다마키가 흥분에 들떠 코가 땅에 닿도록 인사했다.

"그런데 이 많은 걸 다 구하려면 쉽지 않았을 텐데요. 혹시……."

당황한 듯 책과 사서의 얼굴을 번갈아 본다.

"왜냐하면 이 단편집은 본 적도 읽은 적도 없거든요."

아뿔싸, 실수했다.

너무 과했다, 하고 고키는 조바심이 났다. 깜빡하고 절판된 책까지 가져오고 말았다. 순간 걱정되었지만 그 후 곧바로 사서가 웃으면서 "그렇게까지는 안 하지" 하고 가볍게 대답했다.

두 사람의 대화를 지켜보면서 고키는 슬그머니 자리에서 일어났다. '고맙습니다' 하고 마음속으로 거듭 인사하며 도서관을 뒤로 했다.

사서가 무심코 사용한 말이 가슴에 묵직하게 내려앉았다. 그 말은 아까 멘 배낭의 무게보다 더 절절히 고키의 어깨를 압박한다.

──앞으로는 가급적 신간도 구입해 줄게.

신간.

도서관을 나와 스포츠 공원의 휑뎅그렁한 주차장 앞에 서자 계절이 가을에서 겨울로 바뀔 때 특유의 그 처량한 기운이 그곳에 충만해 있었다. 리리리리, 리리리리 하고 벌레가 울고 있다.

고키는 걸음을 옮기지 못하고 있었다. 말없이 그곳에 서서 천천히 시선을 위로 향했다.

이제 그만, 나는.

계절은 겨울로 향하고 추워지기 시작했지만 그곳에 서 있는 고키의 가슴은 신기하게도 따뜻했다. 지금도 겨우 몇 미터쯤 떨어져 있는 저 도서관 안에 다마키가 있다. 책장 앞에서 어떤 책을 빌려 갈까 고민하고 있으리라.

갑자기 그런 생각이 들었다.

다시 소설을 쓸 수 있을지도 모른다. 이제 그만, 나는 걷기 시작해야 한다.

(4)

앞으로 나아가기 위한 첫걸음.

구로키가 지요다 브랜드의 TV 애니메이션 방영 재개 소식을 가져왔다. '지요다 고키의 소설 때문에 일어난 비극'의 반동으로 인한, 몇 번째인지 모를 지요다 고키 붐. 애니메이션 재개는 그 일환이라고 한다. 이에 더해 다른 시리즈 애니메이션도 다음 시간대에 이어서 방영된다고 한다. 한 시간이 통째로 지요다 브랜드 시간이 되는 것이다.

이바라키 현과 사이타마 현을 포함한 간토(關東) 지역에서의 방영은 매주 화요일. 바로 자매가 역에서 만나기로 한 그 시간대다.

두 사람이 자신에게 관심을 가지고 있다면 다음 주부터는 약속 요일이 바뀔지도 모른다. 그 애니메이션을 봐 줄지도 모른다. 하지만 예상대로 되지는 않았다. 자매는 TV를 보지 않고 변함없이 화요일에 역에서 만났다.

"TV에서 고 짱의 애니를 또 해 주더라."

대화 중 그런 내용도 들려왔고 이따금 그 이야기를 나누기도 하기에 애니메이션 방영 정보를 모르는 것은 아닌 듯했다. "애니화는 원작 이미지가 무너졌을 게 뻔해" 하고 다마키가 입을 삐죽 내밀며 시큰둥하게 말했다.

그렇지 않아, 하는 말이 목구멍까지 올라와 간신히 억눌렀다.

이번 작품은 수준 높은 작품을 다수 제작한 대형 애니메이션 제작 회사 도케이 동화에서 만들고 있다. 실력 있는 감독과 호화로운 성우진이 열의를 다해 작업에 임하는 중이다. 작화도 원작 삽화를 충실히 따랐다. 원작 이미지에 어긋나다니 절대 그렇지 않다.

자매가 봐 주었으면 했지만 다마키는 애니메이션화의 단점만 눈에 띄는 모양이다. 안타깝게 생각하던 어느 날 모모카가 말했다. 걱정하는 마음 반, 놀리는 뉘앙스 반으로.

"언니, 실은 보고 싶지? 어른들께 말씀드려 봐. 보여 달라고 하면 되잖아."

그 말에 다마키의 얼굴이 순식간에 굳어졌다. 모모카를 쏘아 보며 "그런 거 아니야" 하고 정색하고 대꾸했다. 보는 사람이 다 부끄러울 만큼 솔직한 반응이었다. 흥분해서 동생을 꾸짖고 새침하게 고개를 휙 돌리더니 그날만큼은 먼저 집에 갔다. "언니, 미안해" 하고 울상이 되어 사과하는 모모카를 무시하고 어린아이처럼 억지를 부리고.

애니메이션 전개에 관한 협의를 하기 위해 도케이 동화 본사에 갔다 돌아오는 길에 고키는 구로키에게 요도바시카메라에들렀다 가자고 했다. 구로키에게 화질이 좋은 TV는 어느 것이냐고 묻자 그가 "요즘은 플라스마가 대세지" 하고 대답했다. "저쪽에 많이 진열되어 있군" 하고 가르쳐 주었다.

"그럼 이걸로 주십시오."

그중 가장 작은 것을 가리켜 근처에 있던 점원에게 말하자 옆의 구로키가 흠칫 놀란 듯이 쳐다봤다. 입을 반쯤 벌리고 황당하다는 눈초리를 하고 있었다. "제" 하고 그가 숨을 내뱉었다.

"제정신인가? 얼마인 줄 알고."

말을 하다 도중에 삼켰다. 진력이 난다는 듯 "멋대로 하게" 하고 내뱉었다. 고키가 계산하는 모습을 언짢다는 듯 곁눈질했다.

자, 이제 어떻게 할까.

이튿날 고키의 집에 도착한 TV는 새것이라 번쩍번쩍 광이 났다. 막상 집에서 보니 매장에서 봤을 때보다 더 크게 느껴졌다. 그 역에 기증하기에는 너무 튀고 부자연스러워 보였다. 새 TV를 집에 두고 그동안 고키가 사용하던 TV를 가져가는 방법도 생각했지만 원래 사용하던 것은 대형 평면 TV다. 그 작은 대기용 쉼터에 훨씬 더 부적합하다.

마침 비가 내리기에 집 앞 진흙탕에서 진흙을 한 줌 집어 와 새 TV에 마구 칠했다.

흠집이 나 있는 편이 그럴싸하다는 생각에 홈센터(각종 자재, 인테리어 제품을 전문적으로 취급하는 대형 판매점)에서 사 온 사포로 TV 윗부분을 까슬까슬하게 문질렀다. 손이 미끄러져 화면의 유리판까지 문지르고 말아 "아얏" 하고 소리친 뒤 황급히 "미안, 미안" 하고 사과하며 흠집을 연신 쓰다듬었다. 움푹 들어간 흔적을 만들기 위해 화면을 치는 방법도 생각했지만 아예 망가질까 봐 엄두가 나지 않았다. 흠집을 만들어 봤자 아무도 눈여겨보지 않는다며 타협을 권하는 마음과, 그래도 세심하게 연출해야 한다는 완고한 의지 앞에 마음이 흔들려 결국 프레임에도 사포질하는 것으로 합의를 보았다.

그러한 착실한 노력 끝에 지저분한 TV(그러나 화질은 하이퍼 선명)를 완성하여 집 앞에서 택시를 타고 역까지 운반했다. 원래 나이 지긋한 역무원이 혼자 있는 작은 역이었다. TV를 기증하고 싶다고 하자 역무원은 선뜻 받아들였다. 역구내가 아닌 승강장 쉼터에 설치해 달라는 고키의 이상한 부탁에도 그는 순순히 수긍해 주었다. "큼지막한 TV를 가져오셨구먼" 하고 웃은 것 외에는 별 거부감도 의문도 보이지 않았다.

나중에 든 생각이지만 그 또한 매주 그곳에서 만나는 자매의 존재를 알고 있었을지도 모른다. 11월 중순이 지났을 무렵부터 이용객이 적은 승강장 쉼터에는 구식 석유난로가 비치되었다. 석유난로는 고키가 급하게 만든 흠집투성이 TV와 달리 계절에 따른 정식 비치 기구이다.

TV를 기증한 날은 월요일이었다. 자매가 오지 않는 그 월요일의 쉼터에는 석유난로가 보이지 않았다. 이튿날에는 여느 때처럼 그곳에 놓여 있으리라.

배선을 연결하고 안테나를 세우는 등 한 손에 설명서를 쥐고 손에 익지 않은 작업과 씨름하며 TV를 설치했다. 어설픈 손놀림으로 작업을 마치자 역무원이 "수고가 많구먼" 하고 캔 커피를 사 주었다. 자매에 관한 이야기는 서로 한 마디도 하지 않았다. "쌀쌀하군요." "그러게, 쌀쌀하구먼." 그런 아무래도 좋을 이야기를 했을 뿐이다.

이튿날 먼저 온 사람은 다마키였다.

쉼터 의자 위로 우뚝 솟아 그곳에 떡하니 자리 잡은 TV를 보고 다마키는 경악을 금치 못했다. 이내 조심조심 신중하게 스위치에 손을 뻗었다. 고키가 조금 떨어진 곳에서 상황을 살피고 있자 쉼터 내에 불이 번쩍 들어왔다. TV 전원을 켠 것이다. 다마키가 기쁨에 빛나는 얼굴로 채널을 돌렸다. 지요다 브랜드는 13번에서 방영된다. 그것이 나오는 것을 확인하자마자 그녀가 TV를 끈다.

보지 않으려는 걸까.

불안해서 지켜보고 있자 다마키가 반대편 승강장을 향해 냅다 뛰었다. 발을 동동 구르며 시계를 본다. 그때 열차가 도착하고 안에서 모모카가 내림과 동시에 다마키는 동생의 손을 잡고 달리기 시작했다. 대기용 쉼터로 서둘러 돌아와 감격에 겨운 표정으로 TV를 가리켰다.

꺄아, 하는 작은 비명이 고키의 귀에 들려왔다. TV가 켜지고 전기가 통하는 기색. 애니메이션 오프닝곡이 바람에 실려 작게 따란따란 들려온다.

"고키, 자네 플라스마 TV는?"

며칠 뒤 집에 찾아온 구로키가 물었다. 고키는 "아아" 하고 읽고 있던 자료에서 고개를 들었다. 아직 소설을 쓸 수 있을지 없을지는 모르지만 우선 예전에 머릿속에 있었던 그 이야기에 관한 자료를 읽는 것부터 시작한 참이었다.

"배송되고 나서 자세히 봤더니 접속이 번거롭게 되어 있어서 내가 못 할 것 같더라고. 달라는 사람이 있어서 줘 버렸어."

이에 구로키가 "뭐?" 하고 소리를 질렀다. 이 무슨 황당한 소리야? 그런 눈으로 똑바로 쳐다봤다. 그러나 고키가 장난하는 것이 아님을, 진지하다는 것을 알아차리고 이번에는 말문이 콱 막힌 듯했다.

"나도, 눈독 들였는데."

"그래?"

고키는 자료로 시선을 되돌리고 심드렁하게 고개를 끄덕였다. 구로키가 계속했다.

"상의 한 마디쯤 해도 되지 않나?"

"구로키 씨가 갖고 싶어 할 줄은 전혀 몰랐어. 매장에서 언짢아했고 나한테 화까지 냈잖아."

"갖고 싶었으니까, 그래서 화낸 거다!"

미간에 주름을 잡은 구로키가 "자네를 죽이고 싶군" 하고 불온한 말을 입에 담았다.

"《블랑》의 소중한 돈벌이꾼이라 죽이지도 못하면서."

고키가 대꾸했다.

"내 부활을 기다리는 주제에."

"할 수 있겠나?"

구로키가 진지하게 물었다.

"몰라."

고키가 대답했다. 눈을 아래로 향한 채 구로키의 얼굴을 보지 않았다. 그가 숨을 크게 들이마신다. 그러고는 길게 토해 냈다.

쓴웃음을 지으며 "천천히 하게" 하고 격려했다.

(5)

크리스마스에 두 자매에게 하이츠 오브 오즈 제과점의 케이크를 선물하기로 마음먹었다.

브랜드에 대한 애착이나 그래서 이 케이크를 받으면 다마키가 기뻐할지, 거기까지 생각한 것은 아니었다. 단순히 고키가 여태껏 먹어 본 케이크 중에서 가장 맛있었던 제과점을 골랐을 뿐이다. 이왕이면 가장 맛있는 케이크를 선물하는 것이 최선이라고 생각했다.

자세한 연유는 모르지만 자매는 크리스마스이브를 둘이서 보내려고 하는 것 같았다. 엿들은 대화로 알 수 있었다. 그렇다면 장소는 분명 그 작은 쉼터이리라. 다마키와 모모카가 그곳에 도착하기 전에 어떻게든 케이크를 건네주어야 한다.

신주쿠에 있는 오즈의 본점에 케이크를 대량으로 주문했다. 집으로 돌아와서 하나를 제외한 모든 케이크를 상자에서 꺼내 빈 상자를 만들었다. 꺼낸 케이크 중 두세 개는 냉장고에 넣었지만, 나머지는 랩을 씌운 상태로 방바닥에 방치할 수밖에 없었다. 당분간은 아침, 점심, 저녁으로 케이크만 먹는 생활을 각오해야 한다.

아카바네 자매에게 건네줄 케이크와 그 위에 얹힌 메리 크리스마스 장식 그리고 초콜릿으로 만들어진 집을 조금 비스듬히 눕혔다. 떨어트렸다고 핑계를 대려면 생크림을 망가뜨리는 편이 좋겠지만, 생크림을 짜서 만든 장미꽃이 너무나 사랑스럽게 피어 있어서 망가뜨리기에는 아까웠다.

빈 케이크 상자를 접어 한데 모은 다음 생활용품점인 도큐핸즈에서 구입한 산타클로스 복장 세트와 함께 배낭에 챙겨 넣었다. 가는 길에 홈센터에 들러 판매대로 쓸 만한 접이식 간이 테이블을 구입하고 택시에 실어 모모카의 집이 있는 이바라키 현으로 향했다.

크리스마스로 한껏 들뜬 거리는 포근했고 사람들은 행복해 보였다. 사건이 일어나기 전의 고키였다면 전혀 관심을 가지지 않았을 풍경이다. 집에서 소설을 쓰다가 정신을 차려 보면 어느새 끝나 있을 이벤트에 불과했다. 그러나 오늘은 자신도 그 이벤트에 동참하고 있다는 묘한 만족감을 느꼈다. 무엇과도 연결되지 않고 누구와도 통하지 않은 일방적이고 혼자만의 생각이지만 상관없었다.

고키는 행복했다.

집에서 역으로 갈 때 반드시 모모카가 지나가는 길목. 그 도중에 있는 편의점 앞에 고키는 택시를 세웠다. 들키지 않고 무사히 해낼 수 있기를 기도하며 넓은 주차장 구석에서 간이 케이크 판매대를 조립했다. 다마키를 속이기는 어려울 것 같지만 모모카라면 언니보다 수월할 듯했다.

그러나 막상 케이크 판매대를 설치하자 가슴이 조마조마하여 정신을 차리기가 힘들 지경이었다. 편의점 내부에서 판매대가 보이지 않도록 대형차 뒤에 판매대를 들고 가 숨고는 그 차가 가고 나면 또 다른 차 뒤로 숨었다. 앞을 지나가는 사람들이 고키를 힐끗거리는가 하면 마음씨 좋은 아주머니가 "케이크 얼마예요?" 하고 말을 걸 때마다 "아니, 이건 안 팔아요" 하고 사과하며 도망갔다.

한참을 기다려도 모모카는 오지 않았다.

어쩌면 다른 길을 이용해 이미 역에 도착했을지도 모른다. 아니면 집에서 차를 얻어 타고 나왔을 수도 있다. 걱정스럽고 불안한 마음에 휩싸인 바로 그때였다.

갈색 코트를 걸치고 목에 분홍색 머플러를 칭칭 감은 모모카가 저만치에 나타났다. 모모카는 구부정한 자세로 총총거리며 걸어오고 있었다.

말을 걸기는 처음이었다. 긴장됐지만 전에 도서관 사서에게 이름을 밝혔을 때를 떠올리니 무엇이든 할 수 있을 것 같았다. 그렇다, 그때 고키는 첫걸음을 내디딘 셈이다. 그 사건을 평생 짊어지고 지요다 고키라는 인간으로 살아가리라 다짐했다.

"저기!"

잔뜩 힘주어 낸 목소리에 모모카가 놀란 듯 몸을 뒤로 뺐다. 곧 어리둥절한 표정으로 고키를 쳐다본다. 똑바로 마주 보는 해맑은 눈빛에 고키는 반사적으로 고개를 돌릴 뻔했다. 사건 당시 TV에 나온 자신의 얼굴을 그녀가 기억하고 있을지도 모르고, 무엇보다 컬컬하게 쉰 고키의 목소리가 특징적이기 때문이다. 고키는 모자를 눌러쓰고 산타 수염으로 코언저리까지 푹 덮었다.

드디어 케이크가 들어 있는 상자를 내밀며 말을 이었다.

"이거 떨어뜨린 건데."

당황해서 아무 말 못하는 모모카에게 끼어들 틈을 주지 않고 재빨리 덧붙였다. 자연스레 말이 빨라진다. 어서. 빨리 받아, 모모카.

"어차피 크리스마스이브도 몇 시간 안 남은 데다 날짜가 바뀌면 유통기한 지나서 할인해야 하고, 점장님한테도."

말하면서 생각한다. 점장이라니 누구? 하지만 멈출 수 없다. 이런, 아무래도 난 실전에 약한가 보다.

"떨어뜨린 거 들키면 혼나거든. 너한테 줄게."

스스로 생각해도 말이 안 된다. 유통기한이 지나면 식품 위생 관리상 팔아서는 안 되지 않은가. 할인해서 될 일이 아니다.

눈앞에 내밀어진 상자를 보자 줄곧 어리둥절하던 모모카가 눈을 반짝였다. 주의 깊게 상자를 살펴보고는 믿기지 않는다는 듯 고키를 올려다본 뒤 머뭇머뭇 상자에 손을 뻗었다.

모모카가 두 손으로 케이크를 받았다.

"⋯⋯정말 받아도 돼요?"

눈이 마주치자 고키는 느닷없이 울고 싶어졌다. 그녀가 물었다.

"이거 하이츠 오브 오즈 맞죠?"

흥분과 떨림이 엿보이는 모모카의 목소리에 고키는 고개를 숙였다. 그렇게 하지 않으면 혼이라도 빠져나갈 것 같았다. 이 아이들에게 이 브랜드는 특별한 존재였구나. 이제 알았다. 내 소설 속에 등장했다는 단지 그 이유만으로 특별한 것이다.

"물론이지."

고키가 대답했다. 더 이상 말 걸지 않을 테니 어서 가길 바랐다.

"괜찮으니 가져가."

"고맙습니다."

모모카가 꾸벅 인사를 했다. 뺨과 귀가 새빨갛게 상기되어 있었다. 그것은 살을 에는 듯한 겨울 추위 때문만은 아니리라. 모모카가 금방이라도 울음을 터뜨릴 것 같은 표정을 지었다.

두 팔 가득 상자를 안은 모모카가 팔을 앞으로 내민 자세로 달리기 시작했다. 고키의 시야에서 사라지기 직전에 뒤돌아선 그녀가 다시 고개를 깊이 숙였다. 그러고는 오로지 앞만 보고 서둘러 달려갔다.

다행이야.

고키는 진심으로 안도의 한숨을 내쉬었다.

모모카는 케이크를 끌어안은 채 전철을 타고 그 좁은 대기용 쉼터에서 언니를 만날 것이다. 그리고 둘이서 먹을 것이다. 상상하는 것만으로 기쁘고 행복했다. 어디까지나 일방적이고 제멋대로인 상상이지만 충족감과 따스함으로 가슴이 벅찼다. 이내 얼굴까지 달아올랐다.

임무를 완수했다는 성취감을 음미하면서 가짜 판매대를 서둘러 정리하기 시작했다. 도로를 등지고 한창 철수 작업을 하던 그때였다.

"저기요!"

느닷없이 고키를 향해 부르짖는 소리가 들렸다. 쉬고 숨이 찬 목소리. 고키는 긴장하다 못해 얼어붙은 등골을 움찔거리며 뒤돌았다. 그리고 놀라움에 눈을 깜빡였다.

다마키가 서 있었다. 정면에 딱 버티고 서서 자신을 보고 있었다. 너무 엄청난 일에 고키는 할 말을 잃었다. 믿을 수가 없었다.

"……무슨?"

잠시 후 겨우 목소리를 쥐어짜 냈다.

왜, 여기에.

초조함과 놀라움이 머릿속을 빙글빙글 맴돈다. 혼란스럽다. 오늘은 그 역에 가지 않는 걸까?

"실례합니다."

다마키는 몹시 급하게 달려온 듯했다. 교복 치마 밑으로 뻗어난 무릎이 겨울의 냉기에 노출되어 허옇게 떴다. 뺨은 아까 모모카와 마찬가지로 새빨갛게 상기되어 있었다.

"방금 제 동생이, 이 케이크를, 받았는데요. 떨어뜨린, 거요."

늘 역의 쉼터 근처에서 들었던 영락없는 다마키의 목소리였다.

이렇게 제대로 듣는 것은, 이렇게 가까이서 듣는 것은 처음이었다. 손을 뻗으면 닿을 것 같았다. 그녀의 목소리는 떨고 있었다. 다마키는 떨지 않으려 애쓰지만 잘되지 않는 듯했다. 고키는 알 수 있었다.

"아아, 아까 그."

다마키를 차마 똑바로 쳐다볼 수가 없어 고개를 숙인 채 흘
끗 봤다. 심장이 이상하리만치 빨리 뛰었다. 그녀가 한 발 앞으
로 다가온다. 움찔, 긴장이 되어 고키는 한 발 뒤로 물러났다.
거리가 좁혀질 때마다 가슴이 걷잡을 수 없이 동요했다. 들이마
시는 공기가 희박해졌다.

"저기."

다마키의 눈이 촉촉이 젖어 있었다. 동생이 그러했듯이, 아니
그보다 더 큰 소리로 말하며 코가 땅에 닿도록 머리를 숙였다.

"고맙습니다. 제가──, 제가, 여기 케이크를, 정말 좋아합니
다."

고키는 고개를 들었다. 놀라서 그 자리에 멍하니 서 있을 수
밖에 없었다.

그 한마디를 하기 위해 다마키가 달려온 것. 그것을 알아차
렸기 때문이다.

"굉장히, 기뻤어요. 고맙습니다."

어떻게 해야 할지 도무지 알 수가 없었다. 패닉에 빠졌다가
퍼뜩 정신을 차리고 황급히 고개를 내저었다. 이대로 가다가는
불법 케이크 판매의 존재를 사람들이 알아차리고 만다. 고키는
재빨리 말했다.

"괜찮다는데도 그러네."

편의점 입구를 신경 쓰면서 온 힘을 다해 태연한 목소리를 지어냈다.

"그보다 곧 유통기한 지날 테니 빨리 먹어."

"네."

다마키가 고개를 끄덕였다. "고맙습니다. 실례가 많았습니다." 같은 말을 몇 번이고 반복하면서 왔던 길을 되돌아갔다. 유치한 꼴을 한 고키를 그곳에 남겨 놓고.

그런 그녀의 뒷모습을 바라본다.

'고키의 천사'.

구로키가 붙인 뻔하디 뻔한 다마키의 별명을 떠올렸다. 그녀는 몸집이 매우 작았다. 그런데도 활기차게 걷는다. 앞을 보며 절대 넘어지지 않도록. 냉기로 인해 붉어진 다리가 안쓰러울 만큼 가냘팠다.

다마키가 모퉁이를 돌아 완전히 보이지 않게 된 뒤 고키는 잠시 긴장을 풀고 서 있었다. 죽 늘어선 빈 상자의 측면을 본다.

'heights of OZ'.

보라색 바탕에 에메랄드빛 글자. 하이츠 오브 오즈.

그 아이들은──.

숨을 들이마시자 공기가 폐에 가득 찬다. 그것은 한없이 평온한 겨울 냄새가 났다. 언제까지나 그것으로 가슴을 가득 채우고 싶었다.

그런 것을 알아차리다니 염치도 없지. 제정신이 아니다. 하지만 인정하고 싶다.

그 아이들은 나를 정말 좋아하는구나.

그때였다.

"자네, 여기 사람인가?"

그 목소리에 흠칫 놀라 뒤돌았다. 자전거를 탄 경찰이 라이트를 켜고 고키를 수상쩍게 쳐다보고 있었다. 그가 편의점을 턱짓으로 가리키고 다시 물었다.

"여기 점원인가? 그거 웬만하면 안에서 팔았으면 하네만. 노상 판매가 문제된다는 거 모르나? 주차장 부지에서도 조금 벗어났군 그래."

경찰이 자전거에서 내려 성큼성큼 걸어왔다. 아까 다마키가 눈앞에 나타났을 때와 비교도 되지 않을 만큼 여유 하나 없는 패닉이 엄습했다.

대답하지 않는 고키를 의아하게 쳐다보며 성가시다는 듯 다시 물었다.

"자네, 이름이 뭔가?"

그 목소리를 들은 순간이었다.

대량의 케이크 상자와 판매대 세트고 뭐고 그대로 남겨 놓고 고키는 냅다 뛰었다. 정신없이 땅을 박차고 경찰 앞에서 도망쳤다.

"이봐……!"

그가 허둥지둥 외치는 목소리가 등 뒤에서 울려 왔다. 자전거를 고쳐 세우는 찰카당하는 소리. "거기 서!" 하는 목소리. 그러나 고키는 멈추지 않았다. 앞만 보며 어디로 가는지도 모르고 그저 도망가기 바빴다.

무서웠지만, 무서워 죽을 것 같았지만, 기분이 미치도록 좋았다. 더할 나위 없이 상쾌했다.

겨울 밤하늘을 향해 실컷 웃었다. 정면에 오리온자리 별 세 개가 나란히 박혀 있다. 그곳을 목표로 발을 앞으로, 또 앞으로 내딛었다. 이런 유치한 꼴을 하고 경찰과 술래잡기를 하다니. 아아, 정말 바보 같고 우습다.

어느덧 도망간다기보다 그저 달리는 행위로 바뀌어 있었다. 뒤쫓아 오는 사람이 있는지 없는지조차 문제가 되지 않았다. 실제로 경찰의 목소리가 더 이상 들리지 않았다. 포기했을지도 모른다.

눈앞에 피어오르는 자신의 입김이 놀랄 만큼 새하얗다.

정신없이 달리는 도중 다리가 꼬여 고키는 앞으로 고꾸라지고 말았다. 어디까지 달린 걸까. 얼마나 달렸을까. 이제 경찰의 모습은 보이지 않는다. 역 앞 대로변에서 벗어난 한적한 주택가. 그 한구석에 있는 잡초가 무성한 공터. 넘어진 고키는 그대로 땅바닥에 드러누웠다.

이렇게 달린 것은 오랜만이었다. 도망가던 도중 어디선가 떨어뜨린 모양이다. 산타 수염과 모자가 벗겨져 있다. 플리스 소재의 빨간 산타복을 입고 계속 달린 탓에 땀범벅이 되어 있었다. 머리가 지끈지끈 쑤신다. 가슴의 고동은 도무지 잦아들 기미가 보이지 않았다. 이제 안쪽에서 쿵쾅쿵쾅 울리기까지 한다.

고요했다.

벌레 울음소리 하나 나지 않는 겨울밤 속에서 자신의 거친 숨소리만이 귀에 들려온다. 하얀 입김이 피어오른다. 마른 풀과 서리로 언 흙에 몸이 둘러싸였는데도 고키는 여전히 상쾌했다.

하늘을 바라보니 그곳에 믿기지 않을 만큼 아름다운 광경이 펼쳐져 있었다.

달이 떠 있었다. 그 노랗고 밝은 달빛을 중심으로 구름이 소용돌이치며 느리게 선회하고 있었다. 그 움직임이 아름다웠다. 그 속도가 완만할수록 감각이 예민해진다.

그 광경을 보고 있던 그때였다. 고키에게 결정적인 순간이 찾아왔다.

지금껏 상쾌했던 것이 거짓말처럼 어디론가 날아갔다.

입술을 깨물었다.

오늘 다마키를 만났다. 그 아이에게 "고맙습니다" 하는 말을 들었다. "제가 여기 케이크를 정말 좋아합니다" 하고 울기 직전의 떨리는 목소리로.

아아, 내가——.

내가 그 아이를 좋아하는구나.

그 문장을 일단 머릿속에 떠올리자 온갖 감정의 파도가 밀어닥쳐 멈출 줄을 몰랐다.

기쁨과 즐거움, 감동, 안타까움, 애처로움, 괴로움, 슬픔, 그뿐 아니라 모든 것에 대한 분노의 감정마저. 왜인지 전혀 알 수 없었다.

그것을 깨닫고서야 결심할 수 있었다. 강한 의지와 각오를 품고 그녀에게 호소할 수 있었다.

나에 관한 것은 전부 잊는 거야, 아카바네 다마키 짱.

가슴이, 온몸 구석구석이 찢어질 듯이 아팠다. 날카로운 통증이었다. 눈을 감자 갑자기 눈물이 쏟아졌다. 고키는 엉엉 소리 내어 울었다.

지요다 고키의 작품은 언젠가, 빠져나오게 되어 있다.

자신이 쓴 이야기를 두고 사람들이 그렇게 말하는 것을 고키는 알고 있다.

그것은 청춘의 어느 한 부분에만 울리는 이야기이기 때문에 사람들은 모두 자신의 그 시대가 끝나면 고키의 작품을 졸업한다. 나이가 들면서 경험을 쌓고 소설이나 만화보다 현실이 즐거워져 그쪽에 이끌려 가는 인간을 고키의 작품으로는 분명 붙잡아 두지 못할 것이다.

그 말이 맞다. 세상에는 재미있는 일이 수두룩하다. 사람을 좋아하게 되고 누군가의 좋아하는 사람이 되어 대등한 관계를 맺고 우정이나 사랑, 연애라는 이름을 붙여 수많은 경험을 쌓고 배우고 획득한다.

그 모든 것을 다마키가 알게 되기를 바랐다. 하지만 고키는 가르쳐 줄 수가 없다. 아무것도 갖고 있지 않아서 어떻게 해야 할지 모른다.

너는 지요다 고키를 잊고 거기서 빠져나올 수 있다.

기도하듯 간절한 심정으로 반복해서 진심으로 그렇게 빌었다.

지금은 멋을 부리지 않지만 다마키는 매우 예쁘니까 언젠가 분명히 행복해질 것이다. 화장하는 법을 익히고 더 자연스럽게 웃게 되고 예쁜 옷도 많이 입고 친구도 많이 사귀고 근사한 남자와 사랑을 하여 나 같은 사람과는 다른 세상을 향해 나아갈 수 있다.

사랑이나 연애가 집착이라면 고키는 이미 다마키에게 집착하기 시작했다. 따라서 이 정도로 해 두어야 한다. 이쯤에서 끝내야 한다.

지금까지 살아오면서 어린 시절을 포함해도 이토록 서럽게 운 적은 없었다. 지독한 괴롭힘을 당한 적도, 누군가와 싸운 적도, 이토록 가슴 벅차도록 기쁜 적도, 슬픈 심정이 되었던 적도 없었다. 일방통행인 연결되지 않는 선. 하지만 고키가 계속 그녀를 지켜보면 틀림없이 더 심하게 그녀에게 집착할 것이다. 목소리를 듣고 싶고 더 곁에 있고 싶고 눈과 눈을 맞추며 이야기하고 싶어 할 것이다.

아까 그 아이가 내 얼굴을 보고 감사 인사를 해 주었다. 눈을 맞추고 대화를 나누었다. 그것이 주체할 수 없을 만큼 행복했다.

그러니 이제 끝이다.

달을 둘러싼 구름들은 이렇게 보니 당장에라도 달과 맞닿을 것 같았다. 그러나 결정적으로 다르다. 그곳에는 압도적인 간격이 가로놓여 있다.

아아, 아름답구나. 고키는 생각했다.

얼굴을 떠올리면 가슴을 옥죄는 듯한 통증이 다시 느껴져 말도 나오지 않았다. 나를 "고 짱"이라고 불렀다. 말할 때 기쁜 듯이 웃었다. 내가 쓴 이야기가 그녀를 웃게 했다.

자신이 소설가 지요다 고키라는 것, 인간 지요다 고키라는 것이 그토록 자랑스러웠던 적이 없었다. 그녀의 입에서 나온 "고 짱"이 자신을 가리킨다는 것을 생각하기만 해도 살아 나갈 수 있을 것 같았다.

그 모든 기억에 뚜껑을 덮는다. 두 번 다시 떠올려서는 안 된다. 결심하고 기억을 일깨우지 않겠다고 맹세한다.

다마키 짱, 안녕.

그렇게 읊조리고 눈물로 얼룩진 눈을 감았다.

며칠이 지나도 케이크는 없어지지 않았다.

정말 맛있는 케이크인데도 지금은 뭘 먹어도 맛이 느껴지지 않는다. 아깝고 미안하네, 하고 생각하면서 하루 세끼를 그것으로 때우고 있던 어느 날 집에 찾아온 구로키에게 들키고 말았다.

그는 경악스러워했다. 놀라서 비틀거린 탓에 안경이 비스듬히 기울어졌다. 안경을 고쳐 쓰면서 중얼거리듯 말했다.

"고키, 미치기라도 한 건가?"

"이 집 케이크는 맛있어."

"알다마다. 내가 가르쳐 주었으니."

양복 재킷을 벗고 유통기한이 언제인지 묻기에 벌써 한참 지났다고 대답했다. 구로키는 잠시 입을 다문 뒤 "자네만 괜찮다면야" 하고 포크를 들고 와 그것을 먹기 시작했다. 케이크 받침대를 접시 삼아 홀 케이크 하나를 통째로 옆에 앉아 말없이 먹었다.

"이런 고급 제과점은 유통기한 표시에 과민한 구석이 있지. 실은 아직 먹을 수 있는데도 풍미가 떨어진 그 맛을 소비자가 제과점의 실력으로 판단할까 봐 걱정하는 거라네."

"응."

구로키가 함께 어울려 준 것이 고마웠다. 랩을 씌워 바닥에 놓은 케이크는 아직도 많이 남았다. 전부 맛이 변하기 전에 끝까지 먹을 수 있을까.

"구로키 씨."

"왜?"

"다음 이야기는 연재물로 할래."

구로키가 케이크를 먹던 손을 멈추었다. 고키의 얼굴을 쳐다보더니 잠시 후 고개를 끄덕였다.

"그렇게 하게."

기울지도 않은 안경을 천천히 고쳐 쓴다. 그리고 계속했다.

"부활호의 첫 소설을 연재 1회로 시작할 수 있겠나? 정식 연재 전에 손풀기로 단편소설을 내는 방법도 있는데."

"응, 첫 회부터 연재물로 갈 수 있어."

고키는 고개를 끄덕였다.

"캐릭터 소설로 할게. 그 사건이 일어나기 전에 구로키 씨와 상의했던 기획, 그걸 베이스로 하려고. 구로키 씨가 소녀를 주인공으로 하고 캐릭터 상품을 무더기로 만들어서 돈을 쓸어 담자고 했잖아."

"내 생각에는 마법봉이 좋겠네."

구로키가 진지한 표정으로 끄덕였다. 입가에 크림을 잔뜩 묻히고서.

"애니로 제작할 수 있는 내용으로 가지. 잔학 묘사는 금지. 크리스마스 판매 경쟁에서 이길 수 있도록 장난감으로 만들 수 있는 아이템으로 하게."

"의견은 고마운데 마법봉은 안 되겠어. 이번 작품은 반지로 갈 거야."

"반지?"

구로키가 하늘을 쳐다본다. "반지라" 하고 다시 중얼거린 뒤 고개를 끄덕였다.

"그것도 나쁘지 않겠군. 모티브로 알기도 쉽고 상품으로 만들기에도 제격이니."

"구로키 씨."

고키가 그를 불렀다. 케이크 접시와 포크를 바닥에 내려놓았다. 그리고 말했다.

"늘 고마워."

구로키는 조용히 그 말을 들었다. 별 반응 없이 가볍게 고개를 끄덕일 뿐이었다. 얼굴에 묻은 크림을 오른손으로 훔친다.

"어서 오게."

안경 속 눈이 아주 조금이기는 해도 부드러운 빛을 띠고 웃는다.

"기다리고 있었네. 지요다 선생님."

사건에서 3년이 지나려 하고 있었다.

(6)

아카바네 다마키를 두 번 다시 만나지 않겠다고 결심했다.

가끔 걱정되긴 했어도 마음의 일부에 굳게 자물쇠를 걸어 그

염치없는 생각을 깊숙이 집어넣었다. 그 아이는 지금쯤 내 소설 따위는 필요로 하지 않을 것이 틀림없다. 그동안 괴로운 일을 많이 겪었으니 분명히 그만큼 행복해졌을 것이다. 그녀 앞에는 틀림없이 유망한 길이 마련되어 있을 것이다.

작가로 복귀하고 몇 년이 지나자 놀랄 만큼 쉽사리 예전과 같은 생활이 돌아왔다.

구로키는 과연 우수한 사람이라 사건을 어디까지 광고로 이용할지 그 포인트를 정확히 파악했다. 어느덧 그 일을 전혀 언급하지 않으면서 작품의 힘에 중점을 둔 프로모션으로 바꾸었다. 그런 식으로 지요다 브랜드를 팔아 냈다.

새 연재물인 『레이디 매디』도 큰 호평을 받아 꾸준한 인기를 모으고 있었다.

예전과 다름없는 집필 활동. 하지만 그 일의 전과 후로는 모든 것이 명확히 달라졌다. 무엇을 위해 소설을 쓰는가, 써 나가고 싶은가. 고키의 눈에는 그것이 뚜렷한 윤곽을 드러내는 것으로 보였다.

그러던 어느 날, 일 관련하여 간 파티 자리에서 있었던 일이다.

돈을 내고 먹는 음식이 아닌 누군가 손수 만들어 준 음식이면 먹지 못하거나, 며칠씩 집필에 집중하느라 먹는 것을 잊어버리기도, 또 그래서 쓰러지기도 했다.

진열된 뷔페 음식을 조금이라도 더 먹고 가야겠다는 마음에 음식들을 접시에 가득 담고 있던 그때였다.

"저기 있다, 저기, 지요다 선생님."

지요다 브랜드의 애니메이션 제작 시 여러 번 신세를 진 프로듀서가 부르는 소리에 고키는 입을 오물거리며 그를 돌아봤다.

"아아, 야마모토 씨——."

다음 순간 너무 놀란 나머지 그 자리에 못 박히듯 섰다.

자신을 향해 쾌활하게 웃는 프로듀서 너머로 아카바네 다마키가 있었다.

"이런 데 와서 열심히 드시는 건 여전하네요, 지요다 선생님. 아카바네 씨. 지요다 씨는 식습관이 상당히 극단적이랍니다. 그래서 이렇게 말랐지요. 얼마 전에는 진짜 영양실조로 쓰러졌다고 하더군요. 웃을 수도 없고 참."

프로듀서의 말소리는 귀에 반도 들어오지 않았다. 그가 한 발 옆으로 비킨 뒤 다마키에게 앞으로 올 것을 권했다.

마지막으로 보고 떠난 그날 이후 세월이 꽤 흘렀다. 그녀는 어엿한 어른이 되어 얼굴에 곱게 화장을 하고 큰 리본이 달린 검은색 원피스를 입고 있었다. 목걸이, 귀걸이, 반지. 많은 액세서리를 하고 서 있었다. 하지만 곧바로 알 수 있었다. 잊을 리가 없었다.

그녀의 눈에서는 그 무렵 늘 그곳에 서려 있던 병든 어둠이 사라져 있었다. 부드럽고 자연스러운 미소를 머금고 있었다.

손에 들고 있던 포크와 접시를 하마터면 떨어뜨릴 뻔했다. 어찌나 놀랐던지 얼른 말이 나오지 않았다. 어떤 음모일까, 무슨 오류일까. 곤혹과 혼란에 휩싸인 고키에게 프로듀서가 소개를 했다.

"지요다 씨, 이쪽은 이번에 지요다 씨 작품의 각본을——."

각본.

그 말과 의미를 곱씹었다. 그녀가 나와 일을 하다니. 전혀 몰랐다. 다마키의 곁을 떠나고 나서 그녀가 무엇을 목표로 하고 지금 어디에 있는지를 전혀 알지 못했다.

이 아이는 글 쓰는 사람이 되었구나. 내 글을 읽던 아이가 자라서 나와 같은 업계의 종사자가 되었구나. 나처럼 이야기를 만드는구나.

나에 관한 것은 잊어야 한다.

간절한 심정으로 그 옛날 그녀를 향해 빌었다. 그 마음에 거짓은 없었다. 삶 속에 즐거움을 발견하고 현실을 살아가며 도피의 문학 같은 것은 몽땅 봉인하기를. 진심으로 그러기를 바랐다.

그런데 그녀는 잊지 않은 것이다.

계속 기억하고 그리고 지금 내가 있는 곳까지, 지요다 고키 앞까지 제 힘으로 왔다.

그녀의 얼굴을 보자 아무 말도 할 수 없었다.

고키가 마음을 걸어 잠근 것과 달리 그녀는 씩씩하게 걸어왔다. 그 추운 겨울 날 냉기에 휩싸여 무릎이 허옇게 떴던 그 다리로. 지금은 수많은 친구를 사귀었을 것이다. 그녀의 눈에서 사라진 어둠을 생각하면 알 수 있다. 분명히 남들에게 사랑받고 있다. 기뻤다.

생각보다 말이 먼저 튀어나왔다. 가슴이 떨리고 어떤 표정을 지어야 할지 몰랐다. 고개를 숙였다.

"아아."

숨을 토해 내고 나서 말했다.

"──오랜만입니다."

무심코 입 밖에 낸 그 한마디 때문에 고키는 그로부터 수십 년에 걸쳐 그녀에게 욕먹고 혼나게 되지만, 그것은 또 별개의 이야기다.

"지요다 선생님, 정말 너무하시네. 그건 또 무슨 장난입니까? 누구랑 헷갈리는 거예요?"

"아앗! 죄송합니다. 제가, 딱히, 그……."

"아뇨."

무표정하게 굳어진 얼굴을 얼핏 보였을 뿐 곧바로 방긋 미소 짓는 다마키는 참으로 훌륭했다. 당당하게 앞을 똑바로 보고 주눅 들지 않았다. 자신의 실수에 쩔쩔매기만 할 뿐인 고키와는 차원이 달랐다.

"처음 뵙겠습니다. 아카바네라고 합니다. 지요다 선생님의 왕 팬이에요."

아니에요, 그러려던 것이 아닙니다.

그렇게 변명하며 사과하는 고키는 여러 이유에서 울음이 나올 것 같았다. 악수하자고 내민 다마키의 손. 그 손을 앞에 두고 고민했다. 만져도 될까 생각하면 오랜 시간을 넘어 그날 낯선 마을 공터에 드러누웠던 것, 그곳에서 본 먼 하늘이 떠오른다. 그녀는 변함없이 작았다. 그녀와 마주 서자, 그날 산타 복장을 한 고키와 마주한 그 고등학생과 조금도 다를 바 없는 심정으로 자신이 서 있었다.

고키는 희미하게 떨면서 다마키와 악수를 했다.

(7)

오랜 시간 흔들리는 전철을 타고 역에서 버스로 갈아탔다. 버스는 한 시간에 한 대만 운행하는 데다 가까운 정류장에 내려서도 도보로 30분을 더 가야 한다.

고키는 한숨이 절로 나도록 먼 시골길을 걸었다.

지금의 자신은 택시를 타는 호사를 누려도 되지만 그러고 싶지는 않았다. 이곳을 떠났을 때와 완전히 똑같은 방법으로 돌아가고 싶었던 것이다.

시야 주변이 산으로 뒤덮이고 좌우로는 온통 푸르디푸른 무논이 끝없이 펼쳐져 있다. 벼가 여름 바람에 넘실대며 부드러운 빛을 반사한다.

짐을 넣은 배낭의 무게와 다리의 피로가 기분 좋았다. 이따금 스쳐 지나가는 사람들의 목소리, 그 구석구석에서 친숙한 고향의 억양이 진하게 묻어난다.

오래전 기억에서 멀어져 남의 집처럼 보일 줄 알았건만 도착한 집은 낡았어도 역시 자신의 집이었다. 이곳을 알고 있다. 이곳을 기억하고 있다.

마당에서 밀짚모자를 쓴 어머니가 몸을 웅크리고 풀 뽑기를 하고 있었다. 주름이 팬 야윈 옆얼굴, 큼직한 손바닥. 고 짱의 손이 길고 큼직한 건 어머니를 닮아서구나, 하고 친척들이 입을 모아 말하던 그 손바닥.

"어머니, 다녀왔어요."

고키는 가까이 가서 말했다. 밀짚모자를 비스듬히 젖혀 고개를 든 어머니가 아들을 보고 눈을 크게 그야말로 휘둥그렇게 떴다. 귀신이라도 본 듯 숨소리를 죽이고 말했다.

"고키."

그리운 얼굴이었다. 고키는 미소를 짓고 이어서 말했다. 복받쳐 오르는 감정을 억누르면서.

"아버지 안에 계셔?"

──이따위 것이나 쓰면서 일은 무슨 얼어 죽을!

그 말에 이번에야말로 가슴을 펴고 제대로 대답하기로 결심했다. 잃어버리고 멈춰 있기만 한 줄 알았던 시간. 하지만 그것을 제 힘으로 움직인 아이가 있다. 그러니 나도 배워야 한다. 어쨌든 나는 십 대 시절 그 아이의 신이었으니까.

작가 지요다 고키는 이 일에 자부심을 갖고 있다. 이번에는 도망가는 일 없이 떨지 않고 말할 수 있다.

에필로그

나가노 마사요시의 최신 영화 《멋진 두 사람》에 많은 관객이 들었다.

서브 컬처의 발신지로 그럭저럭 유명한 신주쿠의 한 영화관. 이곳의 밤 9시 상영 시간대는 그동안 수많은 주목작이 거쳐 온 시간대다. 이로 인해 인기가 폭발한 영화도 많았고 또 여기서 화제에 오른 감독이 다음 작품으로 놀랍게 성장하는 패턴도 심심치 않게 볼 수 있다.

마사요시가 보낸 것은 감독의 무대 인사가 있는 회차 초대권이었다. 초대권 뒷면에 매겨진 번호는 2번. 그렇다면 1번은 그녀이고 3번은 그일지도. 옛 친구들의 얼굴을 단숨에 5번까지 상상하면서 티켓을 예매하러 줄 서 있는 사람들을 곁눈질하며 지하 상영관을 향해 계단을 내려갔다. 수많은 인파를 앞질러 가려니 제법 기분이 좋았다. 그와 친구라는 것이 자랑스럽다. 몇 년 전 집주인이 자주 사용하던 표현이 떠올랐다.

권력, 만세.

자신들이 지금 권력을 장악하고 있다는 것을 소소하게나마 기쁘게 생각한다.

지하 상영관으로 가자 예상대로였다. 줄의 맨 앞에서 모리나가 스미레가 기다리고 있었다.

"가노, 오랜만이야."

"오랜만. 잘 지냈어?"

치맛자락이 풍성하게 퍼진 롱 원피스. 가만히 있어도 그렇게 보이는데, 그녀가 웃자 《무민》에 나오는 리틀 미이의 언니 밈블과 똑같았다. "응, 다 순조롭고 기운이 펄펄 넘쳐." 마치 무슨 캐치프레이즈 같은 대답이었다.

"지금 몹시 혼잡합니다. 티켓 뒷면에 적힌 번호순으로 줄을 서 주십시오."

영화관 직원이 한껏 소리 높여 말했다. 그 모습을 보며 "옛날 생각나네" 하고 과거 영화관 아르바이트생이 중얼거렸다.

"오늘 모모카 짱은?"

"아쉽게도 직원 여행."

초등학교에서는 운동회나 축제가 끝난 11월에 연수나 직원 여행 일정이 잡힌다고 한다. 오늘 아침 가노가 역까지 바래다줬을 때 모모카는 히로시마로 여행 가니 그곳의 특산품인 단풍 만주를 사 오겠다며 웃으며 말했다.

"그렇구나."

스미레가 고개를 끄덕였다.

"모모카 쨩은 지금 몇 학년을 맡고 있어?"

"5학년. 아이들이 벌써 어른이 되고 있다면서 자기도 지면 안 되겠다나. 아이들을 상대하는 일은 결코 소홀히 하면 안 된다고 입버릇처럼 말하곤 해."

가노는 웃는 얼굴로 대답하면서 주변을 둘러봤다.

"아직 스―, 너만 온 거야? 다른 친구들은?"

"엔야는 시치고산(아이의 성장을 축하하는 행사. 남자는 3세·5세, 여자는 3세·7세 되는 11월 15일에 빔을 입고 신사나 절을 참배한다.)이래. 일이 너무 바빠서 오늘밤에 시간이 없었나 봐. 그래서 여기는 못 온대."

"시치고산?"

저도 모르게 큰 소리로 되묻고 말았다. 그렇구나, 벌써 그렇게 컸구나.

"고하루 쨩이 벌써 세 살이라니, 세월 빠르네."

"기모노 입은 모습이 깜찍하다고 어쩌나 자랑을 하던지. 사진관에서 제대로 사진까지 찍는다고 하니까 다음에 보여 달라고 해야지."

"오, 그거 좋은데."

직원이 "오래 기다리셨습니다. 1번부터 5번 손님은 안으로 들어가십시오" 하고 안내했다.

그 말에 반응을 보인 사람은 가노와 스미레뿐이었다. 시끌벅

적한 이곳에 다른 친구들은 오지 않았다는 것을 알 수 있었다.

스미레와 가노는 씁쓸히 웃고 스크린 앞으로 걸어갔다. 파란 천이 씌워진 예약석에 앉았다.

영화 상영에 앞서 무대 인사로 보는 마사요시는 제법 그럴듯 했다. 원래 감독보다는 배우를 해도 될 만큼 얼굴이 잘생긴 데다 말솜씨도 뛰어났다. 과하지 않게 적당히 분위기를 띄우고 관객들을 웃게 만들어 자기 페이스로 끌어들였다.

"이번 영화를 통해 전하고 싶은 것은 무엇입니까?"

인터뷰어가 물었다. 그는 짐짓 장난스럽게 "사랑입니다" 하고 대답하며 인사를 매듭지었다. 박수가 터져 나오고 그들이 모습을 감추자 극장이 어두워졌다. 영화가 시작되었다.

"어땠어?"

마사요시는 가노와 스미레에게 영화가 끝난 뒤 가지 말고 플로어에서 기다리라고 했다. 말은 그렇게 해도 손님이 아직 다 물러나지 않아 한참 후에야 만날 수 있을 줄 알았다. 그런데 그가 지극히 가벼운 발걸음으로 가노 일행 곁으로 걸어왔다.

가노는 그래도 되나 싶어 괜히 자신이 더 당황했다.

사람들이 그가 있는 것을 알아차리고 이쪽을 흘낏거리며 서로 소곤댔다. 대학 때부터 툭하면 장난조로 예언한 내용. 부화할 수 있을지 미정이었던 알이 만약 부화한다면. 마사요시는 얼굴이 잘생겼기 때문에 여성 팬이 따를 것이다. 가노가 말하자 당시의 그는 반색을 했다. "오, 그거 좋은데?" 하고.

마사요시가 나타나자 걸음을 멈춘 관객은 대부분 여성이었다.

잡지 인터뷰 등으로 노출이 많아진 그는 명백히 프로가 연출한 포즈와 촬영 방식으로 지면에 등장하곤 한다. "잘생긴 얼굴을 최대한 활용하려는 거네?" 하고 가노가 씁쓸하게 말하면 마사요시는 그야말로 그다운 표연한 말투로 말했다. "이용할 수 있는 건 뭐든 해야지. 내 실연 경험이든 잘생긴 얼굴이든 모조리. 어머니의 죽음도 그렇고. 다마키처럼 높은 곳에 가려는 건 아니지만, 그래도 배울 점은 있잖아."

"발놀림이 너무 가볍잖아요, 감독님. 다들 쳐다보잖아."

스미레가 마사요시를 타이른다. 그는 어깨를 움츠리고 "쳐다보면 어때서" 하고 내뱉을 뿐이다.

"영화 정말 좋더라."

가노가 대답했다. 솔직한 소감이었다. 괜히 배려해서 거짓으로 말하지 않아도 되는 관계인지라 이런 식으로 말할 수 있어 좋다. 가노는 웃으면서 말했다.

"중간에 뜬금없이 울 뻔했다니까. 너, 정말 대단한데?"

"땡큐."

"솔직히 나는 어떻게 반응해야 할지 모르겠더라."

옆에서 스미레가 웃는다. 하지만 그런 그녀의 눈꺼풀이 영화를 보기 전보다 묵직한 인상을 주는 것, 상영 중 옆에서 코를

팽 풀던 소리, 훌쩍훌쩍 울음소리가 났던 것. 그것을 가노는 알고 있고 마사요시도 눈치챘을 것이다.

《멋진 두 사람》은 얼핏 봐서는 관계없는 이야기 다섯 편을 이어서 보여 주는 옴니버스식 영화인데 계속 보다 보면 각각의 세계관이 조금씩 연결되는 스타일을 취한다. 마지막 5화에서 이야기가 완전히 연결되어, 4화까지의 주인공들 모두가 각각 결말을 맺는다.

그중 3화의 부제목이 '멋진 두 사람'이었다.

그 영화는 한 여자가 급하게 전 남친의 집을 방문하는 데서 시작된다. 자고 있는 그의 방문을 쾅쾅 두드린 뒤 잠에서 덜 깨어 눈이 퉁퉁 부은 그에게 사진 한 장을 보여 준다. 사진 속에는 현재의 그녀와 그의 모습, 그리고 머리가 짧거나 옷에 어린 티가 나는 '과거'의 두 사람 모습, 즉 그들의 현재와 과거가 총 네 사람의 모습으로 담겨 있다. 『우아, 그립다』 하고 천진하게 말하는 그와, 『이거, 오늘이야』 하고 심각한 얼굴로 말하는 그녀.

타임머신을 타고 10년 전의 두 사람이 오늘 이곳에 찾아온다. 이미 헤어진 두 사람 곁에 아직 알콩달콩 사이가 좋은 두 사람이 미래를 보러 오는 것이다.

『역시 아직 사귀는군요. 당연한데도 정말 기뻐요. 헤어졌으면 어쩌나 걱정했거든요.』

두 사람이 함께 있는 모습을 보고 '과거'의 그녀가 속단하고 안도의 한숨을 내쉰다.

'과거'에서 온 그녀와 그의 꿈을 망치고 싶지 않아 헤어진 두 사람은 그 사실을 끝까지 숨긴다. 영화는 아무런 일도 없이 무사히 두 사람이 과거로 돌아가는 모습을 지켜보는 데서 끝난다. 두 사람이 다시 결합하는 일은 없다.

『혹시 그 두 사람의 미래에는 귀여운 아기가 있다거나?』 하고 말하는 그에게, 그녀가 쌀쌀맞게 말한다. 『뭐야, 나한테 미련 있니?』

이 영화의 촬영지는 슬로하이츠다.

지금은 가노와 모모카만 살고 있는 시나마치의 그 주택. 요즘에는 가노의 어시스턴트들이 출입하게 되어 나름 복작복작하다. 촬영 당일에는 만화 도구를 치우느라 무진 애를 먹었다.

《멋진 두 사람》은 코믹하고 재미있고 그리고 한없이 상냥한 영화였다. 마사요시의 영화는 요즘 들어 그가 아니면 자아낼 수 없는 특유의 정서가 묻어나고 있다.

다만 이번 옴니버스에는 이 밖에도 여자라면 사족을 못 쓰는 난봉꾼이 파멸하는 이야기와 유부녀와 불륜에 빠져 그녀에게 모든 것을 바치는 남자 이야기도 매우 현실감 있게 그려졌다. 만약 마사요시가 자신이 느낀 감정을 그대로 영화에 표현했다면 그의 최근 몇 년간의 연애는 얼토당토않은 것이 되지만.

"엔야의 딸 고하루 짱이 벌써 세 살이라더라. 아까 스—한테 듣고 깜짝 놀랐어."

"어, 그렇더라. 요즘 연락 안 해?"

관객이 거의 빠진 플로어 의자에 앉으며 마사요시가 말했다.

"오늘은 시치고산 행사 때문에 못 온다더라. 아차, 들었어?"

"뭘?"

"고하루 짱 말이야, 가노가 《게라케라코믹》에 연재하는 『요요 러시』를 엄청 좋아한대. 그 장난감 사 달라고 졸라서 옥신각신하고 난리인 모양이야. 엔야 입장에서는 얼마나 속상할까."

"하긴."

『요요 러시』. 그 말에 가노는 쓴웃음을 짓고 말했다. 그럴 수밖에 없었다.

그토록 바라던 《게라케라코믹》에서 연재하게 된 것은 슬로하이츠에서 나간 직후인 4년 전. 처음에는 오리지널 단편을 연작처럼 만들어 몇 회인가 연재했지만 큰 인기를 끌지 못해 연재가 중단되었다. 낙담하는 가노에게 담당 편집자가 제안한 것이 『요요 러시』였다. 제휴하는 완구 제작사에서 새로이 힘을 실어 판매하기 시작한 장난감. 기존 요요에 빛과 소리 기술을 도입해 나만의 요요로 맞춤 제작할 수 있는 뛰어난 물건이다. 각자의 요요에 이름을 붙여 "가라! ○○!!" 하고 하늘 높이 던진다.

어쩌다 보니 하게 된 이 기획과 장난감이 대박이 났다.

"뭐야. 나한테 말하면 가져다줄 수 있는데."

"그 녀석은 아직 데뷔도 못 했고 시치고산은 사실이겠지만, 역시 널 보기가 힘든 거겠지. 지기 싫어하는 성격이니."

"하긴."

스미레가 한숨을 내쉬었다.

"아내에게는 만화 그리는 거 아직 비밀로 하고 있잖아."

결혼하고 취직을 하지만 꿈을 포기한 것은 아니다. 그렇게 선언한 엔야는 멋있었다. 뜻대로 되지 않는 일도 많을 것이다. 그런데도 그 말대로 그는 아직 포기하지 않았다.

——이기고 싶다는 걸, 소리 내어 말하면 안 돼.

옛날에 다마키가 한 말이 떠올랐다. 불언실행을 미덕으로 아는 엔야의 보스 캐릭터는 안팎으로 아직 존재하는구나 싶어 가노 일행은 모두 기분 좋게 웃었다. 정말 이해하기 어려운 성격이라 생각했다.

올해 엔야의 연하장은 고하루 짱을 가운데 놓고 셋이서 찍은 가족사진이었다. 쑥스러워하며 딸의 손을 잡고 웃는 엔야의 '딸바보'스러운 행복한 모습을 보고 있으면 절로 미소가 지어진다. 아마 딸에게까지 비밀로 하고 언젠가 자신의 작품이 게재된 책을 보여 주며 놀라게 할 계획인 것이리라. 여행길을 즐기는 자는 강해진다. 앞길에 적이 늘어날수록 달성했을 때 돌아오는 것 또한 클 것이다.

"그리고 내 만화가 성공한 건 어디까지나 요요 덕분이야. 내가 칭찬받을 만한 일이 결코 아니지."

"난 좋아하는데. 여전하네, 너의 그 사서 고생하는 성격."

마사요시가 윗주머니에서 담배를 꺼내 하나 물고는 불을 붙인다. 지난 5년간 내면과 외면의 분위기가 조금씩 달라진 마사요시는 지금 담배를 피우게 되었다. 눈에 보이는 변화와 보이지 않는 변화, 그럼에도 불구하고 변하지 않는 것. 같은 시간을 같은 장소에서 공유한 기억은 그 모든 것을 삼키면서도 희미해지는 일 없이 계속된다. 그것을 기쁘게 생각한다.

"요즘 돈 많이 벌지? 너 진짜 대단해. 의뢰가 오면 요구대로 최상급 원고를 뚝딱 만들어 내잖아."

"그게 내 천성이라고 생각하고 싶지는 않아."

가노는 넌더리를 내며 말했다. 『요요 러시』와 장난감의 인기가 빨리 떨어져서 거기에서 벗어나기를 진심으로 바란다. 팔리지 않더라도, 대성공을 거두지 않더라도 가노는 자신의 만화가 좋다. 이 작품이 끝나면 다시 원래 그리고 싶었던 만화로 돌아갈 것이다. 그렇게 해서 한 단계씩 올라갈 작정이다.

슬로하이츠로 돌아와 모모카와 살기 시작한 것은 작년부터다. 그녀도 웃으면서 말했다. "『요요 러시』로 돈 왕창 번 다음에 천천히, 정성껏 해 나가면 돼" 하고.

"그건 그래. 아, 다마키한테 일 거절당한 이야기, 했던가?"

"아, 얼마 전에 다른 데서 들었어."

그러고 보니 모모카가 말해 주었다. 마사요시가 《멋진 두 사람》의 단편 중 일부를 다마키에게 의뢰했지만 거절당했다.

418

전화기 너머의 다마키는 진심으로 사과했다고 한다. 미안하다, 정말 하고 싶다, 꼭 하고 싶다. 그러나 시간을 낼 수가 없다. 지금 맡고 있는 일만 해도 펑크를 낼 것 같아서 도무지 꼼짝달싹할 수가 없다. 야박하게 굴어 미안하다.

"엄청나게 바쁜가 보더라고. 열심히 하는 것 같아서 좋긴 한데. 뭐, 더 큰 권력을 손에 쥐게 되면 또 각본 써 달라고 해 봐야지."

마사요시가 거들먹거리며 웃었다. 스미레가 쓴웃음을 짓는다.

"다마키가 '지금 일본에서 가장 다망한 각본가'래."

"그렇다고 하더라."

재작년 어느 해외 영화제에 그녀가 각본을 쓴 영화가 출품되었다. 영화의 주연인 베테랑 배우가 그 각본을 '10년에 한 번 만날까 말까 한 걸작'이라고 절찬했다. 그것이 계기가 되었다. 출품되었을 뿐 결국 영화는 상을 놓쳤지만 영화의 코어한 팬과 그 배우의 팬들에 의해 과거 다마키의 작품이 다시 각광을 받게 되었다.

그 집에 살았을 때 작업하던 드라마와 영화를 요즘 TV에서 재방영 해 준다. 가노도 즐겨 본다.

"어쩌면 오늘 만날 수 있지 않을까 해서 기대했는데."

"다마키도 못 와서 미안하다며 전화했더라. 그것도 새벽 3시에 한창 꿀잠 자고 있을 때."

마사요시가 장난스럽게 얼굴을 찌푸렸다. 씁쓸히 웃고는 숨을 내쉬었다.

"녀석, 아직도 시차 계산을 잘 못한다니까. 일본에 미련이 없나. 그래도 영화 개봉 시기에 반드시 귀국해서 한 번은 보러 오겠다고 하더라. 그때 타이밍이 맞으면 만날 수 있겠지."

"고 짱도 안 왔네."

이제 완전히 인기척을 잃은 플로어를 훑어보며 가노가 말했다. "난 여름에 만났어." 스미레가 재빨리 대답했다.

"놀러 갔다 왔거든. 굉장히 좋은 곳이더라."

스미레의 말을 들으면서 가노도 몇 번인가 찾아간 적이 있는 그의 후쿠시마 집을 떠올렸다.

그곳이 마음에 쏙 든 나머지 며칠씩 눌러앉아 주변 풍경을 스케치하는 한편 새 만화의 콘티를 그렸다. 참으로 즐거운 시간이었다. 마감에 쫓기는 것도 아닌데 자는 시간도 아껴 가며 작업에 몰두하는 아들의 친구 모습에 그의 부모님은 눈을 동그랗게 뜨고 놀라워했다.

──고키의 도쿄 친구는 역시 특이하군.

그의 아버지가 고개를 갸웃거리며 말했다. 그 목소리는 고키의 거슬거슬한 목소리를 더 갈고닦은 듯이 아주 훌륭하게 허스키한 목소리였다. 그 용모에 새겨진 주름과 햇볕에 탄 자국까지 포함해서 그야말로 말린 브랜도가 따로 없었다. 고 짱은 아버지를 많이 닮았구나, 하고 말하자 그는 쑥스러워하며 "그런가요?" 하고 미소 지었다.

"아, 우사미 군하고 갔다 왔어?"

마사요시가 물었다. 역시 태연하고 이렇다 할 특징이 없는 목소리였다. "맞아" 하고 스미레도 선선히 대답한다.

"둘이서 고 짱네 집에 들어가서 이틀 밤이나 신세 졌어. 어머니랑 이야기도 많이 하고 친해졌더니 가을에 배까지 보내 주셨지 뭐야."

"진짜?"

마사요시가 담배 연기를 훅 내뿜고 물었다.

"좋았겠네. 나는 아직 못 가 봤는데. 이번에 휴가 받으면 가야겠다. 고 짱하고도 오랫동안 못 만났거든."

스미레는 화가로 활동하는 한편, 벌어먹고 살아야 한다며 파견회사에 등록해 낮에는 회사 사무원으로 근무한다. 업무 내용은 컴퓨터 문서 입력이나 텔레마케팅, 경리 등 다양하지만 옛날과 달리 거의 불평 한 마디 없다. 뭐, 가끔 불평할 때도 있지만.

우사미 군은 그동안 거쳐 온 회사 중 한 군데에서 만나게 된 남성으로, 스미레와 교제한 지 1년이 다 되어 간다. 그녀보다 한 살 연상인데도 동안이라 그런지 어딘지 미덥지 못한 인상을 주는 사람으로, 안타깝게도 회사 한 군데를 진득하게 다니지 못하고 이직을 반복한다.

옛날에 다마키가 스미레에게 "뭔가에 의존하지 않으면 살아갈 수 없는 개성의 소유자는 누군가 다른 사람으로 인해 행복해지는 수밖에 없어"라고 말했다고 하던데, 최근 가노는 그 말이 잘 못되었다는 생각이 든다. 보호 본능을 자아내는 우사미 군과, 그림을 게을리 하지 않고 회사까지 다니며 돈을 버는 스미레. 지켜야 할 것 앞에서는 두 가지 일도 거뜬히 해내는 스미레의 모습을 보며 그녀의 개성은 어쩌면 그것이 아닐까 생각한다.

"행복해?"

그렇게 묻는 마사요시와 가노에게 스미레는 "응" 하고 고개를 끄덕였다. "그것만은 틀림없어" 하고. 작업 의뢰도 그림만 그려서 먹고살 수 있을 만큼은 아니지만 순조롭게 들어오고 있다. 그렇게 차근차근 마무리해 내는 그녀의 작품은 정말 완성도가 높다.

——미련은 없어?

잔인할지도 모른다고 생각하며 마사요시에게 물어본 적이 있다. 그는 아무렇지도 않게 웃고 있었다. 그런 영화를 찍은 것과 그 일은 전혀 관계없다고 대답했다.

——좋은 여자라고는 생각하는데, 전혀 없어.

"고 짱 말이야."

영화관을 나와 셋이서 뒤풀이를 하러 밤 11시가 넘은 시각에 야스쿠니 거리로 나갔다.

마사요시의 말에 스미레와 가노가 동시에 그를 돌아봤다. 마치 오늘은 이 말을 하는 것이 목적이었다는 듯 마사요시가 눈을 한껏 반짝이고 있었다.

"실은 지금 뉴욕에 가 있어."

전조등의 노란 불빛, 붉게 빛나는 브레이크 등, 신호등의 파란 불빛. 다양한 빛으로 물든 혼잡한 길. 횡단보도를 걷던 스미레와 가노가 숨을 삼킨다.

"진짜야?"

동시에 물었다. 마사요시가 싱글싱글 웃으며 끄덕인다.

"그래서 오늘 못 온 거야."

"뭐 하러 간 건데?"

흥분한 스미레가 물었다. 마사요시는 얼버무리듯 "응?" 하고 웃는다. 많은 사람들 앞에서 무대 인사를 했을 때와 같이 가볍게 대답했다.

"'지금 일본에서 가장 다망한 각본가'에게 어떻게든 자기 일을 맡기기 위해. 『매디』를 실사 영화로 만드는 기획을 진행 중인가 봐. 나는 거절당했지만 상대가 고 짱이라면 승산은 있지."

말로 표현할 수 없이 기뻐하는 두 사람을 향해 그가 웃어 보였다.

"뭐랄까. 세상 모든 이야기의 주제는 결국 사랑이잖아."

삼십 대의 아카바네 다마키의 현재와 앞으로에 대해 이야기하자.

　작업실로 돌아온 다마키는 처음에는 책상에 있던 메모지를 보지 못하고 넘어갔다.

　처리할 문제가 산더미처럼 쌓여 있다. 자신의 능력과 시간의 허용량을 넘어 일을 잔뜩 받는 습관은 이십 대 시절에 이어 여전히 계속되고 있다. 하지만 입이 찢어져도 '못 한다'는 말을 못 하는 고집스러운 성격도 십 대 시절 그대로였다.

　지층처럼 겹겹이 쌓인 자료와 책의 어느 부분을 어떻게 뒤져야 뭐가 나올지 지금이야 알지만 조만간 전혀 모르게 되는 때가 반드시 온다. 그것이 걱정되어 대형 에이전시와 계약했지만 오히려 그것이 잘못이었다. 에이전시는 다마키에게 일을 가차 없이 할당했다. 일을 끝내고 또 끝내도 소화한 만큼 일거리가 다시 늘어났다.

　밖에서 미팅을 하고 돌아와 여자 사무원에게 인사를 했다.

　다마키는 자신의 전용 작업실에 들어가 오는 길에 사 온 빵과 우유로 끼니를 때웠다. 어떤 상황에서도 제대로 된 식사를 하고 싶지만 최근에는 이런 것만 먹고 있다. 그 와중에 노트북 앞에 앉아 급한 메일을 보내고 있자 시야 한구석에 영어 메모지가 붙어 있는 것이 보였다.

　『손님이 오셨다가 그냥 가셨습니다. 나중에 다시 오신다고 합니다.』

항목별로 쓰여 있는 글자. 내방 시각 PM 0:55. 그것은 불과 10분 전이었다. 특별히 누구와 약속을 잡은 것도 아니었다. 약속 없이 찾아오는 손님 중에는 이상한 사람도 많으니 어차피 내버려 둬도 될 것이다. 그러다 그 밑줄로 시선을 옮기자 내방자 이름이 보였다. 본인에게 직접 적게 했는지 필적이 다르다.

그것을 보자마자 다마키는 작업실을 뛰쳐나갔다.

사무원이 다마키가 문을 벌컥 여는 소리에 놀라 눈을 동그랗게 떴다.

"조금 전이었지?"

그녀는 무슨 뜻이냐는 듯 "네?" 하고 고개를 갸웃거렸다. 다마키가 메모지를 들고 있는 것을 보고 황급히 고개를 끄덕였다.

"나중에 또 오신다고 하던데요."

"고마워."

인사를 하는 둥 마는 둥 하고 코트도 걸치지 않고 밖으로 뛰쳐나갔다. 11월의 뉴욕은 반소매 니트 차림으로는 추워서 도저히 밖에 나갈 수가 없다. 하지만 발이 멈추지 않았다. 자동 잠금문을 빠져나가 엘리베이터를 이용하지 않고 계단으로 달려내려갔다.

달렸다.

일단 달렸다.

달리면서 깨달았다. 다마키는 늘 달리기만 한다. 그에 관한

425

일이라면 자신이 왜 이렇게 여유를 잃고 마는지 도무지 알 수가 없었다.

작업실이 있는 건물은 맞은편에 있는 똑같이 생긴 건물과 연결되어 있다. 2층에 두 건물을 오갈 수 있는 구름다리가 놓여 있다. 그의 모습을 찾아 서둘러 그곳으로 갔다. 아래쪽 길을 샅샅이 살폈다. 길을 오가는 사람이 거의 없었다. 제때에 도착하기를, 제발 늦지 않기를. 언젠가처럼 마음속으로 외쳤다.

있다.

새우등처럼 구부정한 뒷모습. 길쭉한 팔, 어색한 걸음걸이. 얼굴을 보지 않아도 안다. 가슴이 벅차올랐다. 숨이 막힐 것 같다. 내가 왜 이럴까. 왜 이런 일로 주체할 수 없을 만큼 기쁜 걸까. 왜 울고 싶어지는 걸까.

숨을 들이마셨다. 그러고는 외쳤다.

"고 짜아아아앙!"

서른 먹은 여자가 할 짓은 아니잖아. 자조하여 밉살스러운 말을 떠올렸지만 그렇게 하고 싶었다. 몇 번이나 소리쳐 불렀다. 그가 알아차리고 뒤돌아볼 때까지. 그래도 소용없을지도 모르지만 오른손을 번쩍 들어 마구 흔들었다. 그가 알아차리기를 바랐다.

고키의 옆에 검은 정장을 차려입은 구로키의 뒷모습이 보였다. 새치가 늘었구나. 그렇게 생각하며 눈을 가늘게 뜨자 뜬금없이 눈물이 글썽거렸다. 더 목청껏 불렀다. 고 짱, 고 짱, 고 짱. 메모지에 남겨진 내방자의 이름. 가타카나로 적힌 지요다 고키. 남들 앞에서 우는 것을 싫어하여 웬만하면 울지 않는다는 것은 순 거짓말이다. 다마키는 사실 어쩔 수 없는 울보다. 거짓으로 우는 짓만큼은 절대 하지 않지만 언제고 눈물을 참느라 필사적이다.

고키의 뒷모습이 멈췄다. 다마키를 향해 돌아본다. 눈부신 것을 바라보는 눈빛. 해를 등지고 선 자신의 모습을 알아보고 그가 미소를 지었다.

다마키, 하고 그의 입술이 움직인 것처럼 보였다.

그때였다. 구름다리로 한 걸음 다가온 고키가 긴 팔을 번쩍 치켜들었다. 그리고 말했다. 공기가 떨릴 만큼 큰 소리로.

"이번에는 화내지 말아 주겠어요?!"

무슨 소리를 하는 걸까. 순간 무슨 뜻인지 몰라 멈춰 선 다마키에게 그가 웃어 보인다. 두 손을 모아 입에 대고 외쳤다.

"오랜만입니다."

옛날 그와 파티에서 만났을 때 그가 느닷없이 꺼낸 첫마디.

그것을 떠올리고 입술을 깨물었다. 말로 표현할 수 없었다. 복받치는 이 감정에 어떤 이름을 붙여야 할지 몰랐다. 어떤 식으로 형용해도 한참 모자라다.

그저 고개를 끄덕인다. 얼굴에 미소가 번진다. 이 사람은 정말 센스가 좋다.

"지금 바로 갈 테니 거기서 기다려!"

아랫배에 힘을 주고 목청껏 소리친 뒤 다마키는 그의 곁으로
달려갔다.

옮긴이의 말 **꿈을 꾸게 하는 이야기**

　수십 년 전 일본 만화의 거장들이 모여 살았던 2층짜리 목조 건물 '도키와 장(莊)'. 『철완 아톰』의 아버지 데즈카 오사무를 비롯해 『도라에몽』의 후지코 후지오 콤비, 『사이보그 009』의 이시노모리 쇼타로 등 많은 만화가들이 일터이자 보금자리인 도키와 장에서 함께 청춘을 보냈다.

　『슬로하이츠의 신』의 무대가 되는 낡은 주택 슬로하이츠는 그야말로 '현대판 도키와 장'이라 할 수 있다. 만화가들이 모여 살았던 도키와 장과는 달리 슬로하이츠에는 소설가와 각본가, 그리고 데뷔를 꿈꾸는 화가, 만화가, 영화감독 지망생이 옹기종기 모여 산다. 이미 꿈을 이룬 자와 그렇지 않은 자가 한데 어울려 서로의 앞날을 응원하고 자극을 주고받는다.

　새가 알을 깨고 나오듯 자신을 낳아 준 어머니의 이야기를 냉정한 시선으로 조명해 각본가 데뷔에 성공한 아카바네 다마키. 십 대 독자들 사이에서 인기 절정을 달리는 한편 그들이 나이를 먹음에 따라 점차 손에서 놓게 되는 소설가 지요다 고키. 다정한 연인과 친구들의 곁을 떠나고 나서야 성장하는 모리나가 스미레. 한없이 순수한 만화의 세계를 꿈꾸지만 녹록지 않은 현실에 잠시 다른 노선을 타는 가노 소타. 친구에게 경쟁의식을 느낀 나머지 자괴감에 빠진 엔야 신이치. 작품에 감정을 표출하기를 두려워하는 나가노 마사요시.

저마다 사정은 달라도 각자의 자리에서 꿈을 향해 달려가고 또 위기의 순간에는 손을 맞잡는 이들의 모습을 보고 있노라면, 절로 꿈을 꾸고 싶어진다. 막연하게 번역가를 꿈꾸며 회사에 다녔던 십수 년 전, 도쿄의 한 서점에서 '이번 달 책을 한 권도 읽지 않은 당신에게 재미와 감동을 느낄 수 있는 이 소설을 추천합니다'라는 문구에 이끌려 츠지무라 미즈키의 작품을 처음 접했다. 그때 읽은 『슬로하이츠의 신』은 막연하기만 했던 나의 꿈을 굳혀 주었다.

아카바네 다마키가 지요다 고키의 소설을 읽으며 위로받은 것처럼, 나 또한 점점 성장해 가는 회사 안에서 오히려 작아지는 위치에 놓였을 때 츠지무라 미즈키의 소설을 읽으며 위로받고 번역가의 꿈을 굳혔다. 꿈을 이루었을 뿐만 아니라, 일본의 수많은 츠지무라 미즈키의 팬들이 '인생 책'으로 꼽는 『슬로하이츠의 신』을 한국 독자들에게 소개하게 되어 얼마나 기쁜지 모른다. 모두가 어려운 시기이지만 부디 이 소설을 읽는 동안만큼은 한껏 꿈을 꾸고 낭만에 젖어 보기를 바란다.

2020년 여름
이정민

슬로하이츠의 신 2

1판 1쇄 발행 2020년 9월 9일
1판 2쇄 발행 2020년 10월 30일

지은이 · 츠지무라 미즈키(辻村深月)
옮긴이 · 이정민
발행인 · 주연지
편집인 · 석창진
편집   · 최소라
디자인 · 김서영
마케팅 · 허은정

펴낸곳 · 몽실북스
출판신고 · 2015년 5월 20일 (제2015 - 000025호)
주소 · 서울 관악구 난향7길52
전화 · 02-592-8969 / 팩스 · 02-6008-8970
전자우편 · mongsilbooks_kr@naver.com
카페 · http://cafe.naver.com/mongsilbook
네이버 포스트 · post.naver.com/mongsilbooks_kr
인스타그램 · instagram.com/mongsilbooks

ISBN 979-11-89178-24-6 (04830)
ISBN 979-11-89178-22-2 (세트)